РУССКИЙ БЕСТСЕЛЛЕР

Татьяна УСТИНОВА

БОГИНЯ ПРАЙМ-ТАЙМА

 ЭКСМО

МОСКВА 2008

УДК 882
ББК 84(2Рос-Рус)6-4
У 80

Оформление художников
А. Старикова, Д. Сазонова

Устинова Т. В.

У 80   Богиня прайм-тайма: Роман. — М.: Эксмо,
2008. — 320 с.

ISBN 978-5-699-06297-3

Афган, дикая страна, странная война... Корреспонденты
Российского телевидения Ольга Шелестова и Никита Беляев
в тот день выехали снимать передовые позиции. На обратной
дороге Ольга пересела в машину к коллегам-журналистам,
чтобы успеть к эфиру, и бесследно исчезла вместе с ними. В
гостиничном номере царил разгром, значит, это не случайное
похищение?.. Беляев вернулся в Москву один. Коллеги смотрели косо: как случилось, что он уцелел? Его шеф и Ольгин
муж, директор информационных программ канала Бахрушин,
вынужден довериться Беляеву. Стало известно, что недавно
тайно сняли на видео неуловимого лидера талибов Акбара.
Сведения пришли из Парижа, а накануне похищения Ольга
получила оттуда посылку, где среди продуктов была и кассета.
Потом она пропала. Бахрушин летит в Кабул на поиски жены,
а Беляев знакомится с новой ведущей новостей красавицей
Алиной Храбровой. Он бросается ей на выручку — ее грозятся
убить, если она не уберется с канала...

УДК 882
ББК 84(2Рос-Рус)6-4

Ему говорят, что закончен бой
И пора вести учет
                    несбывшимся снам.
Ему говорят, что пора домой.
Дома, по слухам, уже весна.

Максим Леонидов

Во вторник в Кабуле в первый раз пошел дождь.

Низкие тучи, похожие на сгустившийся туман, наползли со стороны гор, и казалось, что, если встать на цыпочки, можно потрогать кудлатое серое небо. Из-за низкой облачности город с утра не бомбили. Тоже первый раз за все время.

Телефоны не работали уже дней десять. Из крана в крохотной ванной лилась отвратительная желтая вода, нечто среднее по цвету между квасом и знаменитой «ослиной мочой», которой следует разбавлять бензин. Одна канистра оставалась нетронутой, на дне другой болталось пол-литра «пригодной для питья» воды. Умываться ею в группе считалось смертным грехом, но Ольга все-таки умылась, чувствуя себя почти преступницей.

Зеркало было размером с ладонь, с растрескавшейся от старости и перепада температур амальгамой. Ольга посмотрелась в него, но ничего хорошего там не увидела.

Я вернусь домой и три дня буду лежать в ванне. В очень полной и чистой ванне. Я даже спать буду в ванне, и есть буду в ней, и пить буду из нее — столько, сколько захочу.

Она повязала на голову платок, подумала и перевязала по-другому — украсилась. Кофе не было ни капли. Зато есть надежда, что сегодня будет связь и они передадут репортаж в Москву.

Есть бомбежка, нет связи. Нет бомбежки, есть связь. Может быть, есть.

Она нацепила темные очки и осторожно выглянула в коридор. Там было пусто, и она проворно заперла свою дверь и постучалась в соседний номер. Произошло короткое шевеление, дверь распахнулась, и волосатая рука, схватив ее за майку, втянула внутрь так стремительно, что она чуть не упала.

Паника поднялась из живота и залила голову и горло. Стало нечем дышать, и сердце, кажется, разорвалось.

— Ты что? Обезумела? — спросил кто-то рядом. — Сколько раз тебе говорил, я сам зайду! Что ты шляешься, черт побери!..

Ольга потерла стиснутое горло, подышала открытым ртом. Паника, как удав, чуть расслабила кольца, но совсем не отпустила. Впрочем, они все время жили, объятые этой паникой со всех сторон. От нее спасала только работа, которой, как назло, в последнее время было мало.

Есть бомбежка, нет работы. Нет бомбежки, есть работа. Да и то не всегда.

— Ники, — сказала Ольга и откашлялась, — ты меня напугал.

— Иди на фиг, — предложил оператор и ушел в крохотную комнатку, точную копию ее собственной, сел там на кровать и стал обуваться, вид у него был сердитый. Из-за майки вывалился крест и качался на широкой цепочке у него под носом. Он сгреб его и закинул обратно. Шнурки на армейских ботинках были непомерной длины, и Ники пыхтел, старательно и замысловато завязывая.

Он сам придумал себе это идиотское имя, похожее на кличку собаки колли. Его звали Никита Беляев, вполне прозаично и очень по-русски. Свое прозаичное русское имя он почему-то терпеть не мог, особенно после «выхода на экраны» одноименного сериала с белокурой бестией в главной роли, и долго придумывал, как бы его изменить на иностранный манер. И придумал.

Ники, ужас какой-то!..

Ольга подошла к окну и, чуть раздвинув полоски древних жалюзи, посмотрела на улицу. Под козырьком гостиницы стоял БТР, и еще один за желтым углом соседнего дома. Бородатые афганцы в платках в точно таких же ботинках и камуфляже, как у ее оператора, сидели вокруг БТР на корточках.

— Когда же это кончится, твою мать... — бормотал у нее за спиной Ники, прилаживая шнурки.

Ольга отпустила полоски и вытерла о джинсы пыльные пальцы. Пыль была везде — на мебели, простынях, подоконниках, в ушах, в горле, в волосах. Синий кофр «Бетакама» казался серым из-за нее. У Ники в глазах появлялось страдание, когда он смотрел на кофр. Камеру он жалел больше, чем себя, — как все высококлассные операторы.

— У тебя осталась вода?

— Одна канистра и еще чуть-чуть. А кофе есть?

Ники кивнул на тумбочку, и Ольга посмотрела. Кофе в банке был, даже довольно много, и она чуть-чуть воспрянула духом.

— Только света с утра не было, — сказал Ники и почесал затылок, а потом живот под майкой. Они все время чесались, как вшивые. — Как его кипятить без электричества?

Ни на что не надеясь, Ольга повернула резиновый тумблер древнего советского выключателя — все здесь было советским или американским, даже выключатели, — и голая лампочка под потолком засветилась тусклым желтым светом, нервически задрожала тоненькая проволочка внутри стеклянной колбы.

— Дали! — восхитился Ники. — Ну, не иначе сегодня праздник у них большой. Ты не знаешь, что они сегодня отмечают?

Он поднялся с кровати, потопал ботинками, проверяя, хорошо ли они наделись и надежно ли зашнурованы, — иногда от этого зависела жизнь.

Можешь бежать, останешься в живых. Не можешь, останешься лежать на чужой желтой пыльной земле. Боб Фелтон погиб, потому что не мог бежать так быстро, как надо, — у них на глазах упал лицом вперед, и камера отлетела в сторону, подпрыгнула и повалилась набок, как будто тоже подстреленная, и Би-би-си потом долго пыталась получить его тело, но так и не получила. Неизвестно почему афганцы решили его не отдавать, и Боб навсегда остался здесь — в твердой, как камень, растрескавшейся желтой земле. Впрочем, если похоронили в земле, значит, ему крупно повезло.

Боб говорил, что больше всего на свете ему хочется английского пива. Просто пива и больше ничего. И еще он говорил про свою лошадь, только Ольга позабыла ее имя, какое-то замечательное имя, то ли Изумруд, то ли Кристалл. У него был титул — герцог, кажется, или граф, — и всех это почему-то очень веселило, и его самого тоже.

«Британия потеряла одного из своих лучших сыновей», — печально констатировал ведущий новостей Би-би-си в программе, посвященной операции «Буря в горах», — и все. Жизнь и смерть Боба Фелтона больше никого не интересовали.

Ну и что? Погиб при исполнении служебных обязанностей. Это просто такая работа.

— Я принесу воды, а ты запри за мной дверь, — распорядился Ники, перестав чесаться. — Стой и слушай. Я постучу три раза, тогда откроешь.

— У тебя паранойя.

— Я жить хочу. Меня Бахрушин на проходной повесит, если с тобой что-нибудь...

— Ладно, заткнись, — перебила Ольга довольно резко. О Бахрушине думать было никак нельзя. У нее почти все время получалось не думать и только иногда ничего не выходило.

— Давай!

Она кинула ему ключи, он поймал, выскочил за дверь и пропал. Ольга задвинула хлипкую щеколду — как будто это сможет их от чего-то уберечь! — и прислушалась. В коридоре было тихо. Под окном хохотали давешние афганцы. Пахло гарью вчерашней бомбежки — дождь прибил дым к земле, сегодня трудно будет дышать.

Впрочем, здесь всегда трудно дышать.

Вернулся Ники, стукнул три раза, и она ему открыла.

— Давай быстрей, а то свет выключат. Может, мне пока побриться?..

Ольга налила воды из канистры в литровую банку — каждому по полторы кружки, — сунула кипятильник и оценивающе посмотрела на Ники. Он весь зарос светлой щетиной, белые, сильно выгоревшие, отросшие кудри торчали в разные стороны. В обычной жизни ее оператор был почти наголо брит, может, поэтому сейчас выглядел как-то особенно дико.

— Побрейся, — решила она, — только все равно это как-то... неконструктивно.

— Почему неконструктивно? — спросил Ники из ванной. В трубах засипело и затряслось, словно кто-то пытался выдрать их из пазов. Ники негромко ругался.

— Завтра опять зарастешь, а бриться будет негде.

— Да ла-адно! Завтра будет завтра!

— Телефон не работает. — Ольга смотрела, как крохотные воздушные пузырьки облепляют спираль кипятильника, отрываются и поднимаются наружу.

— Подумаешь, бином Ньютона, — пробормотал Ники невнятно, наверное, от того, что рассматривал в крохотном зеркальце свою небритую шею. — Он уже сто лет не работает.

— Не сто лет, а десять дней.

Десять дней связи не было — кроме спутника, который время от времени выходил из тени, и тогда им удавалось передать очередной сюжет. В корпункте еще до войны обещали специальный спутниковый телефон и надули, конечно. То есть дали, но с этой линией моментально что-то случилось, наверное, так и было задумано — в начале войны с корреспондентскими линиями обязательно что-нибудь случается. И цензура, цензура, твою мать!.. Чего только они не делали, чтобы ее обойти, чтобы снять хоть что-то, отличное от «официальной точки зрения», на какие ухищрения ни пускались! Особенно старались сиэнэновцы, которым «официальная точка» совсем не годилась. Время от времени их высылали, и появлялись следующие. Ольга удивлялась — сколько у них там желающих снимать войну!

Пузырьки от спирали кипятильника отрывались все быстрее, всплывали и лопались. Ольга наблюдала.

— Ну чего? Еще не кипит?

Ники хотелось кофе. Еще ему хотелось яичницы с сосиской и свежим черным хлебом. Помидора хотелось невыносимо. А еще помыться и спать — несколько суток подряд, и чтобы не бомбили.

Он протиснулся мимо столика, на котором закипала вода, раздвинул полоски жалюзи, как давеча Ольга, и посмотрел на улицу. Гор не было видно, сплошные облака. Даже соседнего дома, наполовину снесенного «скатом», не разглядеть.

Дождь, туман, запах гари, арабская речь.

Ему вдруг показалось, что среди удручающе одинаковых бородатых лиц он увидел знакомое, которому вовсе не следовало там находиться, и это было странно.

— Оль!

— Что?..

— Подойди! Быстро только!

Она подошла и оказалась у него за плечом. Он слышал, как она дышит, легко и редко. Тонкие пальцы взяли его за майку — он скосил глаза. Розовые женские пальцы на его черной пыльной майке в белых разводах от пота.

Будь оно все проклято.

— Что, Ники?

— Вон справа, видишь, на броне?

Она еще придвинулась.

— Вижу. И кто это?

— Не Масуд ли, часом?

Ольга сбоку посмотрела на Ники, очень близко, но он выдержал характер и поворачиваться не стал — не заметил как бы! — и она опять глянула на улицу.

Человек в камуфляже, в распущенной пестрой косынке, с «калашниковым», болтавшимся на бедре — он все время придерживал его рукой, — был похож и не похож на корреспондента агентства «Аль Джазира».

— Ну чего? Он? Не он?

Ольга пожала плечами:

— Черт его знает. Можст, и он.

Ники отпустил жалюзи и вытер о штаны пыльные пальцы.

— Так мы с ним на север поедем? — осведомился он мрачно. — И где тогда наш «калаш»? Или что? У него есть, а у нас нет? Так нечестно.

— Это точно, — пробормотала Ольга и посмотрела на банку. Вода в ней кипела белым ключом. Пусть покипит пять минут — на всякий случай.

— Надо этих найти, из «Рейтера», которые с нами едут.

— Найдем.

— А есть чего будем?

— Чего-чего!.. Консервы!

— Вот они у меня где, эти консервы! — злобно сказал Ники и попилил себя по свежевыбритой шее. Лицо от лба до скул было сильно загорелым, ниже тоже загорело, но меньше, от этого казалось, что верхняя часть лица у него намного грязнее нижней. Впрочем, Ники, наверное, не тратил драгоценную воду на умывание. Купить можно было только кока-колу, которой умываться нельзя, да и пить опасно.

— С какой точки снимаем?

— Да ни с какой! Разве они дадут снимать откуда-нибудь!

— Значит, опять дворец?

Съемки разрешались только на фоне разбомбленного президентского дворца, очень живописно, если не каждый день.

— Опять, Ники. Что ты спрашиваешь, когда сам все знаешь!

— Я знаю все, — подтвердил оператор и выдернул желтый шнур кипятильника. — У меня галеты есть. Будешь?

— Буду.

Некоторое время они молча пили кофе и хрустели галетами, как две собаки улучшенным кормом «Чаппи».

Ольга стряхнула крошки с колен и заглянула в свою кружку. Кофе удручающе быстро кончался. Ники наблюдал за ней.

— И как это тебя Бахрушин отпустил?.. — вдруг задумчиво спросил он и поболтал в кружке ложкой. — Был бы я Бахрушин, ни за что бы не отпустил.

— Вот потому ты — не он, Ники!

— Это точно.

В дверь загрохотали, так что вздрогнули древние жалюзи на окнах, и паника приналегла на грудь и горло, сжала пыльные холодные кольца.

Впрочем, те, кто на прошлой неделе увез из гостиницы американскую девушку-фотографа, которую с тех пор никто не видел, не стали бы стучать.

Ники преувеличенно осторожно поставил на стол свою кружку, чтобы не расплескать ни капли драгоценного кофе, и шагнул к двери, кося напряженным глазом. В кулаке у него что-то блеснуло, и Ольга вдруг поняла, что это... нож.

Господи Иисусе!..

— Ники!..

— Ти-хо! — одними губами приказал он, бесшумно прыгнул и прижался спиной к стене. В дверь опять постучали, правда, немного тише. Ники мотнул головой, что означало — открывай! — и Ольга отодвинула щеколду.

Все его прыжки и ужимки напоминали боевик под названием «Спецназ» — там тоже так прыгали и гримасничали.

В коридоре произошло какое-то шевеление. Потом осторожный голос сказал негромко:

— Мужики! Вы здесь?!

Оператор молниеносно выбросил руку с ножом, и как давеча Ольгу, схватил посетителя за майку и втащил внутрь. Лезвие тускло сверкнуло у самой щеки незваного гостя.

— Твою мать!..

Человек ввалился в комнату головой вперед, сделал несколько торопливых шагов, чтобы не упасть, и почти уткнулся носом в стол, на котором стояла кружка. Ничуть не обескураженный бесцеремонным обращением, он повел носом, живо понюхал, схватил кружку и сделал большой глоток.

— Поставь на место!

— Да ладно!

— Поставь, тебе говорят!

Посетитель еще раз торопливо хлебнул, утер губы и сказал насмешливо:

— Ники, ты жадина! Вот Оленька не такая! Ведь правда? Я знаю, что ты ничего не пожалеешь для друга. Для своего старого друга! А, Оленька?

— Я тоже жадина, — буркнула Ольга, забрала со стола кружку и сунула ее Ники. Борейко и без кофе обойдется.

Все знали, что Толя каким-то волшебным образом умел добыть все, что угодно, даже в осажденном Кабуле. Поговаривали о его связях с контрабандистами и талибами, с узбеками и пакистанцами — впрочем, журналисты всегда склонны усложнять, выдумывать, «играть в детектив». Может, он просто оборотистый и ловкий, этот самый Толя Борейко, корреспондент агентства «Интерфакс».

— А у меня телефон сдох, — поделился Толя, покосился на Ники и усмехнулся. Оператор даже не хлебал, а словно лакал кофе, торопливо, словно боялся, что у него отнимут драгоценную кружку. Толе совсем не хотелось кофе — он мог пить его сколько угодно.

— У всех телефоны сдохли, — пробормотала Ольга.

Афганцы все хохотали под окнами. Они или хохотали, или стреляли, или кричали гортанными, как будто раздраженными голосами — казалось, что вот-вот подерутся. Ольга никогда не видела, чтобы они были спокойны.

— Так у меня спутниковый! Детям такие в руки не дают.

— Дети — это мы?

— Оленька, что ты там высматриваешь, за окошком? Вот лично я ничего хорошего там никогда не видал. Посмотрела бы на меня, лапонька.

— Нет, спасибо, Толь, я лучше в окошко.

— Тебе нравятся бородатые мужчины в платках?

Человек в пестрой косынке, похожий на корреспондента «Аль Джазиры», куда-то делся с БТР.

— Ники, а что это у тебя с мордой?

— В каком смысле?

— Грязная вроде.

Ники вытянул шею и уставился на свое отражение в мутной полировке гардероба. Дверь, словно следуя за его взглядом, вдруг приотворилась с медленным скрипом, и Ники отшатнулся.

Паника, словно атакующая змея, выметнулась из гардероба и зашаталась перед их лицами, разинув отвратительную пасть.

Ольга почувствовала, как по виску проползла капля пота.

14

— Вы чего? — оторопело спросил Толя Борейко. — Или у вас тут привидения... обитают?

— Черт знает, кто тут обитает, — пробормотал Ники, прицелился и ногой захлопнул дверцу гардероба. Паника пропала за ней, будто ее и не было вовсе.

— Ну, вы даете. — Толя даже головой покрутил в знак того, что несказанно удивлен тем, как они «дают». — Нервные все какие-то стали.

Ники молчал. Ему было стыдно, что он так перепугался. И стыдно, что Ольга это видела.

С нервами на войне дело вообще обстоит не слишком хорошо, прав Борейко. Как там это называется, в другой жизни, — ПТС?.. ПСС?.. — ужасная штука, замучившая американцев после войны во Вьетнаме! В кино это выглядело очень трагично — небритые парни, на костылях или без, проводящие все свое время в кабаках и публичных домах, сбивающиеся в стаи или пропадающие поодиночке. Кажется, это называлось «сломаться». «Он сломался после Сайгона» — произносить следует низким, сочувствующим голосом, отводя глаза.

Ники не хотелось «ломаться», но нервы были и впрямь на пределе.

— Вчера конвой пришел, — сообщил Толя. Покопался двумя пальцами в хрустящем пакете, на дне которого болтались остатки галет, выудил какой-то обломок и решительно отправил в рот. — Из Ходжа-Багаутдина. Девчонки красивые приехали.

— Какие девчонки? — встрепенулся Ники, очень озабоченный поддержанием собственного имиджа Казановы. В Кабуле этот имидж пропадал зря и, можно сказать, уже почти совсем пропал.

— Француженки, — Толя осмотрел свои пальцы и аккуратно отряхнул с ладоней крошки.

Ники огорчился:

— Да от них никакого толку!

— Конечно, никакого.

— А чего ты тогда говоришь?!

— Так просто.

Ники запустил пятерню в кудри и энергично там почесал. Ольге его затея с отращиванием кудрей в воюющем Афганистане решительно не нравилась, но она благоразумно помалкивала. Знала, что как только начнет учить его жизни, он моментально упрется рогом и сделает что-нибудь гораздо более бессмысленное — например, станет отращивать еще и бороду.

Его упрямство можно сравнить только с его чудовищным профессионализмом — если таковой может быть чудовищным.

Кроме того, в нем жил еще «дух противоречия», в полной гармонии с которым он всегда делал не то, чего от него ожидали, а то, что считал нужным, и «собственные взгляды» тоже присутствовали. Эти «взгляды» Ольгу очень забавляли, если не подавались в слишком больших количествах, как баклажаны в армянском ресторане «Ноев Ковчег» в тихом и старом центре тихой и старой Москвы.

Почему-то только из такого далекого далека, как Кабул, Москва казалась тихой и старой. И баклажанов захотелось невыносимо.

— А я вчера ванну принимал, — похвастался Ники неизвестно зачем и на секунду перестал чесаться.

— В ACTED ездил?! — ахнула Ольга.

Только в домике ACTED — международной организации, строившей в Афганистане дороги, — можно было помыться. Наверное, этот домик войдет в историю как самое популярное среди всех работавших здесь европейцев место. Чтобы попасть внутрь, надо было постоять или посидеть на полу в длинной очереди. Непосредственно ванная — грязная комнатка с серыми цементными стенами и двумя баками, с горячей и холодной водой, и несколько металлических кувшинов. Самое главное попасть внутрь. Попал — как будто в рай. Можно мыться или чистить зубы.

Бахрушин, наверное, и не подозревает, какое это счастье — почистить зубы...

— А вы правда на север едете?

Ольга пристально взглянула на корреспондента «Интерфакса».

Вот зачем ты пришел. За информацией. Тебе до смерти любопытно, куда мы едем, с кем и зачем. Любопытно «по-журналистски» — как же, вдруг пропустишь что-то важное и интересное, и «чисто по-человечески» — слухи об их с Ники романе будоражили не только коллег «на местах», но и московское бюро тоже. В последнем телефонном разговоре главный редактор Костя Зданович что-то уж больно игриво расспрашивал, как там Ники, — словно не мог спросить у него сам! — и эта игривость резала Ольге ухо, сверлила прямо.

Косте Здановичу в Москве кажется, должно быть, что Афганистан — это сплошная романтика, слегка подсоленная опасностью и сдобренная восточными пряностями в духе Ходжи Насреддина!

Ошибается Костя. И относительно романтики, и относительно Ники.

Никакой романтики. Никакого Ники.

Толя Борейко помолчал и, так как никто ему не ответил, спросил снова, теми же самыми словами:

— А вы правда на север едете?

Он мог так спрашивать до бесконечности — Ольга знала.

Однажды они снимали пресс-конференцию министра МЧС, который долго и старательно не отвечал на Толин вопрос, а Борейко все повторял и повторял его — слово в слово! Министр в конце концов озверел и велел ему катиться с этим вопросом и даже уточнил, куда именно, и вышел небольшой скандал, который в конце концов замяли.

С тех самых пор министр МЧС, по слухам, каждый раз интересовался, кто будет на конференции от «Интерфакса», и если ему отвечали, что может быть и Борейко, министр весело сообщал своей пресс-службе, что тогда пусть она, то есть служба, катится туда же, куда он чуть было не отправил Толю.

Вспомнив про министра, Ольга улыбнулась.

Он был молодой, решительный, сердитый и веселый — самый лучший из всех известных ей министров, а уж она-то их повидала, как любой высокоуровневый журналист! С Бахрушиным министр дружил, и они даже один раз ездили куда-то на своих громадных, тяжелых, вездеходных машинах, напялив куртки и болотные сапоги, и там, куда приехали, сидели на берегу чистой и быстрой речки и до утра разговаривали о делах. На их мужском языке это называлось «вырваться на рыбалку».

Ольга сидела с ними только до полночи, а потом ушла в домик спать и до рассвета сквозь сон слышала, как они хохотали. И деревья шумели высоко-высоко, и холодно было, и тяжелые капли стучали в крышу, и костер трещал, и река под горой перекатывалась по камушкам. Под двумя одеялами было тепло, только нос все время мерз, и она, как собака, зарывала его в подушку. Ей как-то очень радостно и легко дремалось под этими самыми одеялами, и ночь была глухая, совсем осенняя, и Ольга все время помнила, что завтра еще один выходной, а в Москву они вернутся только в понедельник, до которого целая жизнь!..

А потом пришел Бахрушин и разбудил ее грохотом своих сапожищ.

И, не открывая глаз, она слушала, как он топает и сопит, сдирая с себя свитер и джинсы, и это так ее волновало!.. Он повалился рядом, полежал и стал решительно раскапывать одеяла, раскопал и обнял ее, — у него была прохладная кожа, и щеки, колючие от щетины, и от него пахло дымом, осенью, одеколоном и чуть-чуть спиртным.

Он долго целовал ее холодными, настойчивыми губами, и прижимался щекой к виску, и гладил ее горло, и за ухом, где она особенно любила, а потом зачем-то спросил:

— Ты спишь?..

И у него был странный, перехваченный голос, как будто он тоже сильно волновался...

Вдруг сейчас ей показалось, что ничего этого не было.

Она все придумала. Оттого, что сильно устала за эту командировку, оттого, что бомбили каждый день, что выключился телефон, оттого, что приперся Толя Борейко, испортил настроение.

— А вы правда на север едете?

— Правда! — гаркнул Ники. — Мы! Едем! На север!

— А кто везет?

— Никто не везет. Мы сами себя везем.

— А машину где взяли?

«Взять» машину было невозможно, и все это знали. Все местное население от мала до велика делало бизнес на приезжих, и населению было абсолютно наплевать, что это за приезжие — журналисты, военные, гражданские, строители, врачи без границ — «и без мозгов», прибавлял обычно Ники, — кто угодно.

Машина до Панджера — шесть тысяч долларов. Не хочешь платить, не поедешь, а ехать надо, и мало того, еще оборудование везти — камеру, генератор, монтажный стол. Будешь выламываться, скажут — семь. Или десять, им все равно, кто-нибудь да поедет, а им не к спеху. Некий документ местного МИДа, разрешающий выезд из Кабула, стоил двести долларов с каждого выезжающего, если официально, и еще нужно выстоять очередь в несколько дней, из которой нельзя уйти, записав номерок на ладони. Можно заплатить триста, и документ выдадут без очереди. А еще бумаги и разрешение на оборудование! А еще бензин, вода и жилье, за которое тоже нужно платить! Например, номер в данной гостинице стоит примерно как пятизвездочный люкс в Москве. Всем приходилось раскошеливаться, чтобы снимать войну.

Кому война, а кому мать родна...

Вот умная и, главное, свежая мысль.

— И чего?! Кто платит? Бахрушин, что ли?! — продолжал недоумевать Толя Борейко. — Да нет, ребята, что-то вы мне темните!

— Это неправильно, — лениво поправила его Ольга. — «Мне темните» не говорят.

— Да нет у Российского телевидения таких денег и не было никогда! За ваши разъезды платить!..

Толя был настоящий журналист, и мысль о том, что коллеги-конкуренты могут его обскакать, казалась ему невыносимой.

— Да какое тебе дело, кто за нас платит?! — из ванной крикнул Ники. Кажется, он опять рассматривал себя в зеркале, искал следы былой молодецкой удали.

И девицы, только что приехавшие из Ходжа-Багаутдина, оказались француженками — что толку от этих француженок!.. Расстройство одно.

В их поездке была небольшая тайна, но открывать ее Толе Борейко они не собирались. По крайней мере, Ольга так поняла своего оператора, засевшего в ванной, а главным «носителем тайны» был именно он.

— На базар надо сходить. Слышишь, Ники?

— Чего ты там не видала? Тазы с кувшинами? Воды все равно нет.

— Там хлебушек, — пробормотала Ольга и сглотнула — вдруг очень захотелось хлеба. — Лепешки.

Ники выглянул из ванной, вид у него был недовольный.

— Я один схожу. Без тебя.

Толя Борейко основательно уселся на шаткий металлический стул, крепко взял себя за колени — и навострил уши.

Недаром об их романе с Ники говорили все заинтересованные лица не только в Кабуле, но и в Москве.

Говорили и жалели Бахрушина.

...А что он может? Ей вожжа под хвост попадет, она и начинает вытворять, чего ей охота! В прошлом году в Антарктиду летала, а теперь вот в Афган понесло ее! Книгу написала, читали? Да ладно, все читали! Ну и что? Особенная какая-то книга, что ли? Да ничего особенного, книга как книга. Тогда почему ее напечатали?! И целое событие было, по телевизору показывали, а теперь говорят, что ей премию какую-то дадут, то ли Пулитцеровскую, то ли Букеровскую, шут ее знает. А все из-за чего? Из-за того, что спит со всеми — и с тем, и с этим, и еще вроде с министром печати и с эмчэсовским, и с генеральным продюсером, и еще с кем-то, от кого зависит... А вы не знали?! Да она ни одного мужика не пропустит, у нее, наверное, как у этих... которые зарубки на кровати делали, кто это такие были? Потащилась вот в Афган, а он отпустил, Бахрушин-то, как он может ее остановить?! А ей все мало — небось Нобелевскую теперь подавай, премию-то. Фемипистка, блин. Профессионалка.

Бедный Бахрушин. Не повезло ему.

Ники из-за двери в ванную еще поизучал ее, а потом опять скрылся. Им надо было бы поговорить, а Толя мешал.

Впрочем, не к спеху. Поговорить они еще успеют.

Хотя можно и не успеть. Дней десять назад «томагавк» снес у гостиницы правое крыло — ошибка вышла, извиняйте, граждане журналисты, промазали мы. Про американские карты, на которых обозначено все вплоть до форточек в сортирах, мир узнал, когда какой-то бравый капитан со своего «Бигфайера» взял да и саданул по японскому посольству.

Тоже ошибся, видимо. Хотел по какому другому садануть, а вышло по японскому.

Человечество содрогнулось. Мир замер.

Ждали катастрофы — во вселенском масштабе.

Лидеры держав по очереди промямлили, что они

тоже предпочли бы, чтобы капитан саданул по какому-нибудь другому посольству, попроще, но изменить ничего было нельзя.

Во вселенском масштабе обошлось, — выдержав тяжеленную паузу, чтобы все как следует прочувствовали близость пропасти, японцы холодно приняли холодные американские извинения.

...Перед журналистами никто не извинялся — выразили соболезнования семьям погибших, мировые новостные каналы показали дымящиеся развалины и испуганных людей в джинсах и майках, кучками стоявших вокруг в серых и плотных клубах пыли.

Ольга тоже там стояла. Телефон тогда еще работал, но от шока она забыла сразу позвонить и потом долго не могла понять, в чем дело, откуда длинные свербящие звуки — как будто из середины черепа.

Звонил Бахрушин, посмотревший видео WTN.

— Ты жива?

Она знала, что сигнал идет долго, и ей вдруг представилось все это — как висящий над другим континентом спутник сейчас примет сигнал от ее телефона и в нем будет что-то мигать и щелкать, передавая сообщение дальше. Антенны наземных станций подхватят его, развернув острые решетчатые носы, и погонят дальше на запад, на запад и потом на север, через горы, леса, города, пустоши и болота, в которых зреет клюква, и пахнет мхом и хвоей, и сеет мелкий дождь, — и дальше, дальше.

А там, вдалеке, «дворники» мотаются по стеклу, и в приемнике звучит песня про любовь, и в мокром асфальте дрожат огоньки машин, и заваленный бумагами стол в кабинете, и привычные сигареты, пиджак на спинке кресла и нагревшаяся тяжелая трубка телефона в ладони.

Он звонил и не знал, жива ли она, или то, что от нее осталось, тоже там, в пыльных обломках, которые уже не разобрать; не знал, что кровь в пыли становится черной, как будто сворачивается. Только если наступить в лужицу, изнутри брызнет алым. Он звонил и ждал, ответит она или нет.

Сигнал идет долго, и надо пережить, переждать, глядя вниз, в пропасть московского асфальтового двора, на окна соседнего крыла, освещенные желтым светом, и понимать совершенно отчетливо — все это имеет смысл, только если она сейчас ответит.

А она сразу не позвонила, потому что у нее был шок.

Если сегодня будет связь, она скажет ему, что любит его больше жизни.

Прямо так, прямо вот этими самыми словами.

И наплевать на шум аппаратной, который всегда слышно в наушнике, и истерические вопли выпускающего, и вой спутника, и на то, что там тьма народу — прямой эфир в федеральных новостях, шутка ли! Но она все равно скажет — он ведь там, и Ольга это знает, а больше ей ничего не нужно.

Почему она никогда не говорила, что любит его?!

Чертов характер.

— Чертов характер, — повторила она вслух.

— У кого?

— Что — у кого?

— Характер. У кого?

— Толь, — попросила Ольга, — дай мне сигарету.

— Я не курю, — весело удивился Толя Борейко, — ты что, забыла?

Курили все, кроме Толи. Он, конечно, заботился о своем здоровье — как это она позабыла?!

Афганцы опять загалдели под окнами, Ольга все пыталась расслышать, на каком языке они говорят. Здесь много языков — таджикский, пушту, фарси и дари. Впрочем, кажется, дари — это не отдельный язык, а диалект. Чем-то они друг от друга отличались, но разобраться было трудно.

Ники выучил два слова: ташакор — спасибо, хоп — хорошо, договорились — и пользовался ими виртуозно.

Он протиснулся из ванной мимо Толи и сунул Ольге пачку сигарет.

— Спасибо.

— Не за что.

Хороший, вежливый мальчик. Заботливый.

Бахрушину, наверное, не десять, а уже сорок раз доложили, что у них роман, а как же!..

— Ну ладно, — заключил Толя, поднялся и недовольно поморщился в сторону Ольгиной сигареты, — я пойду тогда. Да, Ольга, я чего пришел-то! Тебе с конвоем посылка пришла. Из Парижа. У тебя там есть кто-то?

— Где?! В Париже?!

— Съезди в корпункт Евровидения. Мне вчера ребята сказали, что там ее оставят.

— Да что за ребята?!

— Не знаю. Просили передать. А что там, от кого, я не знаю. У тебя чего, и в Париже свои?

В Париже было много разных людей, в разное время имевших к Ольге разное отношение, но она только пожала плечами.

— У вас эфир сегодня?

Ники пожал плечами и опять почесался.

— У нас-то эфир, а там кто знает. Человек предполагает, а тут только Аллах располагает.

Толя дико на него взглянул, пошел было к двери, но остановился, подхватил мятую пачку из-под галет и покопался в ней, как будто проверял, сколько там еще осталось.

— Давай-давай!

Толя быстро ссыпал крошки в рот и выбрался в коридор. Ники закрыл за ним дверь и посмотрел на Ольгу. Та приложила палец к губам, и они секунду молчали.

— На базар надо идти, — от двери сообщил Ники. — Есть охота. И за посылкой. Как ты думаешь, сигарет прислали?

— Да я вообще не очень понимаю, кто и что прислал.

24

— А колбасы?..

Ники любил колбасу с черным хлебом, и еще сыр, и крепко заваренный кофе. И чай, хорошо бы большую кружку, очень много заварки и очень много сахара.

— Придется тебе со мной ехать. Если она на твое имя, мне не дадут.

— Поеду.

У Ники был «Лендровер» — все сотрудники Би-би-си ездили на «роверах», и именно в этом и заключалась страшная тайна, в которую были посвящены Ольга и Бахрушин, а больше никто.

Ники работал не только на Российское телевидение, но и на Би-би-си.

Он в самом деле был классным оператором, и англичане предложили ему заключить контракт перед самой войной. И он согласился, потому что это был сказочный шанс — стрингер мировых новостных компаний отличается от простого российского журналиста, как зеленый дипломатический паспорт отличается от «серпастого и молоткастого». У него были всевозможные ксивы, и разрешенные доступы куда угодно, и бумажка с просьбой о содействии, подписанная каким-то высоким английским военным чином. Кроме того, у него еще была машина, за которую не надо платить шесть тысяч долларов, потому что ее честно выдали в корпунктс Би-би-си, и спутниковый телефон, и постоянная линейка для выхода в эфир — мечта любого журналиста.

Работа на иностранцев подразумевала «право первой ночи». Никто, кроме Би-би-си, не мог посягать на отснятые Беляевым материалы, а он как-то ухитрялся мухлевать — снимал для Российского телевидения. Бахрушин его об этом еще в Москве попросил, и он согласился.

Вот этого Ольга никак не могла понять.

Она потом несколько раз приставала к оператору с неизменным вопросом, почерпнутым из фильма всех времен и народов под названием «Покровские ворота»:

— Савва, а зачем *тебе* нужно, чтобы я у вас жил?!

Но он только хохотал, показывал крупные белые зубы — и не отвечал.

Так и осталось невыясненным, зачем это нужно «Савве», то есть Ники. Если бы в Лондоне узнали, выгнали бы его немедленно. Если бы прознали в Москве — кто-то, кроме Бахрушина, — выгнали бы немедленно. Куда ни кинь, всюду клин.

Но Бахрушин попросил, и Ники согласился.

Наверное, это было что-то из «особого мужского мира», в правилах которого, не будучи мужчиной, разобраться невозможно.

Трудно найти оператора, который сумел бы хорошо снять войну. Еще труднее найти такого, который согласился бы снимать войну. И невозможно сделать это быстро. У Бахрушина не было выхода — Ники позвали на Би-би-си примерно недели за две до войны, — и оказалось, что отправлять в Кабул решительно некого. То есть были несколько патлатых, худосочных и гениальных юнцов, мечтающих о мировой славе — «Быть может, меня наградят. Посмертно», — но Бахрушину они никак не годились.

Ольга не припомнит больше ни одного случая, чтобы оператор так работал — и нашим и вашим, — но Ники это как-то удавалось.

Если станет известно в Москве, все скажут, что Бахрушин его «подставил», потому что он любовник его жены.

Ужас.

Ники любил это слово, и Ольга иногда повторяла его за ним.

— А Толян-то, — сказал Ники издалека, — приперся! Все ему знать надо, куда мы едем, да зачем!..

— А как же? Он проворонить боится, вдруг нам Бен Ладен интервью обещал. Мы снимем и прославимся.

— Сказал бы я, чего он и кому обещал, да воздержусь пока. Здесь женщины и дети.

Ольга усмехнулась.

— Ну что? Сначала за посылкой, а потом сюжет, или сначала сюжет, а потом за посылкой?

— Как хочешь, Ники.

— Что важнее, — продолжал веселиться оператор, — деньги или стулья? Утром деньги, вечером стулья. Утром стулья, вечером деньги.

— Ники, ты что? Обалдел? Какие стулья? Какие деньги?

— Я давно обалдел. Какого хрена я на эту войну езжу?! Да еще на чужую? Вот чего мне не хватает? Почему я не могу, как все люди, снимать ток-шоу «Все дело в перце, или Поговорим про это»? Куда меня несет?

— Я не знаю.

— А кто знает?! — вопросил Ники оскорбленным голосом. — Дед Пихто?!

— Должно быть, ты рвач и выжига, — предположила Ольга лениво. — И деньги для тебя самое главное в жизни, и страсть к стяжательству и наживе в твоих мозгах затмевает все остальное.

— Я рвач и выжига, — согласился Ники. — Это всем известно, хоть у кого в «Останкино» спроси. Но жизнь-то одна!..

— Это точно.

— А тогда зачем мне...

— Ты мне надоел, — перебила его Ольга. — Давай поедем уже, если ты рассмотрел себя в зеркале.

— Да я и не рассматривал.

— Да ты только и делал, что собой любовался. Толя Борейко чуть шею не свернул. Наверное, решил, что ты голубой.

— Может, он сам голубой. А, говорят, знаешь, кто голубой?..

— Ники, мне наплевать, кто голубой, а кто зеленый!

— Ну вот, — пробормотал оператор и выдвинулся на середину комнаты — пятнистые камуфляжные штаны, майка, бывшая когда-то черной, но от пота и солнца ставшая рыжей, бандана на отросших кудрях. Вид вполне мужественный и вызывающий жгучее уважение к самому себе, как у заправского американца.

Ольга была совершенно убеждена, что эта великая нация достигла своих великих высот, потому что каждый ее гражданин, глядя на свое отражение в зеркале, истово и с удовольствием уважал себя — и так на протяжении нескольких столетий.

— Поехали сначала в Евровидение. Сюжет потом, да и снимать нечего.

Со дня на день ожидали штурма Кабула «войсками талибов и моджахедов», но пока не происходило ничего *такого* — по окраинам постреливали не только ночью, но и днем, пыльные БТР время от времени мчались неведомо куда, и все замирало — началось, не началось?.. А еще Ольга решительно не могла понять, чем отличаются «свои» от «чужих» — те же злые настороженные глаза, те же бороды почти до гладких загорелых лбов, та же гортанная речь.

Говорят, что «чужие» довели страну до ручки. Ольга вовсе не была уверена, что «свои», перехватив инициативу, не доведут страну «до ножки», или до чего они еще могут ее довести, по логике?..

«Ровер», принадлежавший Ники, то есть Би-би-си, всегда стоял в одном и том же месте, прямо за гостиницей, во дворе какого-то странного дома. Он был необитаем и напоминал советский долгострой конца семидесятых, но почему-то считался «безопасным» — почему?.. Впрочем, «ровер» там прекрасно себя чувствовал, с ним никогда ничего не случалось, и Ники каждый раз, встречаясь с ним утром, любовно хлопал его по пыльному крылу, как будто это была не машина, а лошадь.

До корпункта Евровидения было не слишком далеко — если ехать как положено, по улицам, но «как положено» ехать не разрешалось. Надо было в объезд, через несколько КПП, с предъявлением ксив и физиономий. Ксивы предъявлялись в развернутом виде, а физиономии без солнечных очков, и Ольге всегда становилось не по себе, когда в нее впивались темные странные глаза проверяющего.

Мы никогда не найдем общего языка. Никогда. Мечты об этом — утопия. Мы не готовы жить, понимая их, а им нет до нас никакого дела. Нас для них нет. Есть только некая цель — переделать мир так, чтобы он стал похож на Кабул в данную минуту. В этом мире можно будет только одно — воевать, а именно это и есть то, что они умеют и делают лучше всего.

Ужас, сказал бы Ники.

Машину сильно трясло на разбитой дороге. Ники под настроение любил так ездить — «без башки» это называлось на мужском языке. Ольга держалась руками за щиток и думала о посылке — вот интересно, есть там колбаса или нет?! — о разбитой дороге, о том, что снимать нечего, и о Бахрушине, конечно.

Думала примерно так — как он там, без нее? Невозможно было вообразить ничего глупее этого вопроса, но ей почему-то только это шло в голову. Колесо тряслось и прыгало на капоте в такт ее мыслям, серое от грязи. Мысли тоже были какие-то серые. Вчерашний дождь превратил пыль в грязь, зато во дворе гостиницы обнаружились несколько чахлых кустиков с робкими цветочками. Ольга долго на них умилялась.

— Может, связь сегодня восстановится, — пробормотал рядом Ники и вдруг повернул руль, сильно выкрутив кисть, и нажал на тормоз. Ольга чуть не ткнулась лбом в щиток.

— Ты что?!

— Остановка по требованию. Не видишь, что ли?

Ну да, конечно. Первая проверка документов.

Их долго рассматривали, особенно Ольгу — как лошадь или ишака, которого собираются купить на базаре, — пристально, оценивающе, но довольно равнодушно. Все равно ведь не человек, а лошадь или ишак! Какие-то оборванные дети перестали бегать друг за другом, подошли и тоже стали смотреть серьезными взрослыми равнодушными глазами.

— Черт, — пробормотала Ольга.

— Да ладно, — не поворачиваясь, сказал Ники, — в первый раз, что ли?

Документы зачем-то понесли в фанерную будку, именно Ольгины, Беляеву вернули сразу — Би-би-си есть Би-би-си.

— Ники, — негромко сказала Ольга, — вот ответь мне, почему от тебя никогда никому ничего не надо, а от меня всегда и всем?!

— Баба на войне, — все так же не глядя на нее, начал Ники. — Это раз. Русская. Это два. Красивая, это три.

— Мне кажется, что просто они не уважают меня как представителя моей страны.

Ники коротко глянул на нее и опять перевел взгляд на «ровер», чтобы не пялиться на детей, молча стоявших вокруг, и на проверяльщиков.

— Они вообще никого не уважают как представителя какой-то страны. Англичан боятся. Американцами пользуются. То есть это им кажется, что пользуются.

Бородатый афганец показался на пороге будки и повелительно махнул Ольге рукой. Она медленно подошла, а Ники остался. Она спиной чувствовала, как он вдруг напрягся, даже мышцы вздулись, и паника выползла из-под машины, задрала плоскую змеиную голову, разинула отвратительную пасть.

Афганец что-то длинно сказал — у него были дерзкие глаза и веселый рот. Это был самый страшный афганец из всех, кого она видела. Почему-то стало совершенно ясно, что ему ничего не стоит вернуть ей документы или перерезать горло. И то, и другое действие не потребует от него никаких усилий.

Он ткнул в ее сторону бумагами и опять что-то сказал.

— Что? — по-английски спросила Ольга.

— Куда?.. — он выговорил простое слово с таким

трудом, что она поняла не сразу, а следовало бы понять, чтобы не раздражать его.

— Евровидение.

Он посмотрел в бумаги, потом обернулся и что-то громко прокричал внутрь каморки, махнул рукой, засмеялся, сунул бумаги ей почти в лицо. Она отшатнулась и перехватила их унизительным быстрым подчиненным движением, а он повернулся и ушел.

Спина у нее была совершенно мокрой.

Ольга вернулась к «роверу», возле которого курил Ники, и, не глядя друг на друга, они забрались в высокую машину и проехали железный задранный шлагбаум. Никто не давал себе труда ни поднимать, ни опускать его.

— Я больше не могу.

— Да ладно.

— Не могу я больше.

— Не можешь, — неожиданно жестко сказал оператор, — давай тогда первым рейсом в Душанбе, а оттуда в Москву! Снимешь сюжет про выставку собак, мне сюда перегонишь, я оценю.

— Я не умею снимать собак.

— Не умеешь, тогда снимай то, что снимаешь сейчас. «Не могу» скажешь, когда в Москву вернемся. Логично?

— Логично.

В корпункте Евровидения наблюдались оживление и бурная активность — и то, и другое было неотъемлемой частью данного корпункта, так сказать, его визитной карточкой и лицом.

Ольга понятия не имела, где и у кого станет искать здесь посылку. Попался знакомый журналист с TF-1, но он ничего не знал о посылке, слышал только, что вчера пришел конвой из Ходжа-Багаутдина, с ним кто-то приехал, а кто... ищите сами.

Ники из поисков моментально выключился — флиртовал с прибывшими француженками. То, что они только прилетели, было видно за версту — ухоженные гладкие лица, чистенькие джинсики, косыночки, шарфики, маникюр и общая радость жизни. По сравнению с ними Ольга моментально почувствовала себя грязной оборванной старухой. Все вместе они весело и неправильно говорили по-английски, ибо Ники по-французски вовсе не говорил, а она, всеми забытая и покинутая, двинулась дальше искать свою посылку.

Именно так она о себе и думала в данный момент — покинутая и забытая.

После нескольких бесцельных заходов в заполненные людьми тесные комнатенки с голыми стенами и неизменными циновками на серых глиняных полах посылка нашлась. Ее прислала какая-то неизвестная Валя из Парижа. Ольга понятия не имела, что это за Валя и откуда она взялась. К коробке прилагалось письмецо в длинном конверте, и Ольга села прямо на пол в людном коридоре, чтобы прочесть его как можно скорее.

Бумажка была хрусткая и беленькая, похожая на тех самых француженок, и еще добавила Ольге уныния.

«Оленька, — было набрано стандартным компьютерным шрифтом, — я узнала, что ты в Афганистане. Мне сказал Рене Дижо, с которым ты в прошлом году летала в Пхеньян. Я очень за тебя волнуюсь. Робер улетает в Кабул, и я решила с ним отправить тебе небольшую посылку. Здесь все, что ты любишь, а на кассете наш последний выходной в Довиле, помнишь? Я не знаю, можно ли передавать через границу кассеты, но даже если она пропадет, не беда, у нас есть копия. Возвращайся скорее и немедленно позвони мне, как только появишься в Москве, я беспокоюсь о тебе. Валя Сержова. Сто лет не виделись!»

Ольга дочитала до того, что они так долго не виделись, и стала читать сначала. Дочитала и опять начала.

Тут в коридор влетел Ники. Очевидно, у француженок обнаружились какие-то дела, сам бы он от них ни за что не отстал — Казанова чертов!..

Он пробежал глазами толпу, Ольгу не заметил и рванул было дальше, но вернулся — попятился, вытягивая шею, споткнулся, чуть не упал, толкнул толстого дядьку в оранжево-желтом одеянии буддийского монаха и пробормотал почему-то:

— Пардон, мадам.

— Какая я тебе мадам! — возмутился дядька по-русски. — Мадам!.. Осатанели все!

— Ты чего тут сидишь? — спросил Ники у Ольги.

— А где мне сидеть?

— Где посылка?

Ольга кивнула на белую коробку, и Ники моментально подхватил ее — должно быть, чтоб не сперли. Посылка была довольно тяжелой.

— А что там есть? — Одной рукой Ники держал коробку, а другой пытался подковырнуть крышку, чтобы посмотреть. Вдруг там и вправду колбаса, или чай, или ветчина в большой розовой банке, или...

— Там кассета о нашем последнем дне в Довиле.

Ники перестал ковырять крышку и снизу вверх мотнул головой, спрашивая — ты о чем?

— О... каком дне в Довиле?..

— Последнем. Ты что, не слышал?

Ольга поднялась и отряхнула пыльные ладони о пыльные джинсы.

— Пошли, Ники.

— Дай почитать.

Он выхватил у нее письмо, пробежал глазами, сунул ей обратно и перехватил коробку.

— Ну и что тебя смущает? Письмо как письмо. Видишь, она в беспокойстве. Ребят нашла, чтобы они тебе ящичек передали. Слушай, а когда ты в Пхеньян летала?..

Пропустив вперед каких-то молодых мужиков в камуфляже, они выбрались во всегда запруженный народом двор Евровидения и зашагали к «роверу».

— Ольга!

— А?..

— Что-то я забыл про Пхеньян.

Они остановились возле машины, и Ники поставил коробку на капот. Ольга посмотрела на него.

— Ники, я никогда не летала в Пхеньян. Я никогда не была в Довиле. Понятия не имею, что это за «последний день». Чушь какая-то.

Ники почесал руку, а потом шею.

— Ну, черт его знает... Может, ты забыла просто...

— Ники, ты когда вернулся из Сердобска?

Он сверху глянул на нее и пожал необъятными плечами.

— Ну да. Ты не была в Пхеньяне, а я не был в Сердобске. Ты точно знаешь, и я точно знаю. Логично.

Она полезла в машину, а Ники затолкал посылку на заднее сиденье и плюхнулся рядом с Ольгой.

— Давай только сразу посмотрим, что там, — попросил он жалобно и запустил двигатель.

Ольга рассеянно кивнула.

Он сдал назад, дернул рычаг и стал осторожно выбираться из многолюдного двора.

— Ну, и что это за Валя? Откуда ты ее знаешь?

— Ники, — сказала Ольга, помолчав секунду. — Я не знаю никакой Вали.

— Алексей Владимирович, Песцов на второй линии. Поговорите?

Бахрушин читал бумаги и не сразу сообразил, кто и чего от него хочет. Он некоторое время смотрел на огромный плазменный экран, в котором без звука шел сериал про хороших бандитов и плохих ментов — краса и гордость нынешнего сезона, — потом перевел взгляд на свой мобильный телефон, а после на селектор.

— Алексей Владимирович?..

— Да, — сказал он, сообразив. — Поговорю.

Разговор был не слишком приятным, но тянуть с

ним Бахрушин не стал — он никогда не тянул с трудными вопросами, предпочитал решать их быстро и часто из-за этого попадал в ловушку. Для некоторых трудных вопросов требовалось время, и больше того, по прошествии этого самого времени их можно было вовсе не решать. Он знал это и все равно предпочитал не тянуть.

Песцов был «директором дирекции развлекательных программ» — вот как красиво и благозвучно называлась его должность! — и хлопотал о деле, в которое Бахрушину ввязываться не хотелось. Бахрушин должен был или сию же минуту сказать, что он Песцову не помощник и не соратник, или, наоборот, взять на себя все его проблемы.

— Алексей?

— Здравствуй, Паша.

— Ну, как там Ольга?

Бахрушин помолчал — дежурный вопрос, должен последовать дежурный ответ.

— Все нормально, спасибо, Паша.

— Я вчера в восьмичасовом выпуске видел сс. Материал был хороший.

— Хороший, — согласился Бахрушин. Зажигалка лежала далеко, и он рассматривал стол, соображая, чем бы ее подцепить. Попалась газета «Коммерсант», и Бахрушин подцепил ей.

— А снимал кто?

Он прикурил и, скосив глаза, посмотрел на кончик своей сигареты.

Это что за вопрос — Пашу Песцова тоже до смерти интересует связь его жены с оператором или он узнал что-то? Или вообще этот вопрос просто ни о чем?

— Я точно не знаю, это, по-моему, вообще чье-то чужое видео. А что, Паш?

— Да нет, ничего. Леш, я, собственно, почему тебе звоню...

Как обычно, в любых подковерных играх, в которые в разной степени играли абсолютно все, требовались конспирация и осторожность. Паша Песцов законспирировался как следует.

— Я поговорить хотел, только в городе где-нибудь.

«В городе» означало в каком-нибудь ресторане, часа три, а то и больше, с шептанием друг другу в уши. Бахрушин терпеть этого не мог, обедал там только с журналистами, которых невозможно было выносить «в кабинетном формате» — они, как мартышки в клетке, начинали метаться, косить глазами, бросаться на стены, рассыпать по полу пепельницы и опрокидывать чашки.

— Паш, ты приходи лучше ко мне.

— К тебе? — усомнился Песцов.

Должности у них были абсолютно равновеликие, согласно штатному расписанию. Песцов — директор дирекции развлекательных программ. Бахрушин — директор дирекции информационных. Однако согласно неписаным телевизионным законам Бахрушин был почти бог, а Песцов — простой чиновник. Информация есть информация.

— Леш, ну в кабинете неудобно, ты же понимаешь.

— Тогда давай по телефону, — предложил Бахрушин, у которого не было никакого резона облегчать Паше жизнь.

Вот на этом месте Песцову все должно было стать ясно и понятно, но не стало, или он сделал вид, что не понял.

— По телефону нельзя, — сказал он приглушенно.

Бахрушин стряхнул пепел с сигареты, повернулся с креслом к окну и посмотрел.

Шел дождь — «редкое» явление для октябрьской Москвы! Он шел так давно и нудно, что казалось, весь город канул внутрь дождевой тучи. Жить в брюхе у тучи было нелегко и безрадостно — дождь, и серость, и мокрые зонты, и светофоры, отражающиеся в асфальте, и темнеет уже в пять, и тоска такая, что тянет прыгнуть с какого-нибудь моста в серую, холодную асфальтовую воду.

— Паш, у меня расписание на эту неделю...

— Да мне буквально на... несколько минут.

Тут Бахрушин решил, что точно чего-то недопонимает.

— Паша, ты что? Если ты про обращение, то я не стану его подписывать. И обсуждать не хочу. Я уже принял решение.

— Леша, ты что... по телефону?!

Бахрушин смял в пепельнице сигарету, прижал трубку ухом и вытащил из пачки следующую.

Надо же чем-то заниматься. Вот хоть курить, раз уж работать не дают.

Время от времени все подписывали «обращения» — то к президенту страны, то к премьеру, то к кому-нибудь попроще, например, к министру печати или к председателю Российского телевидения. К премьеру и президенту «обращались» с убедительной просьбой сместить министра или председателя. К министру — с просьбой повлиять на правительство и президента. К председателю — с просьбой «остановить беспредел в компании», улучшить, углубить, усугубить, а лучше бы всего, конечно, денег прибавить. Бахрушину ловко удавалось подписаний избегать — он точно знал, что денег не прибавят, а профессионализм и чувство юмора все как-то не давали ему сосредоточиться на проблемах «космического масштаба». У него полно было своих проблем, масштаба вовсе не космического, а как раз очень приземленного — вот вчера перед вечерним выпуском зависла система «New Star», а в ней работают все компьютеры, задействованные в подготовке выпуска.

Паника, катастрофа, у выпускающего инфаркт, с бумажки читать все давно разучились, в глазах ужас и предчувствие конца света, и взять себя в руки никто не может. Всех в руки взял Бахрушин — и ничего. Вышли в эфир, и новости были как новости, и ведущая как ведущая, чуть бледновата только и излишне много улыбалась.

Бахрушин понюхал дым от собственной сигареты, еще покрутился в кресле, удобнее устраивая спину, и прислушался к Паше в трубке.

Он гудел о том, как опасна «открытая связь».

— Ну, тогда пока, — неожиданно решительно попрощался Алексей Владимирович, вклинившись в паузу, во время которой Песцов, специалист по паролям, явкам и конспиративным квартирам, набирал в грудь воздуху.

— Нет, как пока!.. Леш, я хотел с тобой на самом деле... поговорить.

— Ну, приходи, — с досадой предложил Бахрушин во второй раз за время их плодотворной и интересной беседы. — Поговорим. Только если не про обращение.

— Да нет, — вдруг сказал Песцов, — не про обращение. Про Храброву.

Бахрушин перестал качаться в кресле.

Храброва? Алина? Что такое с ней?

— А... что ты хотел про нее узнать?

— Я тебе скажу... не по телефону.

Дался ему этот телефон!..

Бахрушин положил трубку и подумал немного до того, как нырнуть в бездонную пропасть бумаг и компьютера.

Алина Храброва была новым сотрудником — он принял ее на работу всего месяца полтора назад, но знакомы они были давно.

Звезды такого масштаба очень медленно перемещаются по телевизионному небосклону и редко покидают свои орбиты — разве что перед эпохальными событиями вроде выборов, войны или «конфликта хозяйствующих субъектов». Последнее стало особенно актуальным как раз в минувший год.

Новый сотрудник Алина, знаменитая ведущая новостей, узнаваемая, как циферблат часов Спасской башни в новогоднюю ночь, была и осталась «символом страны».

Ее улыбку знали все. Ее манеру говорить — очень правильно, глядя прямо в глаза, — ее привычку наклонять голову и переспрашивать, и чуть-чуть щурить карие горячие веселые глаза изо всех сил копировали звездочки поменьше и побледнее, и всем им это приносило успех и признание. Но она оставалась первой, единственной, неповторимой. Все остальные дамы-ведущие на шаг от нее отставали.

Никто не знал, почему вдруг она решила поменять один канал на другой. Бахрушин поймал несколько слухов — вернее, специально для него поймали знающие люди, — внимательно изучил, оценил и отверг. Ни один из них в качестве реальной причины не годился. Генеральный продюсер четвертого канала, с которого она переходила на второй, тоже проявил невиданную деликатность, дескать, она просто решила поменять работу, и мы не можем ей в этом препятствовать, она звезда, а мы подмастерья, ремесленники и всякое такое!

Бахрушин повстречался с продюсером, тем самым, генеральным во всех отношениях, и осторожно навел справки — с кем ему угрожает насмерть рассориться, если он пригласит Храброву на свой канал.

— Да нет, старик, — сказал генеральный тоскливо. Он пил водку, и лицо у него было несчастным, как будто пить ему не хотелось, а кто-то нарочно в него вливал. — Ты не беспокойся. Политики никакой.

— А экономика?

— Что значит — экономика?

— Ты сколько ей платил? Миллион долларов в год?

— Ты что, старик, — обиделся продюсер, — у нас миллион сам знаешь кто получает...

— Больше или меньше?

— Да ладно, — окончательно оскорбился продюсер, — что ты, смеешься надо мной, что ли!

Бахрушин не смеялся, но должен был выяснить все до конца. Алина Храброва, если бы только все сложилось, стала бы бесценным приобретением для канала — бесценным, но все же не на миллион долларов!

— Если экономики и политики никакой, тогда что? Личная жизнь?

— А вот тут я тебе, старик, ничем помочь не могу.

Бахрушин смотрел, как генеральный морщится, опрокидывая в себя водку, длинно и продолжительно глотает и морщится еще больше.

— Почему? Все так секретно? Или так... высоко?

— Да я не знаю, правда, Леш! Вот те крест! — И продюсер размашисто перекрестился, покосившись на рюмку. — Из наших она ни с кем... не спит, это точно, я бы знал. Любовь-морковь если только на стороне какая-нибудь, не на работе. Говорят, муж ее кинул, или она его кинула, но вряд ли из-за мужа она стала бы работу менять...

Конечно, быстро подумал Бахрушин, что там муж — работа, работа, работа страсть моя, как в пьесе Сергея Михалкова! Какой муж — или какая жена! — сравнится с ней!

— А кто муж?

— А никто. Бизнесменчик какой-то, что ли. Или журналистик, но не из наших.

Бахрушин навел еще кое-какие справки, поговорил там и сям — и Алина уже полтора месяца работала в «Новостях» на втором канале.

Алексей решительно не понимал, какое дело Паше Песцову, директору развлекательной дирекции, до Алины Храбровой?

Погружаясь в пучину срочных бумаг, он мельком подумал, что сегодня должно быть «прямое включение» из Кабула — «прямое включение» его жены. Он только так и мог об этом думать — мельком.

Когда же это кончится, черт побери все на свете!

Никогда. Никогда.

— Алексей Владимирович, Зданович на третьей линии. Поговорите?

— Да.

— Леш, привет.

— Привет.

— Мы сегодня даем Грозный или хватит Афгана?

— Хороший вопрос, — пробормотал Бахрушин.

Грозный или Афган? Там война и тут война. Там беда и тут беда.

Только вчера на совещании в Минпечати всесильный, великий и могучий Дмитрий Юрьевич Потапов тихим голосом интеллигента и недотепы говорил о «балансе плохих и хороших новостей», о преобладании «чернухи», о том, что «народ устал» и ему, народу то есть, надо что-нибудь повеселее, поживее, полегче!.. Евгений Петросян и передача «Шутка юмора» — то, что надо! Только вот как это с информацией совместить, министр не объяснил. Наверное, забыл, а может — о, ужас! — и сам не знал.

— Леш, ну чего?..

— А что там в Грозном?

— Да все то же. Нового ничего.

— Что в Грозном сегодня, Костя? — чуть настойчивее спросил Бахрушин, и Костя послушно зашелестел бумажками и забубнил.

— Можно к тебе, Алексей?

— Да, заходи, Паша.

Главный сменный редактор все бубнил. Пока он бубнил, Бахрушин принял решение.

— Кость, давай так. Значит, в свете новых установок Грозный пусть идет сообщением. Храброва прочтет, и все. А из Кабула сюжет.

— Ладно.

Бахрушин помолчал немного. Песцов прямо у него перед носом возился в кресле, доставал сигареты. Мешал.

— Связи так и нет?..

Он отлично знал, что нет.

— Леш...

— Да, все понятно. Пока. На эфир я приду.

Бахрушин пристроил трубку на многокнопочный телефон и с тоской посмотрел на бумаги — с утра не убавилось нисколько.

— Меня тоже писанина замучила, — Песцов сочувственно кивнул на стол. — Пишем и пишем, писатели!.. Говорят, что у нас канал плохой. А когда нам каналом заниматься, если мы вон... пишем!

— Все каналы плохие, Паша. Один только и есть хороший. «Евроспорт» называется.

— Это точно.

Помолчали, порассматривали каждый свою сигарету — довольно глубокомысленно. Бахрушин твердо знал, что первым никаких расспросов не начнет — он Песцова не звал, тот сам напросился, пусть теперь и объясняет, зачем.

Песцов еще покурил и посмотрел на Бахрушина.

— Ну? — спросил тот. — И что ты хотел узнать?

— Леш, ты... хорошо все прикинул, когда Храброву на эфир брал?

Бахрушин ничего не понял.

— Ну... да. А что?

— Да ничего такого, конечно, но... шут ее знает. Она почему с четвертого ушла?

— А в чем дело?

— Да ни в чем, только до меня слухи дошли, что... обижаются некоторые.

— Кто это... некоторые?

— Да наши ведущие, которые у нас уже много лет работают. Говорят, Бахрушин взял звезду, потому что у канала рейтингов никаких нет, а теперь будут... из-за нее.

— А это плохо? — уточнил Бахрушин.

Песцов помолчал:

— Что плохо?

— Ну, что у нас рейтинги будут?

— Да не о них речь, а о том, что она так себе ведущая-то, раскрученная только, а на самом деле ничего особенного. И говорят, что ты ее взял на какие-то бешеные бабки и теперь...

— И теперь она со мной спит, — подсказал Бахрушин скучным голосом, взял карандаш, постучал им по столу и посмотрел на место, по которому только что постучал. — А с моей женой в Афганистане в это время спит Беляев. А когда жена прилетит, мы будем спать втроем. Нет, вчетвером. С Беляевым. Ты это мне хотел рассказать?

Песцов смотрел на шефа информации с изумлением, а тот все постукивал карандашом, и непонятно было, почему постукивает.

— Леш, ты что? Обиделся?

— Если бы я на такие вещи обижался, Паша, меня бы давно перевели в народное хозяйство, как один мой приятель говорит.

Тут Песцов вдруг сообразил, что как-то так получается, будто он именно за этим и пришел — расспросить Бахрушина, не спит ли тот с Алиной Храбровой, — и перепугался.

— Нет, Леш, ты не понял ничего!

— Чего я не понял?

— Леш, я разговаривал тут с нашими, и они все от нее... не в восторге. Тем более ты ее сразу на большие деньги посадил, без всякого испытательного срока, без...

— Храброву на испытательный срок брать?!

— А чем Храброва лучше других?

— Да всем!

— Ничем она не лучше, Леша, просто выскочила вовремя, а теперь только купоны стрижет! Ну, улыбка у нее, зубы... бюст тоже...

— Мозги, — подсказал Бахрушин мрачно. — Когда бюст без мозгов, это «Фабрика грез», а не Алина Храброва.

— Леш, да ладно тебе!

Странный был разговор, и Бахрушин вдруг холодно подумал — странный.

Какое дело Песцову до Храбровой? Кто эти «наши», с которыми он разговаривал? Какое отношение это имеет к Паше?

Корпоративная этика ничего такого не допускала — дирекция развлекательных программ, несмотря на то что размещалась на соседнем этаже, не имела к информации никакого отношения, и ее директор к Бахрушину тоже никакого отношения не имел, хотя обе дирекции были телевизионными структурами. Гораздо более тесные отношения связывали информацию, например, с Российским радио, хотя они были далеко, в Останкине.

Бахрушин перевернул в пальцах карандаш и нарисовал цветок розу. Роза оказалась похожей на кочан капусты, но Бахрушина это не смутило, и он стал методично ее раскрашивать.

Песцов молчал.

— Ну чего, Паша?..

— Да ничего... Леша. Только зря ты взял ее. Все говорят — зря. Ты же не знаешь, кто за ней стоит.

— И кто стоит?

— Леш, она же не сама по себе столько лет звезда! Ее же этот тащит...

И Паша Песцов показал глазами на потолок и немного вбок.

Бахрушин следом за ним посмотрел на потолок и немного вбок. Там была сплошная побелка и темная штучка противопожарной сигнализации, а больше ничего.

Интересно, сегодня удастся поговорить с Ольгой или опять нет?.. И хорошо бы Зданович сам написал информашку по Грозному или Храброва бы написала — так надо, чтобы было похоже на человеческую речь, а как написать про войну, чтобы и интересно, и за душу брало?!

— А ты ни с кем не посоветовался и взял!

— С кем я должен был советоваться?

— Да хоть... с Потаповым.

Бахрушин вдруг рассердился.

— Паша, я ни разу за десять лет не согласовывал своих ведущих с министром печати и информации! Что тебе надо, давай говори уже, и... мне работать нужно.

— Ты напрасно взял на наш канал Храброву, — тихим и злым голосом сказал Песцов. — Просили передать. Напрасно.

— Кто просил передать?!

— Да ладно, Алексей, ты маленький, что ли?!

Бахрушин смял свою розу, похожую на кочан капусты, прицелился и метнул ее в урну.

— Кто?

— Леша, ты чего, не знаешь, кто ее двигает, твою Храброву?!

— Если речь о Баширове, знаю. Только мне нет до него дела, Паша. Она профессиональный телевизионный ведущий. Самый лучший в этой стране.

— Прежде всего она баба! — вдруг почти взвизгнул Паша Песцов. — Она баба, которую поддерживает Ахмет Баширов, а ты ее на работу берешь!

— Я беру, я, а не ты, Паша! Чего ты так взбаламутился-то?!

— Короче, просили тебе передать, что это большая ошибка с твоей стороны. Пока не поздно, лучше бы...

— Кто просил?!

— А это ты сам, Леша, догадайся. Мне никого смысла нет... Ты же герой, всех умнее, — раз, и Храброву на работу взял!..

На столе, почти под локтем у Бахрушина зазвонил мобильный, и они оба вздрогнули, как будто и впрямь вели секретный разговор.

Рассердившись на себя, Бахрушин двинул локтями, чуть не свалил трубку на пол и, наконец, нажал кнопку:

— Да!

Звонила как раз Храброва.

— Лешка, привет!

— Привет, — буркнул Бахрушин.

— Ты что? Занят? Давай я тебе перезвоню через час или когда?!

— Алин, я свободен. Давай. Что у тебя?

Паша Песцов не донес сигарету до рта, округлил глаза и сделал встревоженно-вопросительное лицо. Бахрушин повернулся в кресле и стал смотреть в окно.

— Точно свободен? У тебя голос странный.

Если она сейчас скажет, что мы с ней тоже должны поговорить не по телефону, вдруг подумал Бахрушин, я заплачу.

...Позвонит Ольга или не позвонит?

— Лех, смотри. Зданович мне сказал, что репортажем пойдет Афган, а из Чечни только информашка.

— Ну?

— Лех, давай наоборот, а? Нам такое видео из Грозного перегнали — сказка!

— Что за видео и кто перегнал?

— Наши перегнали, а картинка... — она коротко вздохнула, — как МЧС дома там строит, ну, собака бежит, ребенок стоит чумазенький. Еще склад оружия, который нашли вчера...

— Вчерашний склад вчера и показали.

— Да знаю, но там, правда, видео замечательное!

— Алин, я тебе верю, но сегодня, как запланировано, пойдет Афган в прямом эфире, а про Грозный ты так прочтешь, на видеоряде.

Храброва помолчала в трубке, оценивая бахрушинскую серьезность — все сотрудники знали, что, если голос твердый, злой почти, договориться еще можно. Если равнодушный — никогда.

Все-таки она сделала попытку.

— А давай мы все-таки сюжетик соберем, ну, хоть на полторы минуточки...

Бахрушин перебил:

— Не давай и не соберем, Алин, этот вопрос решен. Все у тебя?

Алина Храброва была не просто «лицом в экране», она была руководителем программы и отличным журналистом — и всегда умела вовремя остановиться.

— Все, спасибо, Леха. Ты на эфир придешь?

— Конечно.

Она помолчала в трубке.

— Я хотела тебя пригласить... поужинать, — вдруг сказала она. — Давай? Заодно поговорили бы.

— Давай, — согласился Бахрушин. — Только не сию минуту, ладно? Сию минуту я не могу.

— Ты не один, да? — догадалась сообразительная Алина. — Ладно, тогда после эфира.

Бахрушин кинул телефон на газеты и посмотрел на Песцова.

— Откуда она узнала, что я здесь?!

— Кто?! — оторопел Бахрушин. — Храброва? Как она могла... узнать?

— Вот именно — как?!

Бахрушин моргнул.

— Ну, ладно, Паш, все! У меня то ли Афган, то ли Чечня, а Дмитрий Юрьевич нам всем только что объяснил про взвешенную политику и про то, что выборы на носу!

— Почему она позвонила именно сейчас?!

— Потому что они программу верстают! Именно сейчас!

— Но откуда она узнала, что я у тебя в кабинете?!

— Да она не знала, она просто так позвонила!

— Храброва?! Просто так?! Леша, она ничего и никогда не делает просто так! И Баширов ей деньги не за «просто так» ссужает, а за определенные услуги!

— Ну, конечно, за услуги, а как же иначе, — пробормотал Бахрушин, незаметно придвигая к себе папку с надписью «Управление делами» на крышке. Папка была очень пухлая, вся разлезшаяся какая-то. — И я даже знаю, за какие.

— Да я тебе не говорю, что она проститутка!.. И не за это он ей платит, а за информацию!

— А-а, — протянул Бахрушин, — то есть она Ахмету Салмановичу стучит. А он передает ей агентурные данные о том, что ты у меня в кабинете. Ты что, Паша? С ума сошел?

Песцов поднялся, прорабским движением отряхнул колени и посмотрел на Бахрушина. Кажется, с сожалением.

— Ну, как хочешь, Алексей. Я тебя предупредил.

— Спасибо, — пробормотал Бахрушин, справа налево перекладывая в папке бумаги.

Песцов вышел, дверь прикрыл осторожненько, и сразу затрезвонил аппарат на столе. Бахрушин помедлил и нажал кнопку.

— Алексей Владимирович, к вам Наталья Ивановна и Шехов из пресс-службы заходил.

— Петровскую попроси через час, а если Шехов перезвонит, соедини.

— Хорошо. Кофе?

Бахрушин кивнул, и хотя секретарша не могла его видеть, он был уверен — поняла. Он держал сотрудников, которые понимали его не то чтобы даже без слов, но иногда и без взглядов.

В кабинете висел дым, от которого слезились глаза и сохло во рту.

Нужно бросать курить. Добром это не кончится.

Бахрушин отлично знал, что курить ни за что не бросит.

Он отшвырнул в сторону негнущиеся полоски жалюзи, дотянулся и открыл окно. Полоски ерзали по затылку и воротнику рубахи.

С улицы дохнуло холодом, запахом дождя и мокрого асфальта. Сквозняк дернул раму, которая глухо стукнула.

— Кофе, Алексей Владимирович.

— Спасибо, Марина.

Она дошла до двери и остановилась, с сомнением глядя в его сторону.

— Что ты? Вопрос? Ответ? Замечания?

Она улыбнулась.

— Зря вы окно открыли. Холодно на улице.

— Лучше холодно, но чтоб дышать, Марина. Или ты думаешь, у меня жабры?

Как все хорошие секретарши, Марина боготворила своего шефа — в пределах разумного, конечно.

— Давайте я закрою окно и включу кондиционер.

Бахрушин решительно не хотел никакого кондиционера. Он хотел, чтобы было холодно, дождь шелестел и пахло мокрым асфальтом.

— Спасибо, не надо.

По тону она моментально поняла, что он хочет, чтобы его оставили в покое, и убралась за матовую дверь — у всех в компании были такие матовые двери, высший класс и суперлюкс, почему то напоминавшие Бахрушину медпункт в пионерском лагере.

Он походил по кабинету, снял очки, сунул на полку и потер глаза.

Что это такое? Вот только сейчас — это что такое было? Паша Песцов не был похож на сумасшедшего, и Леша Бахрушин вроде пока тоже... Он поймал свое отражение в стекле — нет, не похож. Физиономия, конечно, малость перекошенная — от сигарет и судьбоносного разговора, но все же... довольно вменяемая.

Итак.

Паша Песцов позвонил ему полчаса назад и намекал на то, что у него «не телефонный разговор». Потом пришел и решительно поинтересовался, зачем Бахрушин взял на работу Храброву. В том, что Алина работает в

«Новостях» на втором канале, не было никакой тайны — она благополучно выходит в эфир каждый вечер. Ее выпуск в двадцать ноль-ноль, самый прайм, ничего «праймее» быть не может. Тем не менее Паша почему-то счел разговор «не телефонным» и пришел «лично».

Паше не может и не должно быть никакого дела до информации — и не было никогда, по крайней мере, Бахрушин никогда Пашиного интереса к своим делам не замечал.

С кем он мог разговаривать про Храброву? Кто недоволен?!

Бахрушин вполне допускал, что недовольны все — собственно, кто будет доволен тем, что тебе на голову сел конкурент, да не просто сел, а отлично и удобно устроился — свесил ножки, угнездился, пристроил задницу как следует?! Алину взяли сразу руководителем программы и ведущей, и всем было понятно, что ведет она лучше всех и как руководитель программы тоже вполне сносна — значит, остальные что?.. Правильно, остальные хуже! И рейтинги вниз, и летучки, и собрания, и Бахрушин зол, как черт, и сменные редакторы каждую неделю по-новому молчат, потому что по-старому молчать не получается — из оскорбленных чувств.

Ну и что? Да ничего, собственно. Через полгода все привыкнут. Через год она станет неотъемлемой частью жизни канала.

Ее полюбят операторы, которые пока ее не любят и снимают кое-как, — но она так хороша собой и телегенична, что ее трудно сильно испортить. Кроме того — она всегда так сама о себе говорила, — Алина Храброва всегда отличалась от других своей «крайней вменяемостью». На прошлой неделе на очередном собрании коллектива смотрели запись какого-то эфира, где она выглядела скверно, — и понятно было, что просто «так сняли», плохо, гадко. Специально так сняли. Бахрушин бесился, а Храброва — ничего. Посмеялась, увидав чучело в кадре, подмигнула шефу операторов, оставшемуся вместо Ники Беляева, — шеф немедленно отворотился в угол, — и все дела.

Жаль, что ушел Беляев. Он умеет снимать — главный оператор «Новостей» как-никак.

После операторов ее полюбят редакторы — потому что она грамотная, а все редакторы это любят. И еще потому, что она делает за них почти всю работу, такое у нее представление о своих обязанностях, а это всегда приятно и как-то вдохновляет!

После редакторов ее, наконец, полюбят главные сменные, режиссеры, корреспонденты, гримерши, и мальчики и девочки на подхвате, которые, как флюгеры на крышах, всегда разворачиваются именно в ту сторону, в которую дует начальственный ветер.

Все это так. Все так.

Вот только объяснил бы кто, при чем тут Паша Песцов с его концертами, певицей Задирой, певцом Римасом, группой «Турбуленция» и развлекательным утренним шоу «Колбаса в шоколаде»?!

Получалось, что решительно ни при чем.

И почему он сказал — «просили передать»? Кто просил? Что за тайны мадридского двора?

О покровителе Храбровой знали все.

Ахмет Баширов был абсолютно законопослушный миллионер и налогоплательщик, легальный бизнесмен, отродясь не замеченный ни в каком криминале, очень милый и приятный во всех отношениях человек.

Однажды какой-то бойкий журналист в прямом эфире спросил, есть ли у него враги, — была такая история.

— Не-ет, — протянул милый и приятный Ахмет и ласково улыбнулся в камеру, — у меня врагов нет. По крайней мере, живых.

Никто не осмелился бы так ответить — да еще на всю страну, а он посмел, потому что был уж так силен, что дальше некуда. Говорили о его связях с «семьей», о Тимофее Кольцове, с которым у них пакт о ненападении, и еще говорили, что именно из-за пакта Кольцов — Баширов экономика страны пришла в некое равновесие, пусть и условное.

Кольцов — гроза и гордость державы — в списке олигархов шел номером первым, а Баширов никаким номером не шел, его как будто вовсе не было. Да и фамилия сомнительная, и акцент какой-то странный — гарвардский, сказала однажды Ольга, послушав его, — и подчеркнутая элегантность, как на приеме у королевы, — все было не то, ну никак он в русские олигархи не годился! В круг его интересов входили нефть, алмазы, отчасти шоу-бизнес и телевидение. Говорили, что телевидение его интересует исключительно из-за Храбровой.

Бахрушин всегда подозревал, что все наоборот — Храброва интересует Баширова исключительно из-за телевидения.

...Выходит, Паша Песцов в контакте с какими-то врагами Ахмета Баширова, которые озабочены назначением Храбровой и усилением его влияния на втором канале?!

Бахрушин даже засмеялся в тишине собственного кабинета — так странно все это было.

Нужно работать, и он, сделав над собой привычное усилие, вернулся за стол. Некоторая отсрочка от приведения в исполнение бумажного приговора получилась, потому что он сунул куда-то очки и не сразу нашел.

Пока искал, думал об Ольге. Как только нашел — перестал.

Он умел «выключать» мысли, которые мешали ему жить, на работе это получалось особенно хорошо. Именно поэтому он ненавидел вечера и ночи — нечем было занять свободное пространство в голове, именно поэтому он был рад, что Храброва пригласила его ужинать. Ну хоть еще два часа с «выключенными» мыслями.

Он всегда знал, что так будет. Он женат на Ольге и ее работе, а они обе — Ольга и ее работа — не могут существовать отдельно друг от друга. Как-то так получилось, что Алексей Бахрушин тоже не может существовать без них.

Он был бы просто счастлив, если бы ничего такого не случилось.

Он терпеть не мог зависимость и какую-то собственную недостаточность, кособокость, которая появлялась, когда Ольги не было рядом.

Как и все, он попал однажды в рай студенческого брака — съемная квартирка, матрас на четвертинах красных кирпичей, нелепая сетка с едой, вывешенная за окно. Много кофе, гостей, песен под гитару — как же без них! — интересных и очень умных разговоров и огненного секса.

Она читала Гауфа и жарила гренки из заплесневелого белого хлеба на тяжеленной чугунной сковороде, полученной в придачу к квартире. К сковороде все вечно прилипало намертво, и иногда они ели гренки, по очереди отдирая их вилкой от черного дна.

Та, первая жена им очень гордилась — он был отличник, староста курса, и преподаватели время от времени благосклонно интересовались, из каких он Бахрушиных, не из тех ли самых?

Он окончил университет и распределился в ГУВС — Главное управление внешних связей тогдашнего телевидения, как будто вместе с дипломом ему выдали пропуск в райскую жизнь, такое сказочное было распределение! Она распределилась в школу. Преподавать детям русский язык.

Все правильно. Училась она не так чтобы очень, приехала издалека и уехала бы обратно, если б замуж не вышла. За Бахрушина.

Дальше все было банально и скучно до ломоты в затылке.

Почему-то так получалось, что в Москве как будто всегда ноябрь — грязные лужи в бетонных берегах, автобусная давка, смрадная пасть метро. Тетрадки пачками на шатком столе. Гренки на чугунном дне древней сковороды. Много умных разговоров — чуть в другую сторону. Про подрастающее поколение и про легкое диссидентство, которым она очень гордилась, разрешив им не писать сочинение по «Что делать?». Директор ретроград и вообще склочная баба. Завуч вчера возле туалета на третьем этаже строил ей глазки. Онегин и Чацкий — лишние люди. Чуть меньше секса, потому что оба они стали очень заняты и, возвращаясь домой, неожиданно для себя сознавали, что можно лечь спать «просто так».

Он заскучал очень быстро.

Он просто не мог не заскучать.

На работе он был в центре, эпицентре и черт знает где.

Приезд Мирей Матье — он снимал, и разговаривал с певицей, и даже был на съемочное время допущен в свиту. Фидель пожал ему руку — он всем пожимал и Бахрушину тоже. Еще был первый в его жизни «паркет» — официальные съемки в Георгиевском зале, где кого-то награждали, — сияние ламп, белоснежные «маркизы» на окнах, сверкание бесценного паркета, всполохи фотоаппаратов и острые огоньки бриллиантов, словно коловшие глаза. Командировка — самолет, американские сигареты, коньяк в пластмассовом стаканчике, и очень умные разговоры, гораздо умнее тех, что на матрасе, и очень красивые женщины, гораздо красивее той, что...

Как он мог не заскучать?!

Только поначалу он еще не понимал, в чем дело, потому что не догадывался о том, какой это опасный вирус — телевидение. Ничем не оправданное чувство причастности к «большому», значительному, важному. *Ник-*

то не был причастен, кроме самых высоких начальников, а Бахрушин тогда не был начальником, но иллюзия-то была!

Он больше не мог видеть тетрадки на столе и на подоконнике, и гренки ему надоели, а другого ничего ему не предлагали, потому что она тоже работала и от молодости и неумелости решительно ничего не успевала. И про завуча он знать ничего не желал. При этом слове ему представлялся его собственный завуч — толстая тетка в комсомольском костюме, с перхотью на синем воротнике, с пучком, из которого в разные стороны лезли шпильки.

А тогдашняя его жена неожиданно для него и для себя вдруг осознала, что самое главное в жизни каждого интеллигентного человека — протест. Причем она осознала это совершенно всерьез.

Бахрушин представлял себе протест совсем не так, как она, — например, в виде увязших в треске глушилок передач Би-би-си или «Немецкой волны» — отстраненные, холодные, правильные голоса, говорившие страшное.

Или, например, разговор в «первом отделе», ведавшем в университете, как, впрочем, и везде, «секретностью».

На четвертом курсе Бахрушина пригласили на разговор и задавали разные вопросы — как, к примеру, студент Подушкин? Надежен ли, с его, бахрушинской, точки зрения?

Алексей улыбался идиотской улыбкой и убеждал серьезного дядьку в тесной петле серого галстука, что студент Подушкин — душа компании, умница, но вот с успеваемостью у него, конечно... а так вполне... ему бы успеваемость подтянуть, и отлично... а так очень даже...

За Подушкиным последовал Ватрушкин, а за Ватрушкиным Лягушкин, и приблизительно на семнадцатой фамилии — отличный студент, душа компании, и с успеваемостью все хорошо! — Бахрушина вежливо проводили к железным дверям и с тех пор больше в «первый отдел» не вызывали.

Даже как-то и непонятно было до конца, выразил он таким образом протест или все-таки нет.

У жены с ее протестом вовсе вышел казус — оставила в учительской на столе репринтную копию «Красного колеса», почти слепой оттиск. Бахрушин, как ни пытался, так и не смог ничего прочесть, только моргал над папиросной бумагой близорукими глазами.

Дальше все было «по схеме», как говорили на кафедре вычислительной математики.

Заседание парткома и комитета комсомола. Валидол директрисе. Выговор завучу. Кому доверили воспитание будущих строителей коммунизма?! «Волчий билет» в перспективе. Слезы на диване, вместо ножек у которого по-прежнему были четвертинки кирпичей. Слезы и горячий шепот в ухо — давай уедем! Ну, прямо сейчас! Далеко-далеко! Ну, пожалуйста!

Он никуда не хотел ехать. Он вдруг почувствовал вкус легко складывающейся карьеры — его везде приглашали, он оказался лучшим корреспондентом «из молодых», его все хотели заманить к себе, и именно это было здорово, а не какие-то там идиотские проблемы с директрисой и подрастающим поколением!

С «протестом» тогда все обошлось — ее оставили на работе, объявили выговор по линии комсомола и вместо восьмых дали четвертые классы, все-таки год был уже не шестьдесят восьмой и даже не семьдесят шестой.

И все пошло, как и шло — тетрадки, диван, шалька на плечах, теплые боты, четвертинки кирпичей, умные разговоры, репринтная слепая копия «Архипелага ГУЛАГ».

Сам бы он ее ни за что не бросил — у него была модель «идеальной семьи», точная копия родительской, а у них не принято было разводиться — какой позор, какая безответственность!

Все вышло гораздо веселее и проще.

Бахрушин приехал домой рано, чтобы собраться в очередную командировку, и «застукал» свою жену с физруком — все на том же диване. Вернее, непосредственно дивана он не видел — но две пары башмаков под вешалкой выглядели красноречиво, и жена за тонкой стенкой хохотала мелким смехом. Из-за этого смеха все стало Бахрушину абсолютно понятно. Он постоял-постоял, послушал, морщась от отвращения, потом зачем-то стукнул кулаком в фанерные перекрытия.

Они издали непристойный пукающий звук.

От этого звука и оттого, что за стенкой сразу испуганно примолкли и затаились, Бахрушин почувствовал жуткую гадливость и перепугался, что его вырвет прямо в прихожей, на физруковы ботинки.

Все обошлось — он успокоился на удивление быстро, не пришлось даже делать ничего трогательно-драматического, напиваться, к примеру, или вызывать соперника на бой.

Схватку с физруком Бахрушин точно проиграл бы — тот был больше, тяжелее, смотрел исподлобья, «настоящий мужик», одним словом, и Алексею все время казалось, что тот едва удерживает себя, так ему хотелось наподдать «хлипкому интеллигентишке»!

Много лет после той истории он был неуязвим — то есть совсем. Были какие-то связи, вроде бы даже продолжительные и прочные, которые в одночасье обрывались, и он потом не мог вспомнить, почему.

Что-то ведь случалось, но вот что?.. Он никогда не помнил и считал — это оттого, что он холодный и непригодный к семейной жизни человек.

Так бывает. Кто-то пригоден, а он нет.

Он пригоден для работы — лучше всего.

Он пережил революции, сотрясавшие страну, — одну за другой, и остался на работе. В какой-то момент, когда было нужно, он ушел на радио и быстро сделал там карьеру. Голос, низкий и твердый, интонации как будто чуть ироничные, безупречный русский язык, — барышни во всех конторах, где, не выключаясь, день и ночь бубнили репродукторы, обмирали, расслышав затаенную усмешку в этом самом голосе. Письма ему приносили в коричневых мешках, как картошку, и он немного стыдился этого, словно обманывал кого-то.

На радио он начал политобозревателем, затем стал главным редактором, потом заместителем директора. В «Новости» уходил с должности директора.

В «Новостях» работала Ольга, и Бахрушин пропал. Нет, какое-то время он сопротивлялся — ну, очередной роман, ну, это займет его еще на какое-то время, а потом так же непонятно и внезапно оборвется.

Не тут-то было.

У него имелась черта, которую он разглядел в себе еще в университете и очень ее любил. Он никогда не врал самому себе. Он мог кого угодно убедить в чем угодно — собственно, именно из-за этого и сложилась вся его карьера! — но только не себя. Про себя он все знал наверняка.

Месяцев шесть спустя, проводив ее в первый раз в какую-то долгую командировку, он приехал домой, задумчиво что-то такое налил в стакан и сел подумать.

Надо было только спросить себя и получить ответ.

Он спросил и получил — ничего хорошего в этом ответе не оказалось, по крайней мере, для него самого.

Он еще даже не начал провожать ее, но странное неудобство, и раздражение, и дурацкое чувство брошенности и одиночества уже поселились у него в голове. Он даже работать не мог как следует.

Он не хотел, чтобы она уезжала, вот что. Так не хотел, что даже зубы у него стискивались, как будто сами по себе, когда он думал о том, что она уедет.

Хорошо, хоть догадался не сказать ей об этом — она пришла бы в изумление и что-нибудь ответила бы ему эдакое, ироничное. Как бы он остался потом наедине с ее иронией?!

Вот вам и одинокий мустанг в закатной прерии. Вот

вам и гордая мужская независимость. Вот вам и прививка от семейной жизни — как там физруковы ботинки?!

Когда она вернулась, он сделал ей предложение — хоть кольцо было и без бриллианта, зато роз целое ведро. Ольга посмотрела на цветы, хотела было сказать что-то эдакое, даже губы сложила и брови подняла, он видел, но передумала и уставилась на него.

Потом сняла с него очки. Он не любил, когда ему смотрели прямо в глаза. Не любил и боялся.

— Почему ты решил на мне жениться?

— Потому что я люблю тебя.

— А-а, — протянула Ольга уважительно. — Бывает.

— Бывает, — согласился Бахрушин.

Она еще помолчала, а потом сказала решительно:

— Ну, хорошо.

— Что хорошо?

— Давай поженимся. Попробуем, по крайней мере.

И они попробовали, и все вроде бы получалось, только она ни разу так и не сказала ему, что любит его.

Никогда. Ни в постели, ни на работе, ни до, ни после очередной разлуки.

Он все знал про себя, а про нее ничего.

...Позвонит она сегодня или не позвонит?!

Бахрушин нацепил очки и переложил бумаги в пухлой папке с надписью «Управление делами».

Почему он стал об этом думать?! Почему?! Он ведь умеет «выключать» ненужные мысли!

Мысль о ней была самой ненужной из всех.

В следующий раз он просто никуда Ольгу не пустит. Эта простенькая мысль доставила ему удовольствие, хотя он прекрасно понимал, что при первой же его попытке ее «не пустить» все кончится навсегда.

И он даже не знал как следует, любит она его или принимает как своего рода удобство, такое тоже могло быть, вполне!

Он усердно работал, довольно долго, сердито и преувеличенно внимательно читал бумаги, отвечал на звонки, кому-то дал по шее, кого-то похвалил, и стопка бумаг немного уменьшилась и поредела, как осенний лес, и про Пашу Песцова он совсем забыл, и когда в очередной раз позвонил телефон, он ни о чем не думал, только о том, что по новой структуре «Новости» и сам Бахрушин подчиняются напрямую председателю, хотя до последнего времени починялись первому заму, и это было очень удобно, потому что первого зама Бахрушин знал последние лет двадцать и...

— Алексей Владимирович, Зданович. Трубку возьмете?

— Але, Костя, слушаю тебя.

— Ольга позвонила, — сказал главный сменный редактор, и голос его странно отдался в пластмассовом телефонном теле. — Связь появилась. Они сегодня в эфире. Я поставил двадцать ноль семь — двадцать ноль восемь пятьдесят.

Бахрушин вытряхнул сигарету из пачки и поискал глазами зажигалку.

— А новости какие?

— В Кабуле ждут штурма. И еще они собирались в Калакату, где первая линия фронта, не знаю, как они разрешение получили, Леш.

Бахрушин отлично знал — как.

Ники Беляев со своим удостоверением Би-би-си, вот и все дела!

— Там бывшая ставка Масуда, а Ольга еще записала каких-то женщин, губернаторскую сестру, что ли, и жену. Они говорят, как плохо было при талибах и всякое такое.

Зажигалки не было. Бахрушин еще поискал, а потом раздраженно вытащил изо рта сигарету — сидеть с незажженной сигаретой во рту было как-то глупо.

— Они на связь выйдут без десяти восемь. Ты придешь?

— Конечно. Кость, ничего она не сказала, как у них дела?

— Сказала, что все нормально. Воды мало, но она получила какую-то посылку из Парижа. Передавала тебе привет.

Отлично. Его собственная жена передавала ему привет из Афгана через главного сменного редактора. Очень по-телевизионному.

— Спасибо, Костя. Храброву попроси мне позвонить.

— О'кей.

Бахрушин положил трубку, и под телефоном обнаружилась зажигалка. Он вытянул ее и бесцельно пощелкал, позабыв про сигарету.

Значит, Калаката и первая линия фронта.

Господи, помоги мне!..

Как это похоже на его жену — позвонить редактору и так и не позвонить ему! Конечно, связь — самое дорогое и важное, что у них есть, и когда связь восстанавливается, первым делом они звонят на работу, а уж потом... Но у них с Ольгой никакого «потом» тоже почти не бывало.

Ни на что не надеясь, он раскопал на столе бумажку и, поминутно сверяясь, набрал многозначный номер. Он помнил его наизусть, но на всякий случай всегда набирал по бумажке.

Телефон хрюкнул, как будто подавился, и замер. На панели горели два красных огонька — кто-то висел на линиях, — и Бахрушину казалось, что аппарат таращится на него выпученными больными глазами.

— Алексей Владимирович...

— Подожди, Марин. Через пять минут.

В трубке что-то щелкнуло, и обвалились далекие короткие гудки, и что-то завыло угрожающе. Бахрушин нажал отбой и набрал еще раз.

Давай. Соединись. Ну, давай же, чего тебе стоит!..

На этот раз телефон думал значительно дольше, и за это время у Бахрушина взмокли ладони.

Давай! Попробуй, ты же можешь!

Телефон «не смог» и на этот раз. Что-то в нем словно лопнуло, и снова посыпались короткие гудки, как осколки стекла.

Ну и черт с тобой!..

Если все будет в порядке, сегодня он увидит ее по телевизору в прямом эфире, и, может быть, ему удастся сказать ей что-нибудь.

Например, «привет». Это было бы отлично.

Он посмотрел на часы, чтобы узнать, сколько времени осталось до эфира. Посмотрел, но, сколько осталось, так и не понял.

Часа в два переводчик Халед привез разрешение местного МИДа на выезд из города — просто так, без разрешения и без Халеда, выехать не удалось бы.

Халед когда-то учился в Ташкенте, и у него даже была какая-то очень мирная профессия, кажется, хлопкороб или текстильщик. Впрочем, «текстильщика» придумал Ники, и Халеду это очень подошло. Что-то было в этом сюрреалистическое — вроде «парфюмера» или «газонокосильщика». Он говорил по-русски бегло, зато на вопросы почти не отвечал — словно не понимал. Как и у всех здесь, у него была борода почти до глаз, смуглая кожа и веселый и дерзкий взгляд.

С некоторых пор Ольге снились их дерзкие веселые глаза.

У Бахрушина сказочные глаза — орехового цвета, внимательные, как будто все время настороженные, и мелкие морщинки в уголках, и темные длинные ресницы. Голливуд, одним словом.

Почему-то он очень стеснялся, когда оставался без очков, даже с ней.

Она сразу набрала его номер, как только дозвонилась до Здановича, но не соединилось, а у нее решительно не было времени продолжать попытки.

Экая вредная, говорилось про одну юную леди в английском романе. Иногда Ольга примерно так себя и чувствовала, но у нее не было возможности часами ему дозваниваться!

Чертов характер.

Ники допивал, кажется, уже пятую чашку кофе — в посылке из Парижа была здоровая банка. И еще две бутылки виски, две палки копченой колбасы, несколько пачек сухого печенья, ананасовый компот и головка сыру — целое богатство, особенно виски, которого никто тут в глаза не видал. Какое может быть спиртное в мусульманской стране?!

Все было бы замечательно, если бы Ольга еще знала, кто такая Валя, приславшая посылку, а так ей казалось, что они с Ники жулики — взяли и съели чужое! По крайней мере, начали поедать.

Халед сидел на корточках возле «ровера», рядом стоял какой-то незнакомый афганец, они опять громко говорили — будто вот-вот подерутся!

Ники издалека посмотрел на них — и отвернулся.

Ольга вполне его понимала.

— Зато я сегодня много всего наснимаю, — пробормотал он, словно утешая себя. — И для наших, и для англичан.

— Наши — это Бахрушин? — осведомилась Ольга.

— А кто, по-твоему?!

— А англичане — это Би-би-си?

— Кто же еще?!

— Ники, — вкрадчиво поинтересовалась Ольга, — а какого черта ты так работаешь?!.. И тем, и этим? Выгонят ведь к чертям собачьим!..

— Не выгонят, — буркнул он и полез в карман камуфляжных штанов за ключами от машины.

Халед, завидев их, лениво поднялся с корточек, а незнакомый афганец вдруг глянул на Ольгу цепким и внимательным взглядом. Ей стало не по себе — да что такое с ней сегодня?!

Нервная стала, и впрямь в Москву пора!

— Ники, — продолжала она, изо всех сил развлекая

себя, — вот зачем Бахрушину надо, чтобы ты на него работал, я понимаю, а тебе зачем?! Или ты у нас...

— Я у вас благородный рыцарь, — перебил Ники и открыл ей дверь, — ты что, не в курсе?

Он кивнул Халеду, приглашая садиться, обошел машину и плюхнулся на водительское место. Халед полез назад.

— Во-первых, я самый лучший оператор на свете. Во-вторых, я сам могу сюжеты делать. В-третьих, я езжу на всем, что ездит, — он повернул ключ, мотор заработал, и «ровер» как будто ожил, оттого, что к нему прикоснулся Ники. — В-четвертых, я очень умный.

— По-моему, во-первых, во-вторых и в-третьих, ты хвастун. А в-четвертых и в-пятых, самодовольный осел.

— Я осел?! — поразился Ники и, вывернув здоровенную кисть и почти оторвав от земли боковые колеса «ровера», вылетел из гостиничного двора. Ольга схватилась за щиток. Халед засмеялся. — Ничего я не осел. Я просто знаю себе цену.

— То есть ты искренне уверен, что ты лучший оператор на свете?!

Ники сбоку взглянул на нее, и с веселым изумлением Ольга вдруг поняла, что пожалуй... вправду уверен.

— Еще я очень благородный, правильный и настоящий друг, — продолжал резвиться Ники. — Бахрушин попросил, а как можно отказать, если он просит!

— Это точно, — согласилась Ольга. — Никак нельзя.

— И ты тоже!

— Что я?

— С кем бы ты полетела, если бы я... не смог?

— Господи, Ники, вот только не рассказывай, что все дело во мне и ты так из-за меня стараешься!

— Не из-за тебя, конечно, — признался он почти серьезно. — Просто я так трепетно отношусь к работе.

Это было совершенно неожиданно и очень глупо, но Ольга вдруг оскорбилась, услыхав, что она для него — «работа».

Позвольте, а как же последняя сигарета — одна на двоих, — и последняя чашка кофе, тоже одна на двоих, и пятилитровая канистра воды, которую он незнамо как раздобыл для нее на прошлой неделе, и вся его забота, и нежность, и внимание, и...

В конце концов, во всех корпунктах в Афганистане и на всех каналах в Москве уже давно все знают, что у них роман!

Ольга ни за что на свете не завязала бы роман с Никитой Беляевым, но он сказал, что старается «не из-за нее», а «по работе»! И это почему-то было ужасно.

Ники моментально почувствовал, что сболтнул не то — она засопела, отвернулась и стала смотреть в боковое стекло, верный признак, что рассердилась.

А что такого он сказал?!

Он отличный оператор, но это и так всем известно, и вряд ли она рассердилась именно поэтому.

Тогда что не так?.. Благородный герой? Настоящий друг?

Вот пойди пойми женщин!

Нет, эти самые, один из которых подпрыгивает сейчас на заднем сиденье его машины, абсолютно правы — на всех паранджу, всех на «женскую половину», и чтобы сидели там, рожали детей, красили ногти, мазали пятки хной, и... и...

— Оль, ты чего? — спросил он, не додумав до конца свою конструктивную мысль.

— Ничего.

— Да ладно, я же вижу!

— Все нормально.

— Да ладно!..

— Ники, смотри на дорогу.

На дорогу действительно лучше было бы смотреть.

Аль-Ханум, вторая линия обороны Кабула, находился километрах в двадцати от города.

Дороги нет. Вернее, есть нечто, что раньше, очевидно, было дорогой.

Большая дорога, вспомнилось Ольге из историй про Ходжу Насреддина. Насреддин и его верный ишак очень любили большие дороги. Вряд ли *эта* понравилась бы им.

Огромные ямы, как будто куча землекопов специально трудилась несколько лет, чтобы накопать их побольше. Все ямы разные, как по размеру, так и по форме. Некоторые уже старые, с круглыми, словно зализанными ветром краями. Другие совсем свежие — видно, землекопы все еще продолжают свои упражнения. Ольга даже знала, что эти самые землекопы называются «скаты». Машину бросает и качает, и Ники, сильно выпрямившись, смотрит куда-то вперед и вниз, за капот. Рот сжат, и руль он держит обеими руками. Только один раз быстро оглянулся через плечо, на свою драгоценную камеру в синем кофре. Она на заднем сиденье, ее придерживает Халед, и Ники это, кажется, не нравится.

Впереди ничего не видно — кругом пыль, коричневая, мелкая, противная. Не пыль — какао. К вечеру какао будет в волосах, в ушах, в носу, во всех складках одежды, в подмышках, в сгибах локтей, в глотке, везде!.. Сильный ветер крутит эту пыль, как будто кто-то мешает мутное коричневое зелье в ведьмином котле.

— Ники, ты, может, помедленнее поедешь?

— Помедленнее мы как раз к вечеру доберемся.

Он выкрутил руль, и Ольга повалилась на бок и стукнулась виском о стойку.

Халед опять засмеялся, и Ольге стало противно от его веселья.

Ники покосился на нее, взявшуюся рукой за голову, и пробормотал:

— Извини.

По обе стороны дороги, спотыкаясь, бежали назад сплошные заборы из пыльных камней и коричневой глины. Объезжая очередную яму, Ники резко поворачивал и притормаживал, и тогда щербатая растрескавшаяся стена вдруг появлялась прямо перед капотом из клубящейся мути. Вдоль заборов семенили ослы, тащили поклажу и наездников, закутанных в коричневые шали.

Шлагбаум с будкой вынырнул из пыли, и Ники остановил машину.

Приехали.

Пока проверяли документы, Ольга, выбравшись из «ровера», изучала тот берег — там «противник», талибы. Кокча, как все местные реки, мелкая, желтая, мутная и сердитая. Говорят, что весной они разливаются, эти реки, так что даже на джипе не проедешь.

Ольга смотрела на взбаламученную мелкую воду и думала с вялым удивлением — как она может разлиться, если ее почти нет?!

Подошел Ники, толкнул ее в бок — такая у него была манера, совсем не романтическая.

— Ты как? Все злишься?

Она уже почти успокоилась, кроме того, даже под угрозой немедленной смерти не призналась бы ему, *на что именно* рассердилась.

— Да я и не злилась.

— Я знаю, когда ты злишься, а когда нет.

— А почему мы дальше не едем?

— Потому, что наши документы еще не проверили. А пока их не проверили, ехать нельзя. Логично?

Ольга повернулась и посмотрела вверх, ему в лицо. Он улыбался, сверкали белые зубы, и мелкая пыль, попавшая в морщинки у глаз и рта, делала его старше.

Он взял ее за руку и покачал в разные стороны.

— Ну что? Мир?

— Мир, Ники.

— Вот узнать бы, из-за чего ты злилась.

— Ни-ког-да, — отчетливо выговорила она и вырвала у него руку. Его ладонь была жесткой, как будто он только и делал, что занимался тяжелой крестьянской работой. — А там что, на той стороне? Не видно никого.

— А что там должно быть? Татарское воинство на конях и с мечами?

Ольга пожала плечами. Ники вытряхнул из пачки две сигареты, одну для себя, другую для нее.

— Там все то же самое, что и здесь, — сказал он негромко, закурил и, прищурившись, посмотрел на тот берег. — Все ждут наступления, а пока вяло палят друг в друга. Кажется, журналюги называют это «позиционные бои».

— Ну тебя, Ники.

Сигаретой, зажатой в загорелых сильных пальцах, он показал куда-то вправо, в сторону лысых серебристо-бежевых гор:

— Там деревня, а за ней стрельбище, что ли. И военный лагерь. А во-он, видишь, мазанка? В ней местный штаб.

— Откуда ты знаешь?!

Не глядя на нее, он сильно затянулся и уверенно по-мужски усмехнулся:

— Я здесь работаю, Оленька.

Ах, как самодовольно это прозвучало!..

Ветер приналег, разметал облако пыли, с ног до головы обдал их песком, и Ники моментально встал так, чтобы загородить Ольгу.

Очень здоровый, очень сильный, очень высокий молодой мужик, закрывающий ее от ветра, вот черт возьми!..

От невесть откуда взявшейся неловкости она отступила на шаг — словно затем, чтобы отряхнуть штанину от какой-то белой гадости, запорошившей ее. Наклонилась и долго отряхивала.

— Ну что там так долго?! Может, пойти поторопить их?

Ники промычал что-то, явно не соглашаясь. Он поворачивался так и эдак, прятал от ветра сигарету.

— Почему?..

— Потому что спорить с системой бессмысленно. Все равно не победишь.

— Ники, ты философ?

— Не-ет! Я умница.

Из будки выскочил Халед и замахал руками — можно ехать, все в порядке.

— Давай, пошли, Ольга! Видишь, ветер какой, сейчас совсем темно станет, я снимать не смогу!

Он далеко швырнул окурок и почти побежал к машине — Ольга знала такое за ним. Он был абсолютно расслабленным, когда от него ничего не зависело или ему казалось, что не зависит, и моментально кидался в работу, как только было можно. Помимо всего прочего, он еще был вынослив, как индийский слон-тяжеловоз, и работать с ним непросто — он выматывал всех до последнего, но получал столько своего драгоценного видео, сколько ему требовалось, даже если корреспонденты при этом падали замертво от усталости.

За шлагбаумом некоторое время ехали в гору и, въехав в развалины, остановились.

Ники выскочил первым и потянул с заднего сиденья камеру.

Какие-то солдаты в пятнистой камуфляжной форме и высоких черных ботинках жались в «укрытии» — загородке, похожей на дачный сортир, из прутьев и циновок. Халед помахал им рукой, но они не ответили.

— Солдат — хорошо, — неожиданно объявил Халед и улыбнулся. — Талиб — плохо. Масуд — хорошо.

Ники уже снимал панораму, мелкие камушки с тихим шелестом осыпались из-под точно таких же черных военных ботинок, как у тех солдат, которые «хорошо». Ники переступал ногами, улегшись щекой на камеру.

— Ольга, давай из кадра! Попадаешь!

Она забежала ему за спину.

— Ники, сними землю!

— Зачем? — От объектива он так и не отрывался.

— Ну, посмотри.

Он довел до конца свою панораму, выключил камеру и посмотрел под ноги.

— Вот черт возьми.

Осколки античных амфор, гильзы от патронов, мелкие камни.

— А что тут такое было, блин?! Древняя Греция?!

— Сам ты Древняя Греция, Ники! Аль-Хануму две с половиной тысячи лет, тут Александр воевал!

— Македонский, что ли?

— Ну, конечно, какой же еще!

Ники, совершенно сраженный такой потрясающей новостью, снял с плеча камеру, присел и поковырялся в пыльных осколках.

— И чего, они все времен Александра Македонского, что ли?!

— Не знаю. Вряд ли.

Ники вытащил осколок и старательно потер его о штаны.

— Наверное, все-таки древние. А, Оль?

— Ты же здесь работаешь, — язвительно сказала Ольга. — И все знаешь!

— Ну-у, не все, конечно!

Он еще подобрал какие-то черепки, сунул в карман, плюхнулся на колени в пыль и пристроил на плечо камеру.

— Надо снять, — бормотал он, — значит, снимем.

Ольга отмахивалась от мух, которые начинали лезть со всех сторон, как только утихал ветер, и думала о том, что бы еще такого снять.

Вечная проблема на войне — нечего снимать!

Когда есть что — не разрешают. Когда разрешают — нечего. То-то им так подозрительно быстро выдали разрешение на съемку, знали, что показывать тут решительно нечего, — все те же пустынные горы, все тот же унылый до крайности пейзаж, все те же солдаты — «наши», но как будто не «наши».

Ольга шла по краю истекающего песком холма, пока Ники ползал на коленях, то так, то эдак прилаживая камеру.

Профессионал.

Ольга знала, что даже землю он может снять так, что все станут смотреть, разинув рты и не отрываясь от экрана. Именно ему принадлежал знаменитый план, обошедший все мировые новостные каналы, — один-единственный уцелевший на улице дом, уцелевший по-настоящему, как будто ничего вокруг него и не происходило, раскрашенный синими мусульманскими цветами, а вокруг конец света, катастрофа, бетонные завалы, ощерившиеся арматурой и битым стеклом. Мертвый солдат, далеко откинувший смуглую руку с автоматом, под самой стеной, а рядом с ним задумчивая чумазая девчонка — смотрит не отрываясь на черное пятно у него под головой.

Кажется, сиэнэновские комментаторы назвали этот план «символом войны».

Ники так и не рассказал никому, где и как он это снял.

За холмом маялись японцы. Им тоже нечего было снимать, но они оказались предприимчивей. Невесть как — потому что переводчика с ними не было — они заманили одного из тех солдат, что жались в камышовой будке, и теперь тот с удовольствием позировал крохотному японскому оператору. Оператор приседал и цокал языком, похожий со своей камерой, неудобно пристроенной на плече, на подбитую камнем птицу-галку. Солдат взобрался на обломок коринфской колонны. Стоять ему было неудобно, и подошва армейского ботинка ерзала по лепесткам знаменитого цветка.

Ольга никогда с точностью не могла припомнить эту легенду — то ли цветок принял форму черепицы, то ли наоборот.

Две с половиной тысячи лет! Тысячелетия не справились — зато люди разрушили все моментально. Раз — и не было никаких двух с половиной тысяч лет. Остались только пыль и осколки амфор.

Господи, когда же это кончится!..

Никогда.

Человечество никогда не договорится с человечеством. И надеяться не на что. Какой там гипотетический враг, прилетевший из космоса на сверкающем металлическом аппарате, ощерившемся лазерными пушками и аннигиляционными двигателями! Зачем?

Мы сами справимся, без пришельцев.

Мы уничтожим друг друга, но есть некоторая надежда, что уничтожать будем долго, потянем еще.

— Ольга!

— Что?!

— Давай сюда!

И голос недовольный — Ники не любил, когда она пропадала из поля его зрения. Наверное, Бахрушину пообещал что-то такое, тоже очень мужское.

Ты там присмотри за ней, Ники!

Ну, не вопрос, старик!

Идиоты.

Она вдруг поняла, что больше ни минуты ждать не может, скинула с плеча рюкзачок, покопалась и выпростала тяжелую трубку спутникового телефона.

— Ольга!

— Иду сейчас!

Она набрала номер, прижала трубку к уху и, старательно обходя камни и пустые гильзы от снарядов, которые откатывались со странным, словно стеклянным звуком, потащилась в его сторону.

Солдат все стоял на колонне, японский оператор поправлял на нем кепочку — для красоты.

Телефон молчал каменным молчанием, ничего в нем не хрюкало и не трещало — плохой признак. Скорее всего не соединится.

— Оль, ты куда звонишь?! Халед говорит, что можно на позиции сбегать. Командир даст сопровождающего. Давай я сбегаю, а ты подождешь тут, а?

Она даже не очень понимала, о чем он, прислушиваясь к молчанию в телефоне.

— Куда сбегаешь, почему я останусь?

Ники нетерпеливо дернул широкой шеей и перехватил камеру.

— Ольга, там вторая линия обороны и военный лагерь. Туда можно сходить поснимать, я пойду, а ты останешься. Да кому ты звонишь-то, блин?! Нашла время!

Ольга отвернулась от него.

Давай! Давай же, прямо сейчас.

Телефон еще секунду молчал, а потом разразился ехидными короткими гудками.

— Чтоб тебя, — пробормотала она и даже стукнула его о бедро, так чтобы Ники не видел.

— Ольга!

— Куда мы должны идти? Я ничего не поняла.

— Да никуда не должна, а я на позиции сбегаю с Халедом, и нам сопровождающего...

— Ники, я с вами, — перебила его Ольга.

— Да ладно!

— Я с вами.

— У нас только один бронежилет.

— Ники, у нас два бронежилета.

— Нам с Халедом как раз и надо два. Логично?

— Халед здесь у кого-нибудь возьмет.

— Баба на войне, — процедил Ники сквозь зубы, — хуже не придумаешь!

Ольга предпочла не услышать.

— Ольга, я тебя не возьму.

— Ты не можешь меня брать или не брать. Я сама за себя отвечаю.

— Это тебе только так кажется, — пробормотал он и сердито оглянулся на камышовую будку. Он думал только про «первую линию обороны», ему не хотелось с ней препираться, а она его вынуждала!

— Почему ты мне заранее не сказал про военный лагерь?

— Оль, — сказал он нетерпеливо, — ну что ты, маленькая?!..

Ну да, конечно. Она уже большая девочка, а все «большие девочки» в Афганистане должны знать, что если ты работаешь на Би-би-си или Си-эн-эн, которые давно открыли в стране настоящие бюро и «прикормили» всех, кого могли и даже кого не могли, значит, тебе открыт практически любой объект. Но об этом было не принято распространяться.

Деньги решают все — особенно в Афганистане.

Немедленно по возвращении в Москву напишу капитальное исследование «Деньги на войне». Нет, «Война на деньги».

Нет, лучше «Деньги и война».

— Ольга, если идешь, шевелись!..

Она скатилась с холма, почти черпая ботинками песок и камушки, и потрусила за оператором в сторону крохотных низких домиков с узкими дверьми и щелями окон.

Оказалось, для того чтобы переправиться через реку, надо садиться на лошадей. О них надо предварительно «договариваться», то есть долго и темпераментно торговаться — деньги на войне!

Ники сходу ввязался в торговлю, а Ольга снова набрала московский номер и повернулась ко всем спиной, чтобы хоть недолго никого не видеть.

На этот раз телефон мучил ее неизвестностью как-то особенно долго и подло, и когда наконец стало ясно, что опять обманул, она вдруг чуть не заплакала.

— Не получается?

Ольга прерывисто и длинно вздохнула, «сделала лицо» и только тогда повернулась — она не любила, когда ее заставали врасплох.

Молодой невысокий мужик рассматривал ее с необидным любопытством.

— Вы с Российского телевидения, да?

— Да, — согласилась Ольга.

— Я вас знаю, видел в ACTED. Меня зовут Саша.

— А вы откуда?

Он усмехнулся.

— Я-то? В данный момент я из Испании. Информационное агентство EFE. А так из Москвы, конечно.

И они улыбнулись друг другу.

Он испанец, этот неизвестный Саша. Ники недавно переквалифицировался в англичанина. Где-то здесь, наверное, Алка, давняя приятельница, всю жизнь прожившая на улице Чаянова. Она теперь француженка, корреспондент France Press.

Эти милые люди — испанцы, французы, англичане — все русские как один.

Русские могут все и лучше всех — вот, пожалуй, в чем должна состоять следующая национальная идея, а больше... что же? Никаких других идей и не нужно. Зачем?

— Вы давно здесь?

— С начала войны. А вы?

— А мы приехали еще до.

— А в первую? Были?

Ольга немного удивилась.

— В какую первую? Когда здесь СССР воевал?

«Испанец» засмеялся.

— Да нет! В первую кампанию, когда войны еще не было, но и мира уже тоже...

— А здесь когда-нибудь разве был мир?

Ники издалека окинул их взглядом и снизу вверх вопросительно кивнул головой.

Ольга махнула ему рукой.

— Это мой оператор, — пояснила она, — мы должны в военный лагерь... попасть.

— Там сегодня бомбили.

Это известие Ольге не понравилось.

«Горячие» новости — это здорово, но в погоне за этими самыми новостями угодить под американскую бомбежку в ее планы никак не входило.

Саша глянул на нее, словно проверял, испугалась или нет, потом махнул рукой — то ли поприветствовал, то ли попрощался.

— Когда будете в ACTED, заходите. Я в палатке живу, у них на территории.

И вправду, во дворе ACTED Ольга видела несколько армейских палаток.

— Начнутся дожди, все развезет, и... Лучше сейчас приходите.

— А в палатке несладко, наверное, — неизвестно зачем сказала Ольга. Все и так было ясно.

— Ольга!

— Да! Иду!

— Так вы заходите.

— Обязательно. Спасибо, и удачи вам, Саша.

— И вам.

Ники, как только она подбежала, спросил «с пристрастием»:

— Это кто?

— Журналист из EFE. Ники, ты представляешь, он живет в палатке.

— Может, он беженец, а не журналист? Хотя какие-то жили в палатках на территории ACTED.

— Все-то ты знаешь!..

Иногда ее уязвляло то, что поразить его воображение ей почти никогда не удавалось. Он или уже заранее все знал, или делал вид, что ничему не удивляется.

— Давай поехали, Ольга! Сейчас стемнеет, что я там буду снимать? Где Халед?

— Тут Халед.

Переводчик-«газонокосильщик» выдвинулся из-за лошадиного хвоста и одним движением взлетел в седло. Ольга лезла долго и трудно. Ники придерживал стремя и, кажется, только в последнюю секунду остановил себя, чтобы не подтолкнуть ее под задницу. Лошадь прядала ушами и переступала нетерпеливо и подозрительно, ей не нравилось, что Ольга так долго лезет. Мальчишки-погонщики, бравшие по двадцать долларов с человека за переправу, месили коричневую жидкую грязь. Большинство босиком, а на некоторых — галоши. Ольга решила, что галоши — это признак состоятельности семейства. Поверх длинных штанов и грязных рубах на них были надеты пиджаки и куртки.

«Рибок», прочла Ольга поперек вымазанной сухими коричневыми полосами темной болоньи.

Ну да. Все правильно.

«Рибок», «Кока-кола», «Самсунг». Машины — «Лендроверы» или «Тойоты». Медикаменты французские. Гуманитарная помощь немецкая и российская. Камуфляжи, как «свои», так и «чужие», шили в Китае.

Они *сами* только воюют. Больше ничего.

— Ольга, подержи!

Ничего не успев сообразить, она схватила руками что-то большое, и оказалось, что это Никин рюкзак. Сам он уже работал — левой рукой держал поводья, правой прижимал к плечу камеру. Красный огонек горел. Ольга посмотрела вперед — ничего особенного, все те же лысые горы, изрытые воронками от взрывов, серое небо, какая-то муть, взбаламученная ветром.

Халед, ехавший чуть впереди, что-то длинно спросил у мальчишки-проводника в куртке «Рибок», и тот громко застрекотал в ответ, а потом оглянулся на нее. И Халед оглянулся. Ольге не нравилось, когда она не понимала, о чем речь.

— Ники, о чем они говорят?

— Понятия не имею.

— Ты же знаток всех местных языков.

Он молчал. Мальчишка с Халедом переговаривались и оглядывались, Ольга чувствовала себя неуютно. Один из французов, ехавших сзади, вдруг по-мушкетерски прицыкнул на лошадь и помчался галопом, обдав Ольгу с левой стороны градом мелких холодных брызг.

— Черт тебя побери!..

Небо над головой вдруг как будто дернулось, проткнутое чем-то тупым и длинным, Ольга посмотрела с недоумением, приставив ладонь козырьком к глазам, Ники замер с камерой на плече, лошадь под бравым французом резко и странно скакнула вбок, так что он едва удержал ее.

Далеко впереди из склона в разные стороны выплеснулась земля и спустя несколько секунд отдаленно бабахнуло. Мальчишка-проводник и Халед громко и сердито закричали друг на друга, потом мальчишка повернулся к ним, вытянул грязный указательный палец в сторону гор:

— Талиб! Талиб!..

Ники махнул на него рукой, и он моментально заткнулся. Ники как-то умел их останавливать, и они почему-то его слушались — все, как один.

— Американцы?!

Подскакал француз и стал что-то возбужденно кричать. И сзади все тоже загомонили, и маленький оператор-японец застрекотал, сдерживая свою мохнатую степную лошадку.

Война неожиданно для всех стала похожа на всамделишную.

Ну что? Будет продолжение — налет, обстрел, бомбежка?

Сколько на самом деле стоят «горячие» новости?! Столько же, сколько и жизнь? Или дороже? Или все-таки дешевле?!

Ники не отрывался от камеры. Снаряды больше не падали. Ольга вдруг поняла, что очень замерзла — так, что пальцы не разжимаются. Она вымокла почти по пояс, и ветер теперь казался холодным и плотным.

Вот сейчас грянет *настоящая* война, а она так и не дозвонилась Бахрушину!..

Лошади остановились, дошли до какой-то определенной черты, за которую им было нельзя, и журналисты живо попрыгали с них — все странно возбужденные, как будто навеселе или и впрямь пережившие бомбежку.

Ольга сунула руки в лямки операторского рюкзака.

— Ты куда?!

Она оглянулась, Ники стоял спиной, но тем не менее за ней «присматривал»!

— Я найду командира, договорюсь об интервью. Халед со мной.

— Да, давай!

Вдалеке еще бабахнуло, гораздо тише, эхо прокатилось по всем склонам и кануло за дальней горой.

— Ольга, оставь рюкзак, там аккумуляторы!

Она стянула рюкзак, кинула в пыль и помахала Халеду. Стремительно темнело, и ей неожиданно и очень сильно захотелось «домой» — в гостиницу, где горит желтый дрожащий свет, где булькает вода в поллитровой банке, и пузырьки отрываются от спирали кипятильника, и канонада где-то очень далеко, и можно лечь на трясущуюся сетку, застланную жидким матрасиком, и подумать — просто так.

В прошлый раз она решила, что больше никогда и ни за что не поедет на войну — сколько можно?! Ники говорит, что его «тянет», а она-то?! Ее разве тоже «тянет»?!

И еще вспоминала о том, как Бахрушин добыл елку.

До последней минуты елки у них не было. Тридцать первого после восьмичасовых «Новостей» она притащилась с работы — ей очень повезло на этот раз, она оказалась не занятой в ночном эфире. Снег сыпался, мелкий, острый, и Москва неожиданно поехала после нескольких дней мертвого стояния в километровых пробках. От телевизионного здания на 5-й улице Ямского Поля, откуда выходили «Новости» Российского канала, Ольга добралась до дома за полтора часа.

— Рекорд трассы, — констатировал Бахрушин устало, когда она позвонила ему и сообщила радостно, что уже приехала.

— Да не рекорд трассы, а наоборот! — закричала она. — У нас что, Новый год будет без елки?!

— Подожди, Ольга, — попросил Бахрушин через паузу. — Какая елка, а?

— Зеленая. — Почему-то она чуть не плакала, хотя в склонности к истерикам замечена никогда не была. — У всех Новый год сегодня, Лешка! А у нас елки нету. Ну, почему ты не купил?!

— Я... забыл, — признался Бахрушин через некоторое время. Ему было стыдно, что он забыл такую важную вещь. — Но я... куплю. Завтра куплю.

— Лешка, ну что ты говоришь?! Завтра первое. А второго ты улетаешь! И зачем елка первого числа?! И где ты ее возьмешь?! Завтра все, все будет закрыто!

— Да ничего не будет закрыто, и куплю я...

Тут она вдруг заплакала, и Бахрушин начал растерянно ее утешать, а потом замолчал и только слушал, как она всхлипывает в трубке — его жена! Она никогда не плакала, по крайней мере он никогда не видел ее плачущей, только однажды глаза налились слезами, но она запрокинула голову и зашипела на него, когда он сунулся было утешать.

Она запрокинула голову, и слезы так и не пролились.

А тут вдруг... плачет?!

— Ольга, я куплю тебе елку.

— Нет! Не купишь! Уже десятый час, и пока ты доедешь... И наряжать ее некогда!

— Черт побери, — пробормотал Бахрушин, — еще и наряжать!

Она бросила трубку, чего никогда себе не позволяла — у них было слишком мало времени и сил, чтобы выделывать друг с другом всякие такие штуки, — и потом долго и сладко рыдала на кухне, с подвываниями и утиранием кулаком мокрых горячих щек. Так жалко ей было себя и своей пропадающей — совсем пропащей! — жизни.

Мало того, что все время на работе. Мало того, что командировки, нервотрепка, смена руководства и полная неразбериха, и в этом бардаке непременно надо разобраться, и удержаться на месте, и доказать новому начальству, что «ты не верблюд», а тоже чего-то стоишь и что-то можешь. Мало того, что вечно не хватает денег и подчас не с кем работать, ведь профессионалов вроде Ники Беляева мало, а остальных надо учить, и еще неизвестно, выучишь ли, так еще и Новый год без елки!

К двенадцати часам их ждали примерно в пяти разных местах, и скорее всего там елки были, но Ольга, рыдая на кухне, твердо решила, что никуда и ни за что не пойдет — будет сидеть всю новогоднюю ночь дома и без елки!

Она уже перестала рыдать, и даже приняла душ, и напялила халат, теплые носки и бахрушинские тапки, потому что ноги в носках в ее собственные не лезли, и включила телевизор, грянувший «эстрадную миниатюру» голосом Михаила Задорнова, и вытащила из холодильника холодную и твердую палку копченой колбасы, кусок желтого сыра, еще что-то вкусное, припасенное заранее, и выложила в ряд на кухонной стойке, когда приехал ее муж.

Она даже сразу не поняла, что это он, потому что в дверь позвонили, а Бахрушин всегда и вполне успешно открывал сс ключами, и Ольга поначалу подумала, что пришли соседи с поздравлениями.

Она шмыгала носом, рассматривала колбасу и твердо знала, что ни за что не откроет, — еще не хватает, в халате, в носках, зареванная, и Новый год через час! — она понюхала колбасу, вздохнула и достала нож, но предполагаемые соседи продолжали трезвонить. Тогда она подумала, что кто-то вполне мог ее видеть, когда она подъезжала к дому, и теперь просто так ни за что не уйдет, особенно если это Леха, самый ближний, самый непосредственный, самый «соседский» сосед.

Леха до недавнего времени водил грузовики, а потом

ловко переквалифицировался в «большие бизнесмены», отчасти даже миллионеры, что вовсе не мешало ему и по сей день оставаться «нормальным мужиком». Жену он поминутно щекотал и пихал в бок, так что она почти заваливалась на пол, — привлекал ее внимание, шумно требовал, чтобы «родила третьего», и призывал всех «поддержать его в этом вопросе», в гостях ел селедку с черным хлебом и луком, опрокидывал стопки — луженые толстые пальцы не сходились на тонком стекле стакана, — рассказывал «дальнобойщицкие» анекдоты и после каждого прибавлял: «Прошу прощения у дам за прозу жизни».

Ольга отлично знала, что отвязаться от Лехи нет никакой возможности, и потащилась открывать, когда позвонили в третий раз.

Однако, едва она вошла в прихожую, в замочной скважине завозился ключ — у темпераментного Лехи не могло быть ключа от двери в ее квартиру, и тут она вдруг как-то запоздало и сильно испугалась.

Словно из душа, ее обдало страхом — волна прошла по затылку, скатилась на спину, потом в ноги, и ладони стали влажными, и колени — ватными.

Дверь распахнулась, сильно ударившись в упор, и Ольга увидела замшевую спину и нагромождение чего-то темного в глубине.

— Ты чего не открываешь? — сердито спросила замшевая спина. — Я звоню, звоню!..

Спина попятилась прямо на нее, Ольга отступила, и в дверь ввалилась елка — самая необыкновенная елка в ее жизни. Елка скребла ветками по стенам и упиралась в потолок, она не пролезала в двери, и Бахрушин ее втаскивал и пыхтел от натуги. Ольга стояла, опустив руки, и ничем ему не помогала, а потом он прикрикнул на нее:

— Ну, помоги мне!

И она кинулась и тоже стала тащить.

Они вволокли ее в гостиную и водрузили на середину ковра — ни к какой стене ее невозможно было отодвинуть — хвойные лапы упирались и отказывались двигаться.

— Где ты ее взял?!

Бахрушин глянул на нее и ничего не ответил. Очки у него как-то странно перекосились, смуглые щеки сильно покраснели, свитер задрался — вид комический, как у героя давешней эстрадной миниатюры. Все руки у него были исколоты, и шея исколота и даже щеки немножко.

— Где ты ее взял?!

— Купил. Давай, Ольга!..

— Что?..

— Ну, наряжай ее. Ты же хотела!

Ольга понятия не имела, как наряжать такую елку, — она и без всякого наряда была совершенством во всех отношениях.

Бахрушин тогда так и не рассказал ничего и признался намного позже, что выпросил ее у администратора какого-то дорогого магазина — на улицах за час до Нового года уже не продавали елок, а ему обязательно нужно было добыть ее! В магазинном зале одна ель уже была, а эта чем-то не подошла, то ли ростом, то ли размером, и ее задвинули в угол, и наряжать не стали, а Бахрушин ее выпросил, заплатил за нее какие-то дикие деньги и потащил домой, так и не купив Ольге подарок, за которым, собственно, и приехал в этот самый магазин.

Они ее все-таки «нарядили» — раскидали по сказочным веткам гирлянды, повесили пять шаров и кое-как прицепили наконечник — звезду, доставшуюся Бахрушину от бабушки. Та в свою очередь получила ее от своей бабушки, которая, наверное, в девятьсот втором году накануне Рождества купила его «у Мюра». В семье Бахрушиных много было всяких таких штук.

Спешно нарезали сыр, колбасу и еще что-то такое, красиво разложили на красивых тарелочках ввиду несмыкающегося телевизионного ока, выключили телефон, чтобы — боже сохрани! — Леха ненароком не дозвонился, достали шампанское, ледяное, очень сухое, очень французское, привезенное Бахрушиным из дальней командировки.

И что-то случилось.

Все оставшееся до утра время они занимались любовью. Сначала на полу под необыкновенной елкой, потом на диване, потом на собственной кровати в спальне. И еще в ванне, хотя ванна в их квартире была обычная — мраморный сосуд «на одного», и двоим в ней было неловко и странно, и вода все время лилась на пол, и некоторое время Ольгу очень занимал вопрос, зальют они соседей снизу — в новогоднюю ночь! — или все-таки нет, но Бахрушин сделал с ней что-то такое, от чего она моментально позабыла обо всем, кроме... него. И еще того, что раньше они никогда не занимались любовью в ванне, а теперь вот занимаются, и это так странно, и замечательно, и от горячей воды стучит в голове, и кровь, кажется, начинает медленно кипеть — по крайней мере Ольге представлялось, как она закипает в венах, мелкими черными страшными пузырьками, и сосуды от напряжения начинают тихонько гудеть...

— Ты что? — спросила она своего мужа во время какой-то паузы, когда можно было говорить, и удивилась, как у нее получилось спросить. — Что это такое?..

Вряд ли он знал точно — елка ли виновата, Новый год или то, что она заплакала по телефону. По крайней мере, он так ничего и не ответил, только серьезно и долго смотрел на нее шоколадными, сказочными, необыкновенными глазами, даже не стал прятаться за свои очки.

И, черт побери, так ни разу в жизни она и не сказала ему, что любит его, что жить без него не может, что непременно умрет, если только он посмеет разлюбить ее!

Конечно, не сказала. Она вообще никогда и ничего не стала бы говорить такого, что говорят в глупом кино или пишут в глупых книгах, которые глупые тетки читают в метро, а дома, начитавшись, рыдают от умиления и жалости к себе, отворотясь от унылых лысин своих глупых мужей!..

Чего бы она только не отдала, чтобы вот прямо сейчас, сию минуту телефон соединился бы, и она сказала бы ему все, все, что говорят в глупом кино или пишут в глупых книгах!

— ...Ольга!

— А?

— Бэ!..

Никогда в ее присутствии Ники не матерился, она бы, наверное, в обморок упала, если бы услышала, но на этот раз, поняла Ольга, до этого было рукой подать.

— Зачем ты поехала, блин, если у тебя помрачение разума?!

— Нет у меня никакого помрачения!

— Тогда... слезай с лошади и... шевелись! Все уже... давно... вперед ушли.

Он говорил, явно пропуская слова-связки, вертевшиеся на языке, и Ольга моментально поняла, как он зол.

Ники Беляев не злился почти никогда.

«Зачем? — спрашивал он и пожимал необъятными плечами. — Зачем злиться, когда все равно ничего не изменишь?»

За это его любимое словечко — «зачем» — Ольга иногда готова была его убить.

Она сползла со своей лошади — та опять косилась недоверчивым карим глазом и переступала нервными тонкими ногами — и соскочила в песок.

— Ольга, забери мой рюкзак!

— Там же у тебя аккумуляторы!

— Я давно все в «раскладку» переложил, пока ты спала!

«Раскладкой» называлась жилетка, в которой было десятка два карманов и еще десятка три карманчиков. Все операторы носили такие.

— Я не спала!

— Спала!.. Говорил же, чтобы не таскалась за мной, а ты хоть бы раз послушалась!..

— Ники!

— Сначала картинку сниму, а потом синхрон запишем с командиром, о'кей? Стемнеет, и я тогда...

— Давай, а я пока договорюсь.

Ники кивнул, прилаживая камеру, и через плечо показал ей, где именно этот самый командир, куда ей идти. Ольга и без него нашла бы, но у него было такое представление о заботе.

Ты там присматривай за ней, Ники.

Ну, не вопрос, старик!..

Дебилы и шовинисты.

Немедленно по возвращении вступлю в партию Маши Арбатовой, если у той уже есть партия, а если нет, немедленно создам свою и вступлю в нее — буду бороться за женское равноправие.

С равноправием, оказывается, большие проблемы.

Ольга улыбнулась, поправляя на плечах необъятный Никин рюкзак. Опять предстояло лезть в гору — что, черт возьми, это за страна, одни только горы и больше ничего! Камушки все-таки попали в ботинки, и теперь там скверно терлось, словно носки были из наждака. Если не вытряхнуть, к вечеру ноги разнесет так, что завтра ни за что не удастся обуться, а от ботинок и шнурков часто зависела жизнь.

Можешь бежать, остаешься в живых. Не можешь... значит, не можешь.

Командиру на вид было лет под пятьдесят, а потом оказалось, что двадцать восемь. Здесь всем, кто старше двадцати, сразу будто пятьдесят, а после сорока наступает глубокая и труднопределимая по возрасту старость — морщины, седые бороды, узловатые руки, потухшие усталые глаза. Зато звали его изумительно — Гийом.

Его звали Гийом, и он говорил по-английски — большая удача и огромная редкость.

Должно быть, Ольга понравилась ему, а может, просто в нем взыграло любопытство, потому что он моментально бросил свой «боевой пост» в камышовой будке, которая ничем не отличалась от полутора десятков других таких будок, в которых Ольга уже успела побывать, вышел на улицу, поманив ее за собой, и что-то длинно и быстро сказал по-английски.

Она не поняла.

Какие-то бородатые люди проводили их настороженными и подозрительными взглядами. Вдалеке бабахало и как будто что-то осыпалось с продолжительным шорохом, и она подумала быстро — где там Ники?..

— Минутку, — попросила Ольга по-английски, — говорите немного помедленнее, пожалуйста. Я не поняла.

— Вы не поняли не потому, что я говорил быстро, — возразил он энергично. — Вы просто не слушали меня.

— Простите.

— Ничего страшного. Я предложил проехаться на позиции. На моей машине. Вы ведь русская журналистка?

— «Новости» Российского телевидения.

— Должно быть, вы очень храбрая женщина, если решились воевать.

Он так и сказал — воевать.

— Я не воюю, — быстро возразила она. — Пресса... никогда не воюет. Пресса только освещает войну.

— Ясно, — сказал он мрачно. — Поедете со мной?

Почему-то по-английски все это звучало как-то очень буднично и почти неинтересно, вот она однозначность и даже некая «плоскость» английского языка! По-русски так говорить было невозможно. Ольга представила себе, как по-русски станет объяснять Ники, что уехала «на позиции» с местным командиром и что он, Беляев, скажет ей в ответ, и тоже именно по-русски!

На позиции девушка провожала бойца. Темной ночью простилися на ступеньках крыльца.

Машина — запыленный армейский «уазик» — завелась не с первой попытки, долго и надсадно кашляла, зато, когда завелась, Гийом так рванул с места, что Ольга стукнулась виском в стойку — больно и унизительно.

Они все тут так ездили, «без башки». Ники, как известно, время от времени очень уважал такой стиль вождения.

Ветер подхватил концы ее косынки, и она с трудом затолкала их под ткань, почти вырывая волосы.

— А почему у вас европейское имя?

— Моя мать француженка. Она дала мне французское имя.

— Она живет в Афганистане?

— Разве здесь можно жить? — вдруг спросил он и коротко взглянул на нее. — Вы смогли бы?

Ольга растерялась — какой-то на редкость странный ей попался командир. И журналист в ней моментально взял верх над всем остальным — обязательно надо договориться с ним о какой-нибудь длинной съемке, чтобы она смогла позадавать свои вопросы! Только где? У него дома? А у него есть здесь дом? Или в камышовой будке? Портрет матери-француженки на голой стене или, еще лучше, синхрон с ней — трогательная история давней любви французской девушки и афганского юноши, и этот мятежный мальчик, их сын, воюющий за независимость своей родины.

Если у войны есть лицо, значит, это будет лицо Гийома, а Ники снимет так, что все заплачут, как только увидят его на экране!..

— Моя мать давно на небесах, — сквозь ветер почти прокричал рядом предполагаемый герой ее блестящего репортажа, и она моментально расстроилась — не из-за того, что он сирота, а из-за того, что материал мог выйти менее блестящим. — Она умерла, когда мне было два года, и отец привез меня сюда.

— Вы здесь выросли?

— Можно и так сказать, — то ли согласился, то ли не согласился он.

— А... ваш отец? Тоже военный?

— Мой отец остался там, где и был. Во Франции. Я никогда его не видел. Мы приехали.

«Уазик» остановился на склоне какой-то очередной горы, которая, по Ольгиному мнению, ничем не отличалась от остальных. Те же серые склоны, покрытые редкой растительностью, жемчужная пыль, лысый горный череп странной формы. Но, наверное, чем-то все же отличалась, потому что Гийом, встав на одно колено на сиденье, стал показывать вдаль, а Ольга послушно посмотрела в ту сторону, куда указывал загорелый и не слишком чистый палец.

И недаром. В середину горы, как будто в висок черепа, вдруг с тонким свистом ввинтилось какое-то тело, и через секунду ударил взрыв, а потом еще один. Поднялась пыль, заволокла гору, а снаряды все продолжали падать, дробить череп.

— Что это?!

— Американцы.

— Зачем они бомбят гору?!

Гийом покосился на нее и усмехнулся:

— Война.

— Там... позиции талибов?

— Должно быть, да.

— А вам об этом неизвестно?

— Мне нет.

— Так там есть талибы или нет?

— Американцы думают, что есть.

— А вы как думаете?

— Я не думаю. Это не мое дело, — сказал он.

Они все так разговаривали — непонятно было, всерьез или нет. Понятно только, что они в грош не ставят европейцев с их идиотскими вопросами.

— Не имеет значения, есть там талибы или нет, —

вдруг добавил Гийом и плюхнулся обратно на сиденье. Пистолет зацепился за что-то и неудобно задрался, и он с досадой дернул и отпустил портупею. — Важно, что американцы близко.

— Что значит — близко?

— Вчера высадился десант. Спецназ. Мы ждем приказа о наступлении.

— О наступлении... куда?

— На позиции талибов. В Мазари-Шарифе.

Ольга лихорадочно соображала, как бы «раскрутить» его на большое интервью. Про Мазари-Шариф и позиции талибов и так все знали. Впрочем, информация об американским десанте, выданная им как бы просто так, была асолютно сенсационной, если только он... не врал. Вполне мог врать.

Они то ли все время лгали, то ли путались в выдаваемых сведениях — и непонятно было, специально или нет.

Опять бабахнуло и взорвалось, выплеснулся песок, взметнулась пыль. Ольга вцепилась ногтями в ладонь, но моментально разжала пальцы, потому что снова заметила его насмешливый и колючий взгляд.

— Господин командир, я хочу попросить вас об интервью.

— Мне нечего вам сказать, кроме того, что я уже сказал. Американцы близко. Скоро начнется настоящая война.

— Значит, сейчас война не настоящая?

Он пожал плечами и перевел взгляд на гору.

Ольга в кармане включила диктофон, уверенная, что сделала это ловко и незаметно. Что-нибудь наверняка запишется. Если давать это под картинку, которую снимет Ники, да под перевод, про качество записи никто и не вспомнит.

Кроме Бахрушина, конечно. Он все заметит, и отдел технического контроля заметит, и будут потом неприятности, потому что Бахрушину наплевать, что материал сделала его жена, а ОТК наплевать, что материал прислали из Афгана. Главное, что их волновало, — чтобы качество было соответствующим.

А о каком качестве может идти речь, если диктофон в кармане, говорит Гийом на скверном английском, а рядом бабахает и рвется!..

— Так вы согласны?..

— Я готов говорить с вами сейчас. Что там будет дальше, знает один Аллах.

— Большое спасибо, но мне бы хотелось переговорить с вами в более... неформальной обстановке. У вас дома, например.

— Джабаль-ус-Сарадж. Знаете такое место?

— Это где-то на севере. Почти граница, правильно?

— Там мой дом. До него далеко.

— У вас большая семья, господин командир?

— Жена и двое детей.

И тут Ольга не удержалась.

Нельзя было спрашивать об этом, никак нельзя, да еще один на один, да еще так далеко от «центра цивилизации» в виде камышовой будки, и от Ники тоже...

— Ваши дети тоже будут воевать, когда до них дойдет очередь?

Он опять усмехнулся своей непонятной арабской усмешкой.

Они родились, чтобы воевать.

— И сколько им лет, этим воинам?

Он помолчал, как будто не сразу смог вспомнить.

— Два года и четыре.

Ольга вдруг разозлилась так, словно ей действительно было дело до детей этого полевого командира с непонятным именем Гийом, непонятной судьбой и домом в Джабаль-ус-Сарадже.

— Замечательно. Вы даже не знаете, как дети растут, потому что они живут где-то на севере, а вы здесь, ждете, когда американцы начнут штурм! Но вы уже знаете, что они будут воевать!

— Наши дети рождаются только за этим. Ибо только на это есть воля Аллаха.

— Чтобы ваши дети убивали наших?! Именно этим озабочен ваш Аллах?! Неужели вы верите, что ему больше нечем заниматься, кроме этой поганой войны?!

— Кому? — спросил Гийом, помедлив, и опять посмотрел как-то странно, но ее уже несло, и она не могла остановиться.

— Да вашему Аллаху!

Она знала за собой такую черту — неспособность затормозить и остановиться. Свои самые лучшие репортажи и самые лучшие материалы она сняла и написала именно в состоянии «свободного полета», когда отказывали все сдерживающие центры.

Нечасто с ней такое случалось.

— Мы ведем... богословский спор? — спросил он и засмеялся. А может, он что-то другое спросил, потому что от злости у нее шумело в ушах, а говорил он не так чтобы очень правильно, ей все время приходилось вслушиваться и мысленно повторять за ним каждую его фразу, как бы переводя ее на понятный для нее английский язык.

— Ваш богословский спор ничего не стоит. Война — самый легкий бизнес из всех, уж это я поняла давно! Ничего не нужно. Научись стрелять и не слишком бояться. И станет наплевать на все, потому что завтра не существует. Даже на собственных детей вам наплевать, потому что вы знаете, что вас убьют. Сначала какое-то время вы будете убивать, а потом убьют вас. Есть такая штука, она называется «закон больших чисел». Слышали?

— Нет, — признался афганец.

Впереди опять воздух как будто дернулся и рвануло, во все стороны с горного склона плеснулись камни и комья земли.

Если она не остановится, он убьет ее, это же очень просто. Он перережет ей горло, и черная кровь брызнет на ее штаны и майку и фонтаном станет бить в землю, а он вытрет об ее волосы свой зазубренный армейский нож — оружие убийц и насильников, — сядет в «уазик» и вернется в лагерь.

Ники не найдет ее никогда. Афганцы не скажут, а больше никто не видел, что она уехала с командиром в горы.

— Закон больших чисел означает, что если девять раз пронесло, то на десятый обязательно что-нибудь случится. Ну, на двадцатый. Или на сорок восьмой. Вас убьют, и ваши дети вырастут, не зная ничего, кроме войны и этих гор! Вы этого для них хотите?!

— Почему русскую журналистку так взволновала судьба моих детей? Почему их судьба не волновала никого, когда ваша страна пришла, чтобы разорить и уничтожить нашу? Почему Россия распоряжалась нашей судьбой, как своей собственной?

— Россия никогда не приходила, чтобы уничтожить вашу страну! Здесь воевал Советский Союз, а это была совсем другая страна!

— Но тот же самый бизнес, — вдруг сказал он спокойно, — который так вас заботит. Страна изменилась, а бизнес остался. Может измениться все, кроме деловых интересов, не так ли?

Черт побери, подумала Ольга быстро, кто этот человек?! Почему он так странно говорит?!

За одну секунду в голове промелькнули два миллиона разнообразных предположений, самое правдоподобное из которых было, что он Джеймс Бонд в исполнении Пирса Броснана, присланный «Ми-6», чтобы контролировать ситуацию в Афганистане.

Это она могла предположить, но только не то, кто он на самом деле и о чем она никогда не должна была узнать.

Она, конечно, все же узнает, и это будет так же безнадежно поздно, как бывает, когда за стеклом аэропорта видишь собственный взлетающий самолет — не остановить, не вернуть, не догнать.

Бомбежка прекратилась так же внезапно, как и началась — или у них бензин, что ли, кончился? Или боезапас? Однако Гийом почему-то не трогался с места, словно ждал чего-то, и через несколько секунд Ольга, проследив за его взглядом, поняла — чего.

Справа, очень далеко, как показалось ей поначалу, клубилась пыль, но слишком низко и равномерно для пыли, поднятой взрывом, и, приглядевшись, она поняла, что это машины.

Как ни в чем не бывало, словно и не было никакой бомбежки, они катили по склону горы и приближались очень быстро. Ольга приставила руку козырьком к глазам, хотя никакого солнца не было уже давно — просто так приставила, от того, что паника поднялась из-за жесткого винилового сиденья «уазика», атаковала ее стремительно, стиснула горло холодным удавьим кольцом.

Она всегда была очень близко — за дверцей шкафа, под сиденьем в машине, в гостиничном коридоре. Ники ненавидел и боялся коридора.

Кто был, тот знает. Кто не был — тому не объяснить. Как, например, Толе Борейко. Он и на войне был — как будто не был.

— Вы кого-то ждете?
— Теперь уже жду.
— У вас... запланирована встреча?

Он ничего не ответил, не услышал, наверное. Потерял слух. Они все время от времени решительно теряли слух.

Машин было две, теперь это уже можно разглядеть. Они сильно пылили, и заднюю все время заволакивало коричневой пеленой, а первая то и дело ныряла в воронки и подпрыгивала на ухабах — сидящие в ней непременно должны были пробить головой крышу, но почему-то не пробивали.

Паника приналегла сильнее — слюна стала горькой, и горлу сделалось слишком тесно в воротнике разношенной майки.

— Кто это?

— Подождите минутку.

— Какую еще минутку, — пробормотала Ольга себе под нос, — только этого мне и не хватало!

Машины подъехали почти вплотную и остановились — задняя оказалась «Лендровером», а передняя точно таким же «уазиком», как и тот, в котором сидели Ольга с афганским командиром по имени Гийом.

Как всегда бывает в Афганистане, темнота стремительно пожрала небо, дальние склоны гор, подобралась к лысым от времени и бездорожья шинам.

Гийом коротко оглянулся по сторонам и локтем — Ольга перехватила это его движение — как-то странно поддел и расстегнул кобуру. Смуглые и не слишком чистые пальцы, лежавшие на руле, чуть-чуть шевельнулись и замерли.

Из машин никто не вышел.

Под вечер Бахрушину на «вертушку» позвонил председатель Российского телевидения и усталым голосом сказал, что «сейчас зайдет».

— Давай, может, я сам к тебе зайду? — предложил Бахрушин, не очень понимая, в чем может быть дело.

Председатель, хоть они и «дружили» не то семьями, не то домами, то есть два раза в году встречались в Кратове на даче у Бахрушина или в Барвихе — у Олега Добрынина, все же имел обыкновение звать начальника информации к себе, а не «заходить на огонек».

Не по правилам это было, а правила они привыкли соблюдать.

— Нет, я зайду, — чуть более настойчиво сказал Добрынин, и сразу стало ясно, что спорить нет никакого смысла. — У меня самолет через два часа, так что я все равно...

Дожидаясь начальства, Бахрушин нацепил было пиджак, но потом подумал и снял.

Десятка два вариантов, зачем он так неожиданно понадобился председателю, да еще перед самой командировкой, вертелись в голове, и Бахрушин решил, что дело может быть в Храбровой — не зря же Паша Песцов сегодня приходил и говорил загадками!

А может, и не в Храбровой.

Тогда что? Политкорректность в последних выпусках «Новостей» соблюдалась, «баланс плохих и хороших» сообщений, правда, так и не был найден, но никто толком не знал, что это за баланс и как его достигнуть.

Бахрушин не особенно волновался — он не привык волноваться заранее и по неизвестным причинам, — но все же это было странно.

Дверь распахнулась широко, так что даже матовое пионерлагерное стекло дрогнуло в испуге, когда Бахрушин включал кофеварку.

Интересно, почему любой человек вместе с должностью приобретает привычку открывать любую дверь, будто намереваясь снести ее с петель? Вот загадка природы.

— Здравствуй, Алексей.

— Здравствуй.

Добрынин был в пальто и перчатках и, видимо, не собирался задерживаться надолго, потому что не снял ни того, ни другого.

— Ты себе новый агрегат поставил?

Бахрушин посмотрел с удивлением, и Добрынин кивнул на кофеварку.

— Сто лет назад поставил. В компании кофе почему-то всегда дерьмо.

— Это точно, — согласился председатель.

Хозяйственники сменяли друг друга с завидной регулярностью, шутка про то, что никому так и не удалось поговорить с начальником транспортного цеха ввиду отсутствия такового, была среди работников и руководства очень популярной, но с кофе ничего нельзя было поделать. Каждый новый директор «хозяйственной дирекции» ознаменовывал свое царствование чем-то особенным, эдаким, необыкновенным. Последний, к примеру, оборудовал мужские сортиры необыкновенной красоты биде производства знаменитой фирмы «Villeroy&Boch». Биде были снабжены изящными золочеными краниками и пускали игривые фонтанчики, когда краники поворачивали. Историю про транспортный цех и его начальника моментально затмил анекдот про Василь Иваныча, который с успехом мыл внутри данного прибора голову.

Предшественник нынешнего директора был поклонником абстрактного искусства и понаставил на этажах непонятных статуй, то ли из серого камня, то ли из бетона. Они были не просто уродливы, они еще наносили материальный ущерб сотрудникам. На них все время кто-то натыкался, падал, рассыпал видеокассеты, дамы рвали колготки, а о постаменты тушили бычки, угнетая директорское сердце порчей такой редкой красоты. Хозяйственный директор издал приказ, чтоб не тушили, но — странное дело! — несознательные продолжали свое черное дело.

Председатель, измученный статуями, в одночасье велел отправить их чохом во внутренний двор и там красиво расставить среди пальмовых и апельсиновых деревьев. Но — вот беда! — во дворе, как правило, проходили всякие расширенные персговоры, и непуганые иностранцы, не подготовленные к созерцанию статуй, приходили в уныние, а японцы усмотрели в них некий намек, и переговоры вообще не состоялись. Добрынин закатил скандал, и скульптурные шедевры в спешном порядке подарили братскому украинскому телевизионному каналу «Червона Слава».

В компании поговаривали, что нынешний хозяйственный босс вдобавок к плодотворной работе, проведенной в мужских сортирах, готовит интервенцию во все буфеты. Неизвестно было, собирается ли он и буфеты оснастить биде — вместо стульев, к примеру, — но приказ о том, что с первого декабря все точки общепита будут «временно закрыты навсегда», уже появился на доске объявлений.

А кофе так и оставался скверным, хоть плачь.

— Ты будешь, Олег?

— Давай.

Бахрушин налил примерно полчашки и сунул председателю. Тот понюхал, хлебнул, откинулся на спинку кресла и вытянул ноги.

— Сказка, — как будто пожаловался он.

— Это точно.

Некоторое время они молча глотали огненный кофе. Бахрушин за свой стол не пошел, сел напротив и тоже вытянул ноги.

— У меня к тебе два дела, — допив, сказал Добрынин и пристроил чашку на край стеклянного стола, приобретение позапрошлого хозяйственного директора. У стола была подставка в виде голой красотки, сидящей в позе эмбриона — лицом в ковер, спиной наружу. На спине как раз и располагалась стеклянная крышка. Бахрушин иногда в порыве раздражения поддавал красотке ногой по заднице — очень удобно.

— Первое. Серега Столетов третьего дня звонил из Парижа. Но не мне, а Никитовичу.

Бахрушин моментально насторожился.

— Зачем он звонил Владлену, если он наш... корреспондент?

— Не знаю. Только Владлен перепугался и сразу стал мне звонить, а я... уезжаю.

Владлен Никитович был помощником президента России по информации — фигура абсолютно «образцово-показательная», ничего не решающая, легкая, если выражаться шахматными терминами. Никитович был специалистом по всякого рода пространным заявлениям по вопросам, в которых никто не разбирался, и по ответам, в которых никто не нуждался.

— А что там может быть в Париже, Олег?

Добрынин поморщился, стянул перчатку, почесал нос и опять натянул, хотя в кабинете было тепло.

Я не могу задерживаться, вот как понял Бахрушин жест с перчаткой. Я зашел к тебе сам, и ты должен понимать, что ненадолго. Я сейчас уйду.

— Точно не знаю. Мне Столетов так и не перезвонил. Но Никитовичу он сказал, что по информационным агентствам ходят слухи о какой-то кассете, на которой синхрон Аль Акбара.

Бахрушин подумал секунду.

— Ну и что? Сколько их было, этих кассет, и все фальшивки, до одной.

Али Аль Акбар был духовным лидером талибов или части талибов. Бахрушин, к стыду своему, не слишком в этом разбирался, хоть и руководил информацией федерального канала. Акбар был не только лидером, но и финансистом, и с его финансами тоже связана какая-то тайна — говорили об алмазных копях его отца, о нефтяных скважинах тестя, но точно никто не знал, кроме, быть может, спецслужб, но Бахрушин почему-то уверен, что и спецслужбы не очень в курсе.

Акбар моментально взял на себя ответственность за теракты в Нью-Йорке и Вашингтоне, информационное агентство «Аль Джазира» распространило тогда его заявление, и через Интернет все время просачивались какие-то слухи, и все это было бы почти неинтересно — мало ли слухов выползает из Интернета и мало ли заявлений делает «Аль Джазира»! — если бы не одно обстоятельство.

Никто и никогда не видел Акбара.

Никто не знал его в лицо.

На видеокассетах его роль все время исполняли какие-то разные люди, бородатые и безбородые, в чалмах, платках и вовсе без них, в халатах, шароварах и костюмах от «Хьюго Босс». ЦРУ время от времени на весь мир объявляло о том, что наконец-то получена подлинная запись Акбара и можно начать «активные действия», сличить голос, цвет волос, чуть ли не отпечатки пальцев, занести в картотеку, пропустить через компьютер и...

На этом «и» все останавливалось. Появлялась следующая пленка, на которой был вовсе другой Али Аль Акбар, и поиски начинались сначала, хотя «цивилизованный мир» так и не знал толком, кого надо искать.

Добрынин посмотрел в окно, даже шею вытянул, чтобы получше разглядеть, что там такое, за стеклом.

Ничего особенного не было — дождь, темнота, горящие окна соседнего крыла.

— Столетов сказал Никитовичу, что... кассета подлинная. Якобы он точно это знает.

— Вот черт!

— Вот именно.

— И... откуда он это знает? Что кассета подлинная?

— Леш, я толком ничего не понял. Никитович мне позвонил, вызвал в Кремль и три часа валтузил, как щенка неразумного. Что это, мол, мои корреспонденты себе позволяют, и как это они осмеливаются напрямую ему звонить, да еще с такими глупостями, да еще по открытой связи!

— Так если это глупость, то какая разница, открытая связь или закрытая? — спросил Бахрушин осторожно.

— Ну, вот именно.

Добрынин перестал изучать окна соседнего дома и стал изучать согнувшуюся в три погибели девицу под стеклянной крышкой стола.

Алексей Владимирович помалкивал, ждал.

— Красиво живешь, — сказал наконец председатель. — Порнуху прямо в кабинете показывают. Даже и ходить никуда не надо.

— Не надо, — согласился Бахрушин.

— Ну, и еще Столетов ему сказал, что кассета у него.

Этого Бахрушин никак не ожидал. Такого просто быть не могло. Не могло, и все тут.

Он тоже порассматривал девицын зад и сказал то, что думал:

— Этого быть не может.

— И тем не менее, Леша.

— Да откуда у Столетова какие-то секретные материалы?! И он никогда арабской тематикой не занимался! Он в Париже седьмой год и за свое место удавится, Олег! И кого хочешь удавит! Он осторожнее папы римского!

— Ну, папа римский просто рисковый пацан по сравнению со Столетовым, — согласился председатель, и они улыбнулись друг другу.

— Никитович мне сказал, — помолчав, продолжил Добрынин, — что Столетов в Париже допился до того, что ему стал мерещиться Али Акбар в подлинном обличье, да еще на видеокассете, и просил меня немедленно его приструнить, но...

— Что «но»?

Тут председатель Российского телевидения сделал следующее. Он вдруг стремительно поднялся из кресла, в два шага дошел до пионерлагерной двери и широко ее распахнул. За ней была тихая приемная, из-за обилия окон и стеклянных дверей похожая на аквариум, а за столом Марина, морская царевна.

Царевна встрепенулась и уставилась на председателя вопросительно.

— Мне ничего не нужно, — сказал Олег Добрынин негромко. — Дверь пусть пока открытой останется, а вы не пускайте никого в приемную.

Марина стремительно поднялась.

— Олег Петрович, я не расслышала, простите, пожалуйста. Что-нибудь...

— Ничего не нужно, — сказал председатель во весь

голос. Бахрушин смотрел на него с изумлением. Олег Добрынин шпиономанией никогда не страдал. — Не пускайте никого в приемную минут десять, а дверь пусть пока будет так.

Марина если и удивилась, то виду не подала, выбралась из-за стола и исчезла.

— Так надежнее, — пробормотал Олег Петрович, вернулся за стеклянный стол и носком лакированного ботинка потрогал зад каменной красотки. — Так вот. Никитович хотел, чтобы я прямо от него Столетову позвонил, я и звякнул, но...

— Что?

— Столетова не нашел.

— Как не нашел?! — поразился Бахрушин.

Этого тоже не могло быть, потому что не могло быть никогда. Если председатель телерадиокомпании ищет за границей своего собственного корреспондента, в интересах этого корреспондента найтись немедленно, в ту же секунду, получить все инструкции, выслушать все претензии, поклясться в вечной верности и только после этого вернуться в Латинский квартал, в Café des Artistes допивать свой виски.

— Не нашел, — подтвердил Добрынин тихо. — Дома нет, в корпункте, понятно, ничего не знают, жена в обмороке, потому что он пропал.

— Вот черт, — повторил Бахрушин.

— Вот именно. Он два дня назад уехал на какую-то встречу и с тех пор не вернулся. Все. Конец истории.

— История хороша, — оценил Бахрушин.

— И я про то же, — согласился Олег Петрович. — Стал бы Никитович меня вызванивать, настаивать, чтобы я немедленно в Париж звонил, и вообще всю кашу заваривать, если бы за этим ничего не было. А?

— Я не знаю, — сказал Бахрушин медленно. — Мало ли что ему в голову взбредет. Может, ему уже отставку подписали, мы же не знаем! И ему нужно срочно повысить собственный статус. Вот он и... старается. Разоблачает международные заговоры.

— Отставку ему не подписывали, и *мы* это знаем, — поправил его председатель, налегая на слово «мы». — И что это он вдруг сейчас старается, когда тема такая скользкая? Кроме того, Никитович не Ястржембский, он на себя отродясь никаких ответственных решений не брал, особенно по террористическим группировкам. Ты что-нибудь понимаешь, Леша? Я вот решительно ничего.

Бахрушин не знал, что отвечать, — пожалуй, в первый раз с тех самых пор, как его вызвали в подвал, за железную дверь, имевшую название «Первый отдел», и там вкрадчиво спрашивали, что он думает о студенте Подушкине и студенте Ватрушкине.

Впрочем, тогда он вышел из положения, а как выходить сейчас, он не мог себе представить.

Зачем пришел Добрынин? Перевести все стрелки на него, Бахрушина? Почему так спешно? Почему перед самым своим отъездом? Или отъезд тоже как-то связан с этой дикой парижско-арабской историей?! Куда делся Столетов, если он вообще куда-то делся? Почему он звонил Никитовичу, а не Добрынину или Бахрушину, которые являлись его непосредственными начальниками? Это было бы гораздо проще и логичней!

Объяснение его звонка могло быть только одно — он *на самом деле* верил в то, что пленка подлинная, и хотел доложить о ней как можно выше, чтобы как-то подстраховаться в случае, если....

Если что?..

И может быть, это самое «если» уже наступило, раз жена не знает, где он, и мобильный не отвечает?!

— Ну что? — повторил Добрынин. — Есть соображения, Алексей Владимирович?

— Откуда у нашего корреспондента в Париже может быть подлинная запись Акбара?! Он русскими балетными сезонами занимался и выездными заседаниями штаб-квартиры НАТО! Принимать Литву или не принимать. Верить обещаниям украинского президента или не верить. Ну, выставку там арестовали, он синхроны с адвокатами прислал! Арабы-то откуда?!

— Это все я и сам знаю, — пробормотал председатель. — В общем, я тебе сказал. Ты ничему особенно не удивляйся.

— Чему, например?

— А ничему, — неожиданно резко сказал Добрынин. — Но это только первый вопрос. Будет еще второй, но он... короче.

Сейчас спросит про Храброву, почему-то решил Бахрушин.

Если спросит, я точно заплачу. Когда Паша спрашивал, стерпел, а сейчас заплачу.

— Твою жену из Афгана надо отзывать, — сказал Добрынин, и Бахрушин чуть не упал с дивана, прямо к уткнувшейся в ковер голове порнографической девицы. — Не сегодня-завтра талибы в наступление пойдут. Вот это я точно знаю. Беляев пусть остается, а Ольгу надо возвращать. Хватит. Я уже приказ подписал. И это последний раз, когда она на войну поехала!

— Олег.

— Да понимаю я все! Моя вон тоже... бизнесвумен, черт бы ее побрал! Бизнесвумен и политик она у меня!

— Я знаю.

— Да ладно! Никто не представляет, каково это. Никто из вас не женат на лидере думской фракции!

— Я женат на гении отечественной журналистики. Это, наверное, похоже.

— Ну, короче, гению журналистики я не муж, а потому могу запретить прогулки на войну. Я запретил.

— Да у нее не прогулки!

— Ладно, Леша, я все понимаю. Она правда классный журналист, но война...

— Не женское дело, — договорил за него Бахрушин.

— Вот именно.

— Я говорил ей миллион раз.

— А я говорить не буду, я же не муж! Если ей непременно надо на войну, пусть меняет работу. На другой канал уходит. От Российского канала она больше ни в какие горячие точки не поедет. И приказ я подписал.

Тут Бахрушин вдруг разозлился.

Он вообще не любил, когда с ним разговаривали как с «мужем его жены», да еще в назидательном тоне. Он и сам знает, что женщине на войне не место.

Да, он ни за что не отпустил бы ее, если бы это было возможно.

Да, он с великой радостью заставил бы ее снимать Ольгу Свиблову и концептуальные фотографические выставки.

Да, он был бы счастлив, если бы ее интересовала не политическая журналистика, а, скажем, женские ток-шоу — скажите, а сколько соли нужно класть в грибы, чтобы они не закисли? Скажите, а ваш муж ревнует, когда вы танцуете с другим? Скажите, а во сколько лет, по-вашему, оптимально вступать в брак морякам-подводникам?

Да.

Только женщина, которая занималась бы всеми этими нужными и важными делами, вряд ли была бы его женой.

Разозлившись, Алексей Владимирович спросил свирепо:

— И что я должен теперь сделать?

— Скажи мне спасибо, — предложил Добрынин. — Хочешь, можешь меня поцеловать.

— Спасибо тебе, Олег. А поцелует тебя Ольга, когда вернется.

— Разозлится?

Бахрушин улыбнулся.

— Еще как.

— Уволится?

— Может, и уволится. Ты же ее знаешь.

— Не отпущу, — подумав, объявил Добрынин. — Скажи Здановичу, или кто там с ней будет разговаривать, чтобы возвращалась. Завтра же.

Некоторое время они посидели молча, а потом Добрынин поднялся.

— Ладно. Мне бы на самолет не опоздать, а еще домой заехать, на своего думского лидера глянуть. Я вернусь через три дня.

Он улетал в Брюссель на форум «За свободу средств массовой информации» — мероприятие скучное, но приличное, куда всегда съезжались люди, которым просто нужно было поговорить друг с другом.

Добрынин ездил туда не каждый год, только когда компания подбиралась подходящая, и Бахрушин не знал, с чем связан его отъезд — с тем ли, что компания на этот раз оказалась подходящей, или с тем, что пропавший в Париже Сергей Столетов позвонил помощнику президента России и сообщил, что у него имеется подлинная запись «террориста номер один», которого никто и никогда не видел.

Если верно второе, а Бахрушин подозревал, что именно так и есть, значит, наступают трудные времена.

— Да, — почти от двери сказал председатель как человек, внезапно о чем-то вспомнивший, — что там у тебя с Храбровой? Роман, что ли?

Бахрушин почему-то опять не зарыдал, а, наоборот, засмеялся.

— Ну конечно. У меня романы со всеми хорошенькими ведущими. Обоего пола, кстати сказать.

— Да ну тебя к черту. — Добрынин еще потоптался на пороге, потом вышел в приемную и закрыл за собой дверь, которая через секунду распахнулась снова.

На пороге стояла Алина Храброва, очень красивая,

очень высокая, с уже готовой «в эфир» сложной прической, которая делала ее чуть старше и строже, но в джинсах и немудреном просторном свитерочке.

Председатель ехидно улыбался, придерживая перед ней дверь.

— К тебе... посетитель, Алексей Владимирович.

— Алеш, можно к тебе? Я на пять минут только. Извините, Олег Петрович.

— Не за что. Мы уже закончили, а я всегда рад с вами повидаться. «Новости» смотрю всегда, и ваше участие очень их... украсило.

Непонятно было, комплимент это или все-таки нет, по крайней мере, как комплимент это не прозвучало, и удивленные плечи Храбровой остались чуть-чуть приподнятыми, хотя дверь за председателем уже закрылась.

— Что это он хотел сказать, Леш?

— А шут его знает. Мне он сообщил, что у нас с тобой роман.

Она засмеялась. У нее был приятный смех и очень белые зубы.

— Господи, Леша, с кем у меня только не было романов! Я поначалу обижалась и плакала, а мама меня утешала. А потом мне стало все равно. А тебе что? Не все равно?

— Все равно, все равно, — выговорил Бахрушин быстро. — Ты мне лучше скажи, что там у тебя с мужем вышло? Вот это вопрос века, на который я так и не знаю ответа, а общественность настаивает.

— Какая общественность?

— Да практически вся. Срывание всех и всяческих масок.

Храброва прошла в кабинет, села за столик со стеклянной крышкой, заглянула вниз, обнаружила девицу, уткнувшуюся в ковер, и фыркнула непочтительно.

Потом устроилась поудобнее, выпрямив и без того прямую спину, и положила руки на колени.

— Муж от меня ушел. Три месяца назад. Налей мне кофе, пожалуйста.

Вот, черт возьми, подумал Бахрушин, включая кофеварку.

Этот самый ушедший муж, как и ушедшая жена, был стандартным телевизионным диагнозом. Болезнь практически неизлечима и заразна, как вирус зимнего гриппа.

— Почему он от тебя ушел?

— Да потому, что ему все надоело. Меня дома никогда нет. «Московский комсомолец» в каждом телевизионном обзоре сообщает о моих любовниках, прямо списком, как будто они в Думу баллотируются. В «Известиях» все время пишут, что я ужасно веду программу и меня терпят только из-за Баширова. — Она улыбнулась совершенной улыбкой, известной миллионам людей в этой стране, и красиво закурила. Она все делала очень красиво. — Денег я получаю мало, а содержать меня дорого. Вот и все дела.

— Я тебя расстроил?

— Что ты, Алеша! — Она как будто даже удивилась. — Вовсе нет. Надо было мне тебе сразу рассказать, а я как-то... постеснялась. Кроме того, я не думала, что это имеет большое значение. Для тебя, по крайней мере.

— Для меня и не имеет, но... общественность, ты же понимаешь.

Ее плечи опять чуть-чуть дрогнули.

— И ты из-за этого ушла с четвертого канала?

Алина сильно затянулась и посмотрела на Бахрушина сквозь дым — невеселыми карими глазами.

— А ты из-за чего ушел с «Российского радио»? Сидел бы и руководил себе, все там у тебя было хорошо. Но ты же ушел!

— Один — один, — констатировал Бахрушин весело. — Ладно. Если захочешь, сама расскажешь.

— Ты же, наверное, все знаешь. Никогда не поверю, что ты справки не наводил, когда меня на работу звал!

— Наводил, — признался Бахрушин, словно уличенный в чем-то постыдном. — Наводил, Алин. Но почему-то тебя так никто и не сдал.

— Неужели? — удивилась она.

— Точно.

— Странно.

— Не странно. Ты... правда, очень хороший ведущий. Ведущая.

— А Добрынин тоже так думает?

— Ну, приказ о приеме тебя на работу именно он подписывал!

— При чем тут приказ?! — воскликнула она с досадой. Они слишком хорошо знали друг друга, чтобы отделываться подобными ответами. Приказ был совсем ни при чем, и Бахрушин знал об этом. — Ты мог настаивать, он и подписал, чтобы с тобой не ссориться!

Так оно и было на самом деле, или почти так, но Бахрушину не хотелось ей об этом рассказывать.

— Ну и ладно, — скорее себе, чем ей, сказал Бахрушин. — Ты чего пришла, да еще перед эфиром? Грозный не поставлю, можешь даже об этом не заговаривать! Пойдет Афган, а Грозный под картинку начитаешь.

Она улыбнулась, потушила сигарету и почему-то сразу же закурила следующую. Это было странно. Она мало курила, в основном во время долгих и трудных ночных монтажей, когда без кофе и сигареты невозможно дожить до утра.

Она молчала, смотрела на дым, и Бахрушин вдруг встревожился — что-то странное было в том, что она молчит, курит и старательно не смотрит на него.

— Что, Алина?

— Я хотела уточнить, будешь ты со мной сегодня ужинать или нет, — быстро и фальшиво сказала она.

— Ты тоже хочешь поговорить со мной непременно

«в городе»? — спросил он любезно. — Опять тайны мадридского двора, черт побери все на свете!

— Почему тайны?

— Да потому что сегодня весь день — сплошные ребусы! Песцов приходил, намекал на что-то и бровями на потолок показывал, Добрынин тоже туману напустил, а я знай разбирайся!

— А какого туману напустил Добрынин? — спросила она все с той же фальшивой живостью. — Российское телевидение закрывают? Перекидывают нас на освещение футбола?

Перепрофилирование телеканалов в последнее время стало делом очень распространенным и даже обыденным. Особенно популярно было из политических монстров делать нечто среднее между областным радиоузлом и программой «Спорт в массы!».

Шестой канал, к примеру, уж давным-давно перешел на демонстрацию пустых трибун во время матча пятой отборочной подгруппы Южной футбольной группы за место в чемпионате Краснодарского края на приз губернатора того же края. Комментаторы зевали до слез, озвучивая феерическую картинку, футболисты вяло бегали за грязным мячом, тренер, с красным измятым лицом и осипшим голосом пропойцы и негодяя, на заднем плане кричал что-то, подозрительно похожее на «бей же, сука!» и еще нечто более энергичное — все лучше, чем политика с ее блестящими, вкрадчивыми, образованными журналистами, которые что хотели, то и делали с так называемым «общественным мнением».

— Так что, Алеш? Закрывают Российское телевидение или пока нет?

— Да нет, пока не закрывают, — отозвался Бахрушин, сердясь на себя за то, что вообще об этом заговорил. Не стоило этого делать. — Ужинать я с тобой буду. В каком-нибудь тихом и скоромном месте, например в ресторане «Пушкин». Сразу после эфира.

— Сразу после эфира будет разбор полетов.

— Я тебя от него освобождаю. Своим начальственным решением.

Она допила кофе, но ставить чашку на стеклянную поверхность, которую поддерживала красотка, не стала. Потянулась, так что задрался край свитера, под которым обнаружился загорелый и стройный бок, и сунула чашку на его стол.

— Если ты освободишь меня от разбора полетов, все точно решат, что ты со мной спишь.

— Все и так решили, это точно. Ольга тоже со всеми спит. В данный момент, если я не ошибаюсь, с Ники Беляевым.

— А кто такой Ники Беляев?

— Шеф операторов. Он сейчас с Ольгой в Афганистане. Алина, что ты хотела у меня спросить?

— Не спросить, — решительно ответила она и посмотрела ему прямо в глаза. — Сказать.

— Что?

Она опять помолчала, и он уже начал раздражаться — сколько можно! Она не девочка из детского садика, а он не воспитатель Макаренко. И не педагог Ушинский. И не...

— Алеш, я понимаю, что это идиотизм и глупые шутки, — тихо и четко выговорила Алина Храброва, — но сегодня, прямо перед вечерней версткой, я в своем компьютере прочитала, чтобы я убиралась из эфира, или будет хуже.

Бахрушина как будто стукнули по голове пустым ведром — ощущение и звон идеально соответствовали удару именно ведром.

Почему-то он спросил:

— Что значит хуже?

Она пожала плечами и опять улыбнулась:

— Убьют.

— Подожди, — вдруг сказал он и взялся за лоб, — что значит в твоем компьютере?

— То и значит. В моем компьютере.
— Где эфирная верстка?!
Она посмотрела на него:
— Ну да. В том-то и дело.

Из машин долго никто не выходил, а потом высыпалось сразу много людей — Ольга насчитала пятерых моджахедов. Трое были в национальной одежде, с «калашниковыми», белыми длинными мешками за спиной и почему-то керосиновыми лампами на поясе. Остальные в джинсах и майках, но тоже с автоматами.

Паника разинула отвратительно смердящую пасть, одним броском приблизилась и посмотрела Ольге в глаза, готовая ужалить.

Ну что, поинтересовалась презрительно, как тебе еще и это? Все приключений не хватает, все драйва тебе подавай — так на, получи сколько хочешь этого самого драйва, хлебни сколько сможешь, только не подавись! Журналистка! Ты трусишь, как кухарка, завидевшая мышь в крупе, — только и осталось тебе, что подхватить свой фартук, завизжать пронзительно, взлететь на табуретку и ждать, когда заявится на чай знакомый солдатик, выгонит из крупы мышь! Некуда тебе деваться вместе со всем твоим журналистским апломбом, профессионализмом и железной уверенностью, что редакционное удостоверение и «благородная миссия» делают тебя неуязвимой!

Вот сейчас, через десять секунд, они за тебя возьмутся. Им наплевать на твое удостоверение, «миссию» и на то, что ты гражданин свободной и далекой страны! Они вообще вряд ли подозревают о том, что ты человек, чего уж говорить о гражданине! Им нет до тебя дела, даже этому нет, у которого французское имя и отец в Париже. Они рождены, чтобы убивать и получать за это деньги, и ты для них просто товар. Предмет торговли. Только никто не станет тебя выкупать — у твоей страны масса других забот, и не на что тебе надеяться, это уж точно.

Никто не поднимет на ноги МИД, никто не станет заявлять никаких нот протеста и собирать для тебя деньги по всей державе — говорят, именно так собирали на немцев, угодивших в ловушку под Кундузом!

Если очень повезет, они убьют тебя быстро.

Не повезет, проведешь в плену десять лет и умрешь под пыльным глиняным забором ни к чему не пригодной истерзанной старухой с выбитыми зубами и лысой головой!

Ужалить? Прямо сейчас!

Но Ольга справилась — паника еще не знала о том, что она сильная личность и может справиться с чем угодно!

Она посмотрела в глаза своей панике — и победила, хоть на время. Зашипев, та уползла за ее спину и замерла над плечом, в любую секунду готовая вцепиться снова.

Гийом неторопливо снял смуглую руку со щитка и зачем-то положил ее на переключатель передач.

Поближе к пистолету, поняла Ольга с некоторым запозданием.

Выходит, это чужие?! Это не свои?! Значит, и Гийом их боится тоже?!

Чужая отрывистая речь ударила в уши, как камнепад. Заговорили все разом и очень громко. Они всегда говорили так, что Ольга думала — вот-вот подерутся. Гийом слушал и молчал.

Пот потек за воротник и постыдно, насквозь, вымочил пояс штанов. Ольга шевельнулась на виниловом сиденье, чтобы хоть как-то вытереть там, где было мокро. Они все оглянулись на ее движение, хотя она не производила никаких звуков — наверное, так боковым, задним, черт знает каким зрением степной орел видит тень мыши, мелькнувшую на земле!

Ольга стиснула пальцы так, что стало больно ладоням. Они рассматривали ее какое-то время, словно оценивали — или на самом деле оценивали? — и Гийом рассматривал вместе с ними, как будто впервые видел, а потом отвернулись и опять заговорили, громко и сердито.

Беседовали довольно долго — у Ольги от напряжения затекли плечи, на которые холодными змеиными кольцами давила паника.

Темнота сгущалась стремительно.

Плечи болели, и ладони тоже, и Ольга вдруг поняла, что до смерти устала... бояться. Невозможно бояться все двадцать четыре часа в сутки.

Невозможно.

Ни одна работа, ни один репортаж, даже самый блестящий, этого не стоит.

Потом все пятеро вскочили в свои машины, как-то разом, моментально — и уехали.

Пыль заклубилась, заволакивая красные фонари тормозных огней, и расширяющийся конусами свет фар запрыгал по склону темных гор.

Гийом запустил двигатель, резко сдал назад и поехал в другую сторону, вниз и вправо.

Откуда он знает, куда ехать? Кругом все одинаковое, а в темноте вообще ничего нельзя разобрать!

Машину сильно трясло, сидеть было очень неудобно, и Ольга не сразу сообразила, что по-прежнему стискивает кулаки, вместо того чтобы держаться хоть за что-нибудь!

Она взялась за ручку на двери, из которой торчали виниловые кишки, радуясь тому, что это обычная автомобильная ручка, привычная и гладкая на ощупь.

— Что им было нужно?! И кто это?!..

— Никто. Крестьяне.

— С автоматами и на джипах?!

— Здесь все с автоматами и на джипах, леди. Здесь война.

— Я знаю, черт побери! — крикнула она. — Я спрашиваю, что им было нужно?!

Гийом выкрутил руль и нажал на газ. «Уазик» хрюкнул и рванулся вперед, не разбирая дороги. Впрочем, какие дороги?!

— Они ищут каких-то людей. У этих людей информация, которая нужна... той стороне.

— Какой стороне?!

— Фахиму.

Ольга не стала переспрашивать — она понятия не имела, кто такой Фахим и что за «информацию» он может искать в горах, да еще под американским обстрелом.

Она не спросила, но Гийом сбоку быстро посмотрел на нее — понял, что не знает.

Журналистка чертова! Профессионал!..

— Фахим — командир самого крупного в этих местах отряда. Правая рука муллы Омара.

Ого! Мулла Омар — идеолог движения Талибан. Наверное, этот Фахим — большая шишка.

— Говорят, что он единственный, кто знает в лицо Аль Акбара. Информацию, которую он ищет, нужна именно Акбару.

— А... эти люди? Талибы?

Он ничего не ответил, и Ольга поняла, что вопрос глуп.

Гражданская война. Конечно.

Сегодня они талибы, завтра — моджахеды, послезавтра — воины Северного Альянса, а если образуется Южный, через три дня они станут его воинами. При этом все они — просто крестьяне.

Крестьяне возделывают поля.

Что это за поле, которое нужно вспахивать с помощью «калашей», «винтов» и кривых, зазубренных ножей, специально предназначенных для того, чтобы выворачивать кишки?! Что вырастет на таком поле?!

Уже совсем стемнело, когда они добрались до камышовой будки, откуда уезжали. Журналистов не было видно, и лошадей, на которых они переправлялись через реку, тоже, зато возле пыльной коричневой стены курил

Ники. Фары «уазика» выхватили его из темноты, словно моментальное фото, — чернота, ночь, стена и Ольгин оператор, моментально приставивший ладонь козырьком к глазам.

Гийом остановил машину, но двигатель не выключил и фары не погасил. И сам из машины почему-то не вышел.

— Спасибо, — неловко сказала Ольга. — Так что насчет интервью?

Ники далеко в сторону отбросил сигарету — она прочертила в темноте длинную оранжевую дугу — и быстро пошел к машине.

— Никаких интервью, — ответил Гийом твердо. — Этот человек с вами?

— Где ты была?!

— Ники.

— Где ты была, я тебя спрашиваю?!

— Он с вами?

— Со мной, — согласилась Ольга со вздохом. Ей было смешно и немножко страшно — она еще никогда не видела Ники Беляева в таком гневе.

— Я, черт побери, с ней, — заорал он по-английски, — и я, черт побери, за последние полчаса чуть не сдох! Ты что?! Ненормальная, в конце-то концов?! — со слова «ненормальная» он почему-то перешел на русский, и Ольга вдруг подумала быстро, что он непременно чем-нибудь в нее швырнет. — Я не знаю, где ты! Халед, придурок, тоже не знает! Здесь никто не знает, была ли ты вообще! Все журналюги давно уехали! Здесь целый день бомбят, блин! Эти твари, — кивок в сторону сидящих на корточках возле глиняного крылечка бородатых людей, — не скажут ни слова, хоть расстреляй их! Куда ты попёрлась?! Зачем с ним попёрлась?!

— Скажите ему, что я перевезу вас через реку, — невозмутимо проговорил рядом Гийом. — Сейчас вы нигде не найдете лошадей.

— Вы очень любезны, черт вас побери! — проорал по-английски Ники. — Так невозможно работать! В последний раз в моей жизни! — и опять по-русски с не меньшим пылом: — Я, блин, тут чуть не сдох, пока тебя дожидался!

— Ники, ты потом все мне скажешь. Садись, пока он предлагает. Где камера?

— Да камера-то со мной, блин! Ты бы хоть думала иногда, что ты делаешь-то?! Куда ты лезешь?! Все славы тебе не хватает или чего-то еще не хватает?! — Он орал, тащил камеру, и втискивал ее на заднее сиденье, и пристраивал поудобнее, и засовывал голову за кресло, чтобы проверить, надежно ли она стоит, и рюкзак заталкивал в угол, чтобы он прижимал его драгоценную камеру, и от этого Ольге вдруг показалось, что он играет — как в театре.

Он *должен* был рассердиться, а она *должна* отчетливо понять, что он рассердился, и они оба *должны* выступить в паре — он справедливо гневается, она жалобно оправдывается. Зрители на галерке и в партере наблюдают.

Ей стало противно.

Ники одним движением закинул себя на заднее сиденье, и Гийом снова рванул машину, словно за ними гнались и уже настигали.

— Ты снял что-нибудь?

— Снял, снял! Я хорошо все снял! А вот тебя где носило?! И как это ты с ним поперлась?! Да еще в горы, да еще под обстрел?!

— Он сказал мне, что в этих горах высадился десант и американцы сообщили, что, по их данным, со дня на день надо ждать штурма Мазари-Шарифа.

— Иди ты! — вдруг тихо сказал Ники почти ей в ухо. Она оглянулась и чуть не уткнулась носом в его щеку. — Так это... сенсация. То, чего так долго ждали большевики.

— Ну да.

— Даем в эфир?

— Ну, конечно!

Машину сильно трясло, и Ольга хваталась за все подряд. Ники подставил руку, и она схватилась за нее. Рука была широкая и прохладная, и, взявшись за нее, Ольга вдруг подумала, что вернулась домой.

Шут с ним, пусть он орет. Пусть говорит всякие слова, довольно оскорбительные и несправедливые. Пусть он даже просто *изображает* гнев — ей так нужно знать, что ему не все равно, что он ждал ее, всматривался в темноту, гадал, все ли с ней в порядке, курил, воображая себе всякие ужасы! Так нужно, особенно здесь, где никому нет дела до нее и до того, что она человек, что замерзла, устала, вымокла, еще когда переправлялась на лошади через Кокчу, и есть ей очень хочется, и она страшно, постыдно перетрусила, когда *те* высыпались из своих машин и Гийом переложил руку поближе к кобуре!

Под колесами «уазика» зашумела вода, машина, как ледокол, на две стороны разметывая волны, врезалась в реку.

Уже близко. Ольга посмотрела на часы — до выхода в эфир времени почти не оставалось, только доехать, смонтироваться и добраться до ACTED, где стояла машина Первого канала, набитая сложной аппаратурой и со спутниковыми антеннами на крыше, — форпост связи с «большим миром». Эта машина служила всем — и Первому, и Российскому, и НТВ — и переезжала следом за перемещением военных и журналистов в те места, где назревали серьезные события.

Ольга опять посмотрела на часы — это всегда было делом нелегким, подсчитать, сколько сейчас в Москве, если в Афганистане пять часов вечера. Даже время здесь было каким-то искривленным, неправильным. Почему-то разница составляла полтора часа. Именно полтора. Это было очень неудобно, все путались, опаздывали или приезжали раньше и нервничали.

Непонятная страна — Афганистан.

Ники чуть сжал ладонь, и Ольга оглянулась, опять чуть не уткнувшись в его щеку.

— Что?

— А он точно знает про... Мазари-Шариф?

— Ники, дадим как неподтвержденную информацию. Все равно ты на ночь глядя в пресс-центр не поедешь!

— Не поеду.

— А если поедешь, тебе там никто ничего толком не скажет!

— Не скажет.

«Уазик» доскакал до «ровера» и остановился в двух шагах, сотрясаясь неровной дрожью и изрыгая клубы белого дыма. Ники выпрыгнул из машины и потянул за собой рюкзак.

— Как ты думаешь, сколько ему денег дать?

— Понятия не имею.

— Надо спросить, — озабоченно сказал ее оператор.

Они давно уже привыкли к тому, что здесь ничего не делается бесплатно — никогда.

В самом начале афганской эпопеи Ники сильно разрезал ладонь — оступился, упал на колени почти в середину огромной вонючей лужи, камеру удержал, а руку раскроил. Из раны капала кровь, промыть было нечем, а бинтовать прямо по грязи Ольга не решилась. Какие-то люди — старик в ветхих, будто гнилых одеждах и мальчишка лет восемнадцати — вынесли им воды в железной миске, а потом потребовали с них денег за услугу. Они долго торговались, потому что старик упрямо твердил — сто долларов, а Ники, морщась и баюкая свою руку, также упрямо отвечал, что сто долларов не даст ни за что. Ольга помалкивала, почему-то ей было стыдно и за себя, и за Ники, и вообще из-за того, что жизнь так несправедлива.

Может, он нигде больше не сможет добыть свои сто долларов, этот гнилой старик?!

Ольга открыла дверцу и сказала Гийому:

— Большое спасибо. Все-таки я надеюсь, что вы дадите нам интервью.

Он неожиданно улыбнулся — большая редкость. Здесь никто не улыбался, особенно мужчины.

— Я дам вам интервью, когда закончится война.

Иными словами, никогда, поняла Ольга.

— Гийом, во всем мире положение в Афганистане вызывает интерес. Если мы не расскажем правду о том, что здесь происходит, люди будут думать... бог знает что.

— Откуда вы можете знать правду! — вдруг сказал он презрительно. — Вам нет дела до нас. Вам есть дело только до ваших чертовых сенсаций!

Ники замер за бампером «уазика» и, перехватив Ольгин взгляд, быстро покачал головой.

Хватит, вот как поняла Ольга этот жест. Остановись.

Она замолчала, хотя ей очень хотелось продолжать. Этот человек был странным, непонятным, кажется, очень темпераментным, и все ее мечты о блистательном интервью встрепенулись, оживились, потянулись вверх.

Но она остановилась.

— Сколько мы вам должны?

Он опять усмехнулся, на этот раз неприятно. Или она его задела?..

— Двадцать долларов, — сказал он. — По-моему, столько стоит переправа. Вас двое, значит, сорок.

Ольга вытащила из кармана несколько бумажек, которые Ники проводил пристальным орлиным взором, он всегда, казалось, еще раз все за ней проверял, и иногда это ужасно ее раздражало — как будто она не то чтобы полоумная, но все же малость не в себе, и ей доверяют, конечно, но не до конца.

Гийом сунул бумажки в карман.

— Будьте осторожны, — сказал он негромко. — Фахим охотится именно за журналистами.

И, не прибавив ничего больше и не взглянув на Ники, тронул свою сотрясаемую припадочной дрожью машину, и Ольга еще некоторое время смотрела, как пропадают и вновь появляются красные тормозные огни.

— Что он сказал про Фахима, я не понял? — негромко спросил Ники.

Ольга пожала плечами. Ей не хотелось рассказывать оператору о встрече в горах.

— Фахим — личность в этих краях известная, — задумчиво сказал Ники и посмотрел на нее внимательно. — Еще со времен Масуда и Хекматияра. Ольга, если ты хочешь мне что-то сказать, скажи сейчас. Лучше будет, правда.

— А почему Фахим — известная личность? — быстро спросила она. Проницательность Ники иногда ее пугала.

Он пожал плечами.

— Очень богатый. Денежки получает напрямую от Али Аль Акбара. По крайней мере, так говорят. Очень жестокий. Неверным женам вспарывал животы и отрезал груди.

— О боже.

— Здесь так принято, — Ники пожал плечами. — Другое дело, что никто особенно не разбирается, верная она или неверная! Надоела, объявляешь ее неверной, и вперед, готово дело. Ни разводов тебе, ничего. Мечта просто.

— Ники!

— Я его снимал только один раз, давно. В Харге. Садись, поедем. Некогда.

Ольга смотрела на него во все глаза.

Она знала, конечно, что он классный оператор, очень ловкий, очень осторожный, профессиональный мужик, но иногда она не понимала, как ей следует реагировать на его слова.

Снимал Фахида?! В Харге?! Давно?!

Харга — самый крупный тренировочный лагерь талибов, строго охраняемый объект. Там учились убивать арабы из разных стран — Алжира, Эмиратов. Боснийцы, пакистанцы и даже чеченцы. Ходили слухи о том, что чеченцев держали в отдельном здании, потому что их жестокость пугала даже инструкторов на этой сверхсекретной базе.

— Ники, как ты попал в Харгу?!

— Ольга, мы смонтироваться не успеем. Я, правда, старался все... ровно снимать, чтобы ничего особенно не клеить. У меня там пара планов есть — красота! — Хвастался он так же профессионально и с удовольствием, как и снимал. — И с близкого расстояния! Один нашим отдам, а второй англичанам.

— Ники, ты не ответил.

— Оль, ну что я тебе отвечу? — спросил он и улыбнулся шаловливой улыбкой всеобщего любимца и баловня судьбы. У него это здорово получалось, и он пользовался этим. — Ну, снимал. Ну, договорился там с одним... Да сейчас это все уже не имеет значения, американцы все равно его разбомбили, лагерь-то!

Ехали они долго, потому что в темноте все дороги оказываются длиннее и труднее, чем при свете дня, и Ольга все время засыпала и стукалась головой в стойку, а заботливый Ники все предлагал ей пересесть назад и подремать, но она ни за что не соглашалась.

Как только глаза закрывались, она видела одно и то же — серый склон в оспинах недавних взрывов, пыль и две машины, стремительно и неотвратимо приближающиеся к ней.

Что там, в этих машинах? Смерть? Плен?

А она так ни разу и не сказала своему мужу, что любит его!

Почему-то дома это казалось смешным и неважным — как в глупых книгах или глупом кино! — и только здесь выяснилось, что это как раз и есть самое важное.

Собственно, только это и важно.

Почему она всегда считала, что еще успеется с этой дурацкой любовью, что надо переделать кучу разнообразных важных и нужных дел, а уж потом, когда-нибудь, на досуге...

В какой момент она уверилась, что муж — величина в ее жизни постоянная и неизменная, как вчерашний закат и сегодняшний рассвет, что он никогда и никуда от нее не денется, они все успеют, «догонят», как двоечники в школе, но потом, потом?!..

Ей некогда было особенно интересоваться им — к примеру, закатом она тоже не интересовалась, хоть и была осведомлена о том, что это на редкость красивое и величественное зрелище!

Она знала, что им очень повезло друг с другом. Они не были похожи в мелочах, зато одинаково относились к жизни — то есть к работе! Они никогда не мешали друг другу, не устраивали глупых сцен, не закатывали истерик, не останавливали друг друга, если нужно было срочно лететь в Грозный, скажем, первого января. Ольга очень гордилась тем, что она такая умная и прогрессивная жена, а сейчас, трясясь по разбитой афганской дороге, вдруг усомнилась в этом.

Они не заговаривали о детях, и она считала, что это правильно — работа забирала все силы, какие уж тут дети! Но она понятия не имела, что по этому поводу думает ее муж, а спросить ей не приходило в голову.

Они никогда не обсуждали будущего — в смысле «сколько это будет продолжаться и когда это кончится?». Ольга понятия не имела, сколько и когда.

И что они станут делать, когда кончится?

А если не кончится, значит, она так и умрет лауреатом Пулитцеровской премии — в лучшем случае! В худшем — прокуренной, ироничной, умной телевизионной каргой, знающей о жизни все, кроме правды.

Она разлепила глаза и посмотрела на темную дорогу, из которой фары «ровера» вырезали рельефный кусок — ямы, ухабы, заборы. Электричества здесь отродясь не было, и только одно здание сияло в кромешной тьме, как казино в Лос-Анджелесе, — иранский военный госпиталь.

Значит, Кабул уже близко.

Ольга опять закрыла глаза.

Независимость.

Ну да. Конечно. Все дело в этой проклятой независимости.

Ты неуязвим, пока ни от кого не зависишь. С тобой ничего нельзя поделать, разве что огорчить немного.

Она знала, что никогда не позволит себе «зависеть». Стоит только чуть-чуть ослабить оборону, и конец. Все хорошо, пока ты наблюдатель, а не участник. Это участники играют «всерьез», до крови разбивая головы, ломая руки, ноги, а иногда и шеи, а зрители лишь смотрят с трибун, так, чтобы все было видно, но вплотную не приближаются никогда! Ольга была абсолютно убеждена, что ни одна игра не стоит того, чтобы тебя вынесли с поля на носилках под белой простыней с расплывающимися пятнами алой крови.

Бахрушин любил ее, то есть как раз и бегал по самому краю обрыва, поминутно рискуя сорваться и сломать шею, а она *позволяла* ему любить себя, только и всего.

Ольга знала, что переживет все, что угодно, — разрыв, уход, развод, — именно потому, что она наблюдает, а не участвует. Участвовать ей было страшно и не хотелось.

Вот поэтому Ольга никогда не говорила ему, что любит его. Все ей казалось, что он этим «воспользуется», а дать ему в руки такую власть над собой она была не в силах. Теперь она понимала, как это глупо!

Сегодня же перед эфиром она скажет ему, что жить без него не может, что непременно умрет, если только он посмеет разлюбить ее!

Ей вдруг представилась аппаратная, и шум прямого эфира, и обморочные голоса, и разноцветные полосы на мониторах, и часы с обратным отсчетом — «время пошло, всем внимание!». И Бахрушин у дальней стены, синий свет отражается в очках, выражения лица не разобрать, и глаз не видно. Костя Зданович в наушниках, операторы, замершие за камерами, — такой привычный, такой знакомый, такой упоительный, сложный мир!

— Ники, нам в гостиницу надо заехать, у нас там кассеты.

— Нет там у нас никаких кассет, я все забрал.

Ольга умилилась:

— Умница ты моя!

— Я умница, но не твоя, — объявил он, притормаживая перед будкой со шлагбаумом. Из нее почему-то никто не вышел. Иногда это означало, что можно проехать и без проверки. Правда, не было никаких гарантий, что вслед не начнут стрелять.

— А чья ты умница, Ники?

— Ничья. — Он еще постоял немного перед шлагбаумом, потом резко надавил на газ и сразу сильно забрал вправо, на всякий случай. — Я сам по себе. Я никого не трогаю, примус починяю, и меня тоже никто не трогает.

— С тоски помрешь.

— Не помру. У меня дел полно.

Все это было очень похоже на ее собственную жизненную позицию — должно быть, Ники такой же трус, как и она сама. Жаль только, поговорить с ним «о жизни и любви» никогда не удавалось. Он решительно ни о чем таком не разговаривал — переводил все в шутку или просто не отвечал.

Возле следующего поста оказалось много машин, и это было плохим признаком. Значит, чьи-то документы вызвали у стражей порядка «законные подозрения». Небось будут шмонать долго. Значит, проверяют по одной машине — задирают коврики, копаются в «бардачках», открывают багажники.

Всей этой затеи хватит как раз до утра.

Ники протиснулся между двумя «Тойотами», ткнул «ровер» рылом в чей-то бампер, и они посмотрели друг на друга.

— Ну что?..

— Что, что! Опоздаем на эфир, и все дела!

Ольга лихорадочно соображала. Опоздание на эфир — худший из кошмаров, который только может приключиться с телевизионным журналистом.

— Ники, я сейчас с кем-нибудь уеду в ACTED, здесь наверняка полно журналистов. Кто-нибудь да подвезет, кто уже контроль прошел. Заберу кассеты. А ты подъедешь.

Оператор молча смотрел на нее — идея ему явно не нравилась.

— Все равно другого выхода нет, — сказала она быстро. — Ну, придумай что-нибудь, если можешь!

Он еще помолчал немного, а потом признался:

— Не могу.

— Ну, значит, так и поступим.

Она открыла дверь и стала выбираться из машины. Холодный и пыльный враждебный ветер дунул в салон, и волосы на руках моментально встали дыбом. Через пять минут начнут мелко клацать зубы, а еще через десять ни останется ни одной связной мысли, только холод, холод, добравшийся до самых костей.

Именно в Афганистане она поняла, что значит замерзнуть до этих самых костей.

— Только ты мне должен сказать, что я нашим перегоняю, а что ты для англичан оставляешь.

Ники тоже вылез и вытащил с заднего сиденья рюкзак. Он сердито сопел — не любил, когда в его кассетах копались чужие, хоть бы даже и Ольга.

— Значит, так. Все новое видео на этих двух кассетах. Вот с этой можешь брать все, что тебе нужно, а на этой примерно с шестнадцатой минуты я снимал для англичан. Поняла?

— Поняла.

Кажется, он едва удержался от того, чтобы не сказать: «Повтори!»

— Ты их только не перепутай! У них разные номера. Вот, смотри.

— Ники, я же не вчера родилась! А рюкзак? Сам привезешь, или мне забрать?

— Да что ты будешь с ним таскаться! Привезу, конечно.

— Тогда все. Пошли.

Они довольно быстро нашли машину, которая ехала в ACTED, и журналисты были знакомые — Вадим Грохотов с «Российского радио» и два корреспондента Первого канала. Ольгу им брать не хотелось — у них было полно аппаратуры, места в машине мало, а ехать еще довольно далеко, — но отказать они тоже не могли. Корпоративная причастность, взаимовыручка и всякое такое. Кроме того, Вадим знал Бахрушина еще с давних радийных времен и был в курсе, конечно, что Ольга его жена, да и отвязаться от настырного Ники не было никакой возможности.

— Говорят, вы на север собрались? — спросил один из ребят с Первого канала, пока разбирались, кто куда садится, чтобы все поместились.

— Кто говорит?

— Мне Борейко сказал. А что? Соврал?

— Я этому Борейке уши надеру, — пообещал Ники.

— Мы сщс точно нс знаєм ничєго.

— Да ладно, Оль, ну что ты! Сказала бы как есть, и дело с концом!

— Да правда ничего не известно! Едет кто-то из «Аль Джазиры», ну, и мы хотим пристроиться.

Они ей не поверили, и это было совершенно очевидно и почему-то очень обидно.

— А кто из «Аль Джазиры»?

— Масуд. Знаете?

Они переглянулись — как будто знали что-то такое, что не положено было знать Ольге, и странное предчувствие беды тоненькой струйкой вползло в мозг. Откуда?

Бомба не падает дважды в одну воронку, а сегодняшняя воронка уже занята — теми, кто выпрыгнул из «Тойоты» и «уазика» на горной дороге.

Внезапно ей очень захотелось остаться с Ники.

Так захотелось, что она стала судорожно придумывать предлог для этого. Она что-нибудь сочинила бы, если бы не эти ребята, Вадим и двое с Первого канала. Если бы она осталась, они точно решили бы, что она истеричка и дура.

— Поехали, у нас тоже ночью перегон!

Перегоном называлась отправка через спутник видео в «Останкино». Потом из этого материала в Москве смонтируют сюжет и покажут в новостях — все очень технологично.

Ники захлопнул за ней дверь, и, прижатая, она оказалась почти на коленях у Вадима Грохотова, который немедленно стал щипать ее за бок и дурашливо спрашивать, хорошо ли ей, приятно ли.

Ольга искренне сказала, что нет, и он, кажется, обиделся.

Почти вплотную за ними из-за блокпоста выдвинулась грязная машина неизвестной марки, и их водитель сильно крутанул руль, чтобы не сцепиться с ней бамперами.

— Идиоты, твою мать! Ну кто так ездит!

Ольга оглянулась, чтобы посмотреть, кто, и в грязной машине разглядела Масуда, того самого корреспондента «Аль Джазиры», о котором они только что говорили.

Ничего странного или зловещего не могло быть в этом совпадении — мало ли журналистов проезжают после дневных трудов именно через этот блокпост! — но тем не менее случайная встреча показалась Ольге и зловещей, и странной.

Или это не он?..

Трудно было разглядеть как следует — ночь, темень, и лобовое стекло той машины заляпано засохшей грязью.

Обогнув шлагбаум, они кое-как выбрались на дорогу и поехали в сторону города. Грязная машина чуть приотстала и покатила за ними, взметая пыль, клубившуюся в свете мощных фар.

Впрочем, отсюда в город вела только одна дорога.

Бахрушин посмотрел верстку — в компьютере не осталось никаких следов сообщения, оставленного Храбровой неизвестным.

Бессмысленно было искать, но он все-таки поискал, даже во вчерашнюю заглянул.

Алина стояла над ним и, кажется, не дышала.

До эфира оставалось меньше часа, и ей давно пора в редакцию. Зданович нервничал — ведущая пропала! — и несколько раз звонил, пока Бахрушин равнодушным голосом не велел ему заниматься своими делами.

Зданович обиделся, но звонить перестал — все знали, когда у Бахрушина равнодушный голос, значит, дела плохи.

— Ну что, Алеш?

— Что, что! Ничего! Зачем ты сообщение удалила?!

— Ну, прости меня, ну, я дура, — быстро проговорила она. — Но я правда не могла этого видеть. В моем собственном компьютере, в программе!..

— Да, — повторил Бахрушин. — В программе.

Компьютеры «Новостей» объединялись в общую систему под звучным названием New Star, и вся редакция работала в ней. У каждого сотрудника, от самого последнего корреспондента до директора информации, был некий пароль, который следовало ввести, чтобы войти в систему. Пароли жестко контролировались службой безопасности — федеральный эфир, штука ли! Запрещено было использовать в качестве пароля дату своего рождения или, например, девичью фамилию. Считалось, что это слишком легко.

Каждый выпуск «Новостей» готовился в New Star — редактор читал информацию, пришедшую на ленту, выбирал самую интересную и вводил в компьютер под своим номером. Чем ближе к эфиру, тем больше становилось таких сообщений. В течение дня данные несколько раз уточнялись, менялись, расширялись, и редактор корректировал их в компьютерной верстке. После чего главный сменный редактор просматривал сообщения, оставлял два или три действительно важных и правил их сам. Потом верстку смотрел ведущий и еще раз правил «под себя» — под свой стиль ведения и особенности речи. Например, Гриша Масленников, ведущий одиннадцатичасового выпуска, терпеть не мог шипящих и свистящих, и ему как-то удавалось переписывать текст так, что в нем не было ни одной буквы «ш» или «ц». У Храбровой не имелось никаких особенностей речи, Алина говорила, как диктор времен Анны Шиловой и Юрия Левитана, и она поправляла текст лишь слегка, делала его более красивым и звучным.

После ведущего текст еще раз, последний, смотрел Бахрушин, изменял что-то и утверждал.

Именно с этим текстом новостная бригада выходила в эфир. Некоторые особо важные сообщения сразу писали Зданович или Бахрушин, и тогда в верстке до самого эфира зияли дыры.

«Последний день председательства Хавьера Соланы пишет 001» — это означало, что заметку в верстку пишет Бахрушин и она появится в тексте только за полчаса до эфира.

У каждого из них, помимо паролей, были персональные номера, начиная с 001, бахрушинского, — практически как партбилет у Ильича.

— Под чьим номером тебе оставили сообщение, ты тоже, конечно, не посмотрела?

Бахрушин отвернулся от компьютера и поднял к ней

голову. Он был очень раздражен и даже не скрывал этого. Алине стало не по себе.

Она ожидала сочувствия, может, понимания, может, мужского участия, дескать, бедная девочка, совсем ее затравили, вон какие гадкие сообщения пишут, мало того, что снимают плохо и вообще всякие подлости выделывают! Бахрушин старый друг, и ему можно было пожаловаться, надеясь именно на это.

Он вышел из себя, и только.

Никакого сочувствия, понимания и такта.

— Нет, Алеш. Не посмотрела. Ты понимаешь, это такая ужасная гадость...

— Я знаю только, что ты не оставила никаких следов, — сказал он злобно. — Неизвестно зачем ты усложнила мне жизнь, а этой сволочи, которая тебе цидулы пишет, наоборот, облегчила!

Они помолчали. Бахрушин открыл позавчерашнюю верстку и бегло ее просмотрел. Никаких следов там не нашлось, конечно.

Дождь за окошком шумел, бесконечный, безнадежный. Из приоткрытой створки тянуло осенним московским холодом, поздним вечером и автомобильным перегаром. Дверь в приемную была распахнута. Марина давно ушла, но телевизор работал, так у них заведено. На огромном и плоском плазменном экране Настя Каменская задумчиво ходила по кабинету, натягивая на замерзшие ладони рукава свитера, а ее бравый начальник — имя Алина позабыла — энергично чесал бровь.

Все люди давно по домам, варят сосиски и сопереживают Насте, которая опять не поехала в отпуск, и ее муж, ангел божий, кажется, вот-вот ее бросит. Все люди давно по домам и уже выкинули из головы проблемы и заботы рабочего дня — завтра, все завтра!.. А пока собственная квартира, закрытая дверь — весь мир остался за этой дверью, и туда ему и дорога! — разношенные тапки, любимый халат, а может, ветхие джинсы, протертые до дыр на всех возможных и невозможных местах, Настин муж, дай бог такого каждой! И сосиски булькают в кастрюльке, и шут с ней, с диетой, и не забыть бы достать с антресолей осенние ботинки, и дождь шумит, к утру нальет лужи, и на город ляжет влажный туман, и автомобильные фары желтыми пятнами расплывутся в нем, и воздух будет холодный, густой и вкусный, и желтый лист поплывет по дрожащей, словно в ознобе, воде.

Осень — время возвращения в берлогу.

Алине тоже очень хотелось в берлогу. И чтобы мама позвонила и долго утешала, и чтобы отец взял трубку и энергично загремел о том, что «там, на этом вашем телевидении, все давно с ума посходили!», и чтобы чайник шумел и картошка жарилась на сковородке.

Никто не знал, но телевизионная звезда Алина Храброва больше всего на свете любила жареную картошку с соленым огурцом и еще мамины котлеты. Мама почему-то всегда привозила их закутанными в сто полотенец, как будто у Алины не было плиты, чтобы разогреть!

Ее муж-аристократ даже запаха картошки не выносил, и она послушно ее не жарила. Сколько лет была замужем, столько и не жарила, бегала есть к маме. И не было ей пощады, если муж обнаруживал, что она опять ела картошку!

Почему-то именно картошка ужасно его раздражала.

Впрочем, его все раздражало — и что звезда, и что красавица, и что карьера удалась так блестяще. Годы идут, а она все звезда, и все красавица, и никакие двадцатилетние и в подметки ей не годятся, и на все каналы ее зовут, и все пафосные концерты ведет именно она, и президент в Кремль позвал четверых — и ее в том числе!

Бахрушин шевельнулся в своем кресле, и она очнулась.

Он потянулся за сигаретами, и Алина быстро и виновато подала ему пачку.

— Скажи мне точно, что там было написано.

Она тоже закурила и на секунду закрыла глаза. Текст *этого сообщения* она помнила наизусть.

— Алеш, я не могу. Правда. Ну, там говорилось, чтобы я ушла с работы, а то... хуже будет.

— Алина, мне нужно точно.

— Зачем? — жалобно спросила она.

— Затем, что доступ в верстку — не шутки, даже если кто-то и решил так пошутить. Это должностное преступление, да будет тебе известно. Давай. С точностью до запятых. Я жду.

Храброва решительно затянулась и посмотрела на него. Глаза у нее потемнели от злости.

— Хорошо, — сказала она громко. — Значит, так. Тебя никто сюда не звал. Точка. Убирайся обратно. Точка. Здесь не любят прохиндеек и проституток. Точка. Здесь никто не станет с тобой шутить. Точка. Убирайся — или ни один любовник не сможет опознать твой разукрашенный труп. Точка.

— Разукрашенный? — переспросил Бахрушин.

Алина кивнула.

Тебе на бумажке записать?

— Да хорошо бы, — согласился он, и она вытянула из настольного прибора хрусткий листочек, присела на край стула и стала размашисто писать. Бахрушин следил за ее рукой.

— Ты прости меня, — сказал он, когда Алина дописала и протянула ему листок. — Но мне правда надо знать.

— Алеш, я все понимаю. — Она поднялась, очень высокая, очень красивая, с окаменевшим лицом. — Просто все это... не слишком приятно. Я давно работаю и всякого повидала, конечно, мне же не двадцать лет! Но такого... никогда.

Голос у нее вдруг перехватило, и Бахрушин перепугался, что она сейчас заплачет, а он, как большинство мужчин, не умел утешать. Она не заплакала, но замолчала надолго.

Дождь шумел за окнами, компьютер чуть слышно гудел, Настя Каменская со своей командой добралась наконец до негодяев, разоблачила их со своим всегдашним интеллектуальным и женским блеском, а потом они все вместе грустно напились в баре.

— Я пойду, — сказала Алина наконец. — Мне еще переодеваться и грим поправлять. Алеш, как ты думаешь, это просто чьи-то... шутки? Или что это такое?

— Ну, — начал Бахрушин не слишком уверенно. Он и сам хотел бы знать, что это такое. — Я думаю, вряд ли кто-то из наших решил тебя укокошить особо извращенным способом, но... всякое может быть.

— Спасибо, — поблагодарила она насмешливо. — Ты меня утешил.

— Это точно кто-то из редакции. Паролей больше ни у кого нет. Но ты же все следы затерла!

— Да, да, — согласилась Алина. — Я идиотка. Ты мне уже говорил. Только что теперь мне делать?

— Не знаю. Надо как-то искать. Службу безопасности подключить.

— Ты что! — перепугалась она. — Я не хочу, чтобы об этом... узнали!

— Алина, — сказал Бахрушин нетерпеливо, — ты же сама говоришь, что все понимаешь! Шутки это или нет, а влезли в верстку программы!

— Да дело не в верстке, а в том, что мне угрожают, да еще почти публично!

— Да дело не в верстке и не в том, что тебе угрожают, а в том, что есть только два способа управления людьми! Это монархия или анархия. Анархию на работе я терпеть не намерен, а эта сволочь уверена, что стерплю!

— Ты тут совсем ни при чем!

— Я тут как раз при чем! — тоже заорал Бахрушин. — Кто это осмелился в эфире гадить?! Если я сам не разберусь или наша служба безопасности, ФСБ подключу, чтоб ты знала! Никому не позволено пугать моих сотрудников и ковыряться в верстке программы! Поняла?

— Поняла, — согласилась Алина не сразу.

Они говорили о разном — как это она с самого начала не догадалась?!

Ей было страшно, противно и гадко, и она не знала, что делать. И еще она не представляла, как теперь пойдет к машине через темную останкинскую стоянку, и собиралась попросить режиссера Гошу ее проводить.

Бахрушин был озабочен только тем, что кто-то влез на его территорию и произвел на ней некие разрушительные и непонятные действия. Нарушителя следовало немедленно изловить и наказать, и Бахрушина почти не волновало, как ко всему этому отнеслась она, что почувствовала, сильно ли испугалась! Он собирался защищать не ее, а свою территорию, на которой он был главный — лев, царь зверей!

— Ты придешь на эфир?

— Да, конечно. И не переживай, Алин. Все будет хорошо.

— Это точно, — теперь она почти развеселилась, и он не понял причины ее веселья. — Ужин остается в силе?

— Ну, конечно. И скотину эту я поймаю, обещаю тебе.

— Спасибо. Дверь оставить открытой?

Он кивнул, глядя в монитор. Он больше ее не слушал.

В ситуации следовало разобраться, и немедленно, и он быстро соображал, как это сделать без лишнего шума.

Завтра же он вызовет к себе Кривошеева, все расскажет, и вместе они пересмотрят все записи камер слежения. Впрочем, от камер, наверное, мало толку, и так ясно, что сообщение оставил кто-то из своих, а на кассетах, понятное дело, не видно, что они там пишут! Если бы Алина не стерла сообщение, был бы хоть код, номер, под которым неизвестный вошел в систему! А так вообще никаких следов не осталось.

И Паша Песцов только сегодня утром намекал ему на то, что Храброву следует из эфира убрать, а он, Бахрушин, должен был крепко подумать, прежде чем брать ее на работу! Бахрушин не подумал, и теперь у него начнутся неприятности.

Ну что? Это именно они? Уже начались?

Он встал из-за стола, походил по кабинету и сунул в портфель бумаги, которые так и не успел просмотреть за день.

Придется работать ночью. Он не любил брать бумаги домой и почти никогда этого не делал — только когда Ольга уезжала в долгие и «страшные» командировки.

Нынешняя оказалась на редкость долгой и на редкость страшной, и Бахрушину приятно было думать о том, что сегодня — уже через двадцать минут! — Зданович скажет ей, чтобы она возвращалась. Добрынин приказ подписал.

Конечно, она будет недовольна, его жена. Она станет раздраженно фыркать и подозревать, будто это он все подстроил, чтобы вернуть ее, но что фырканье по сравнению с ежеминутным страхом!

Только теперь Бахрушин понял, что это такое — настоящий страх, который не отпускает ни на секунду. Который ложится вместе с тобой в постель и встает, когда ты встаешь. Даже когда ты чистишь зубы и бреешься, глядя в зеркало, видишь не только свою физиономию, но и морду своего страха. Он едет с тобой в машине и хватает за горло при каждом телефонном звонке, и ты не можешь дышать, говорить, отвечать, потому что страх шепчет тебе — а вдруг?..

Вдруг звонят оттуда?.. Вдруг случилось то, о чем боишься даже думать и что никак нельзя будет изменить?! Вот сейчас, пока ты не снял трубку, в твоей жизни еще все нормально, привычно, надежно устроено. Но как только ты нажмешь кнопку и услышишь то, что тебе скажут, мир рухнет на голову и задавит обломками. Но не до смерти, а так, что ты еще сможешь дышать, корчиться, извиваться от боли, пытаясь, как червяк, заползти куда-нибудь поглубже и потемнее и там подохнуть — но разве ты сможешь просто так подохнуть!..

На этот раз все обошлось, пожалуй.

Завтра или послезавтра она уедет из Кабула и к концу недели будет уже в Москве.

Она прилетит транспортным самолетом в Чкаловское или Жуковский и позвонит ему, когда самолет сядет, и он, бросив все дела, помчится ее встречать — хотя вполне можно и не мчаться, а просто отправить водителя Сережу, но невозможно, невозможно ждать еще два часа, пока Сережа привезет ее!

Она будет худая, и усталая, и веселая — она всегда возвращалась веселая, оттого, что работа сделана хорошо, и оттого, что вернулась. И он станет поить ее чаем.

Такая уж у них традиция.

Однажды она приехала с каких-то трудных съемок и долго сидела на полу в прихожей, даже туфли снять у нее не хватило сил.

Бахрушин пришел из ванной и снял с нее туфли. Кажется, они тогда еще не поженились.

Она сидела, прислонившись спиной к стене, и у нее было бледное лицо с синевой на висках и у рта. Рядом аккуратной стопкой лежали профессиональные бетакамовские видеокассеты.

— У Чехова есть рассказ, — сказала она, не открывая глаз. — Забыла, как называется. Про княжну Марусю, у нее была чахотка. Она умирала и знала об этом. И представляешь, она все время огорчалась не из-за того, что умирает, а из-за того, что за весь день так и не напилась чаю. Понимаешь?

Бахрушин сидел рядом на корточках и рассматривал синеву у нее на висках и у рта.

Ольга открыла глаза и посмотрела ему прямо в лицо.

— А у нее денег, что ли, совсем не было. И все время очень хотелось чаю. Ей наплевать было на чахотку. Понимаешь?

— «Цветы запоздалые», — буркнул Бахрушин.

— Какие цветы?

— Так называется. И это не рассказ, а повесть.

— Ну, повесть, — вяло сказала она и опять закрыла глаза.

Он поднялся и ушел на кухню. Она проводила его взглядом, и ей так жалко стало себя, пропадающую на работе, и умирающую княжну, и еще того, что он так ничего и не понял, а она ведь объяснила!

Его долго не было, а потом он принес ей чаю.

Огромную кружку огненного чая.

В нем было полно сахару и толстый кусок золотого лимона, и чай весь золотился от этого лимона, и кружка обжигала руки, и она не смогла ее держать, и Бахрушин сел на пол рядом с ней и поил ее, как маленькую!

Почему-то именно этот чай на полу в прихожей, а не свадьба, и не ведро роз, и не сказочный секс в номере для молодоженов в римской гостинице, выходящей окнами на площадь Святого Петра, куда их поселили по ошибке, стал для обоих самым романтическим воспоминанием в жизни.

С тех пор он всегда поил ее чаем, когда она возвращалась.

В конце недели она прилетит, он ее увидит и нальет ей чаю.

Он ее увидит, и все встанет на свои места, и хоть на время он перестанет бояться телефонных звонков, и на этот раз точно скажет ей, что так больше продолжаться не может — именно этой книжной или киношной фразой.

Он не пустит ее на войну.

Не пустит, и все тут.

Как он сможет это сделать, если ни разу она так и не сказала ему, что любит его!..

Бахрушин рассеянно смотрел в телевизор, который от Каменской перешел к «Приколам нашего городка», и думал об Ольге, когда на телефоне загорелась кнопка с надписью «Зданович».

Надо идти на эфир, понял Бахрушин. Сколько там минут осталось?..

Он снял трубку, прижал ее плечом и сунул в карман сигареты. Где же зажигалка? Он порылся в залежах ненужных карандашей, которые зачем-то держал на столе, но зажигалки не нашел.

Или Храброва утащила? Вполне могла!

— Да, Костя, я уже иду.

— Леш, — помедлив, осторожно сказал Зданович. — У наших там какие-то проблемы.

Карандаш покатился из-под пальцев и глухо стукнулся в ковер.

— Какие проблемы? Связи опять нет?

— Связь как раз есть, — отчетливо выговорил Зданович, и Бахрушину показалось, что он прикрыл трубку ладонью. — Наших нет.

Ники метался по гостинице, стучал во все комнаты, где жили знакомые, но Ольгу Шелестову никто не видел.

Видели утром, сказали ему сиэнэновцы, она же с тобой была! Вы у нас вообще не разлей вода, куда только Бахрушин смотрит!

Ники было не до Бахрушина.

Он приехал в ACTED злой как собака. Нет, злой как сто собак, потому что на этот раз всех держали как-то на редкость долго, и есть ему хотелось, и устал он ужасно, и еще он все время думал, не перепутала ли Ольга кассеты — вполне могла! Он позвонил в корпункт Би-би-си и ловко соврал работодателям, что его полдня продержали на блокпосте, поэтому приедет он завтра, и они поверили — всех сегодня почему-то очень долго держали на том блокпосте, и это оказалось очень кстати.

Ольги в ACTED не было. Машины, которой она уехала с ребятами с Первого канала и каким-то радийным журналистом, не было тоже, и никто их не видел. Техник Валера, занимавшийся выходом в эфир, почесываясь и позевывая, сказал ему, что Шелестова сегодня в эфир не выходила, хотя в его «расписании она стоит».

Ники посмотрел на Валеру, испытывая неудержимое желание его ударить, хотя тот был вовсе ни при чем.

— А что? — спросил техник задумчиво и опять почесался. — Ты ее забыл где-то, что ли? Или она, может, на интервью куда поехала?

— Она не могла никуда поехать без меня.

— А-а, — уважительно протянул Валера, — ну, это уж я не знаю, тебе видней! Это ваши дела, куда вы друг без дружки можете, а куда не можете! Хочешь кофе?

— Нет. Слушай, а журналисты с Первого приезжали? У них перегон сегодня.

— Зря, хороший кофе.

— Или не приезжали?

— «Нескафе». И воды сегодня привезли, расщедрились.

— Был перегон или нет?!

— Да у меня перегонов этих! И у них ночной небось. Они ночью и приедут. А что тебе они дались-то? Ну, Шелестова, я понимаю, а эти с Первого тебе зачем?

— Да она с ними уехала, а я остался, потому что шмонали долго!

— Ну, это уж я не знаю, кто там с кем уехал, только ее здесь не было, а в расписании, между прочим, есть, и придется мне теперь докладную писать! Ты ее как увидишь, скажи, что я докладную писать буду, потому что когда вы эфир заявляете, а потом не приезжаете...

Ники коротко выругался, чем до глубины души поразил бедного Валеру — никто не слышал, чтобы Никита Беляев прилюдно матерился, — и помчался искать Ольгу.

В здании ее не было.

Во дворе тоже, и хуже всего то, что не было и машины, на которой она уехала.

Он сразу все понял, как только увидел безмятежного Валеру и услышал, что в эфир она так и не вышла.

Сердце ударило — раз и два, и со вторым ударом он уже все знал.

Плен? Смерть?

Лучше смерть, чем плен.

Никита Беляев со всем своим жизнелюбием, уверенностью в себе, некоторым молодецким нахальством и желанием побеждать, с твердой убежденностью, что он может все, сто раз начинавший жизнь сначала и никогда и ни от чего не отступавший, предпочел бы смерть.

Правда.

Умирать страшно, но смерть конечна, по крайней мере, он именно так себе это представлял. Она не задерживается надолго.

Есть какой-то срок, в который она должна уложиться. График. План. Перетерпеть, дождаться, пока она сделает свое дело, — и все. Дальше не его проблемы. Дальше уже все равно.

Он знал совершенно точно — плен он вряд ли сумеет перетерпеть.

Он бегал по зданию, как всегда оживленному, как всегда переполненному людьми, и давешние француженки его окликнули — они все еще были веселенькие и чистенькие, очень хорошенькие, — и он не услышал и не увидел их.

Если ее расстреляли в той машине, значит, ей повезло. И тем мужикам с «Российского радио» и с Первого канала повезло тоже.

Он бегал и знал, что все напрасно: он ее не найдет. Что нужно срочно звонить в Москву. Что нет никакой надежды на то, что «обойдется».

На этот раз не обошлось.

— Беляев, твою мать, куда ты прешь-то всей тушей?! Носорог, блин! Я из-за тебя...

Ники отмахнулся от приставшего к нему, как от комара. Но тот все не отставал, все показывал на какой-то пакет, который уронил, когда Ники налетел на него, и в конце концов Беляев просто толкнул его к стене. Тот медленно съехал на пол, вытаращив побелевшие от унижения и изумления глаза.

Ники задумчиво постоял над ним, потом ногой зафутболил пакет в лестничный пролет и побежал дальше.

Хорошо, если не резали ножами, не пытали, не били. Хорошо, если сразу расстреляли. Это быстрая и верная смерть.

Господи, избавь их от плена.

Господи, зачем ты сделал так, что она уехала, а я остался на этом гребаном блокпосте!

Ники Беляев не был героем.

Он боялся смерти, боли, змей, простуды, слишком настырных девиц, которые пытались женить его на себе. Он не любил чужих проблем и новых начальников и благородным рыцарем не был никогда, но он не подозревал, что это такой ужас — остаться.

Господи, спасибо тебе, что ты сделал так, что она уехала, а я остался на этом блокпосте, что и спас меня!

Основной инстинкт — а Ники был абсолютно уверен, что это никакая не тяга к размножению, а как раз самосохранение! — оказался сильнее всех остальных.

— Ники, что случилось?!

Зрение не фокусировалось довольно долго, несколько секунд, а потом перед глазами прояснилось — и больше уже не темнело. Просто теперь он никак не мог себе позволить... выключиться.

Коля Мамонов, корреспондент «Маяка», и с ним кто-то из иностранцев, кажется из «Штерна».

— Ники, ты что?! Заболел?!

— Я не заболел. Коля, твой телефон работает?

— Не, не работает! Да они ни у кого не работают!

Ники за рубаху подтащил к стене тщедушного Колю и стал так, чтобы отгородиться от шумного оживленного коридора. Немец вытаращил глаза, но потащился за ними — вот оно, журналистское любопытство, вот она, охота пуще неволи!..

— Коль, нужно найти телефон и позвонить Алексею Бахрушину. Только по-тихому. Сможешь?

— Знаю Бахрушина, — пробормотал удивленный Коля, — я у него на «Российском радио» начинал, сто лет назад. Он тогда еще директором был. А что случилось?

— Ольга Шелестова пропала. Его жена.

— Ники, ты что?!

— Я ничего. Я на въезде в город остался, а она уехала с Грохотовым и какими-то двумя с Первого канала. Я приехал, а их нет никого.

— Ники, ты подожди, — быстро заговорил Коля и зачем-то взял его за руку. Должно быть, выглядел он и вправду неважно. — Подожди пока. Может, у них машина сломалась или их где-то еще задержали! Тут всех задерживают, сколько случаев было, ты же сам знаешь!

Ники выдернул руку.

— Я знаю, но у нас вечером был запланирован эфир. Ольга не могла опоздать на эфир. Коля, найди телефон и позвони. Если не дозвонишься Бахрушину, позвони Здановичу, в аппаратную. Сегодня его смена. У тебя есть ручка?

— Что?

— Ручка, — повторил Ники. — Записать номер. Есть ручка, Коля?

Немец моментально сунул ему «Паркер» и какой-то кукольный блокнотик с розочками. Ники давно заметил, что немцы почему-то любят именно такие блокнотики.

— Может, подождать пока а, Беляев? Давай вместе поищем! В гостинице... ты уже был там?

Невозможно было объяснить Коле то, что Ники знал совершенно точно, — все уже случилось, и изменить ничего нельзя.

— Позвони, — приказал он. — Сейчас же. Брось своего колбасника, найди телефон и позвони. А я съезжу в гостиницу.

— Мой телефон, — пробасил ничуть не смущенный «колбасник». — Работает. Спутник, хорошо.

Ники почти бегом бросился от них, кое-как доехал до гостиницы, но и там никого не было — конечно же!

Господи, объясни мне, как ты принимаешь свои решения?! Кто уходит, а кто остается?! Кто застревает на блокпосте, а кто попадает в плен?!

Господи, пусть лучше расстрел, чем плен! Она такого не заслужила, она просто женщина — умница, хороший журналист и верная жена, уж я-то знаю, господи!..

У него не было ключей от Ольгиного номера — откуда?! — но почему-то он решил, что непременно должен в него попасть, даже если ему придется высадить дверь.

Делать этого не пришлось. Она была открыта.

И эта открытая дверь, подтвердившая все, привела его в ужас. Он долго не мог решиться войти. Темнота в узкой щели проема была глухой и абсолютной, как выход на тот свет. Для того чтобы войти, нужно толкнуть створку, расширить эту абсолютную темноту, а он не мог.

Не мог, и все тут.

На лестнице загомонили арабы, зазвучали шаги, и он понял, что должен войти прямо сейчас, чтобы они не застали его под дверью. Он вытер пот с верхней губы, хотя в коридоре было холодно и даже промозгло, шагнул и зажег свет.

144

Лампочка без абажура вспыхнула, залила все вокруг белым, неестественно ярким светом.

Ники закрыл и открыл глаза.

В комнате был чудовищный погром. Такого Ники Беляев в жизни своей не видел — а видел он многое!

Вещи оказались выворочены и брошены кучей на середине комнаты, как будто из них собирались сложить костер. Даже спальный мешок, который Ольга всегда таскала с собой, вытряхнули из чехла и распороли по швам. Клочья бурого синтепона валялись на голом полу, и это было ужасно. Розовая косметичка. Фен. Джинсы. Желтый рюкзак, изорванный так, словно его драли зубами. Тощий матрас сдернут с пружинной кровати. Очки. Кошелек.

Ники подобрал кошелек и заглянул в него. Пусто. Ни кредитных карточек, ни денег — ни американских, ни афганских.

Афганские деньги здесь можно покупать «на вес». Один доллар — это почти сорок тысяч афгани. В ходу десятитысячные голубые купюры, и у всех кошельки были туго и жирно набиты этими самыми купюрами, потому что все остальные «банкноты» — мелочь, за которую нельзя купить ничего. Кто бы и что бы тут ни искал, деньги они вытащили тоже.

С Ольгиным кошельком в руке Ники присел на трясущуюся, как студень, металлическую сетку кровати. Под его весом она сразу провисла почти до пола.

Значит, все это не просто так.

Значит, что-то им было нужно.

Все планировалось заранее.

Только бы знать — что?! И кем?! И зачем?!

Он пошевелил ногой цветастую оболочку спального мешка. Она шевельнулась, как живая, и Ники отдернул ногу.

На полу что-то белело, и, преодолевая гадливость и звон в ушах, взявшийся неизвестно откуда, Ники наклонился и потянул это белое.

Оно оказалось носовым платком, сложенным почему-то треугольником, как письмо военного времени. Платок был очень белый, сильно накрахмаленный.

Ники повертел его так и эдак, потом развернул и еще изучил. Потом взялся за голову и замычал протяжно:

— М-м-м...

Он точно знал, чей это платок, но совершенно не знал, что ему теперь делать.

Почему?! Зачем?!

Он долго держался за голову, сидя на железной сетке Ольгиной кровати в разгромленной Ольгиной комнате с белым накрахмаленным платком, стиснутым в кулаке. Потом поднялся и оглянулся еще раз — последний.

После чего сунул платок в карман, выключил свет, вышел и прикрыл за собой дверь.

Алина Храброва сидела, закрыв глаза и стараясь не шевелиться, пока гримерша Даша приклеивала ей дополнительные ресницы. Ее собственные тоже вполне ничего, но Даша почему-то уверена, что требуются дополнительные.

Ну и ладно. Ресницы так ресницы.

Под ярким светом гримировальных ламп было тепло и все время клонило в сон. Она даже стала задремывать и чуть не рассыпала с коленей бумажный вариант сегодняшней программы, который непременно должна была прочитать перед эфиром.

Даша наклеила ресницы, прижала глаз и сказала с чувством:

— Тебя гримировать — одно удовольствие! Ты красивая и так хорошо сидишь!

— Спасибо, — засмеялась Алина.

— Нет, правда! Бывает, знаешь, как придет, как сядет, начнет вертеться, а хуже того — руководить! Сюда коричневым намажьте, сюда розовым, румян мне не надо, пудру только светлую! Пока накрасишь, с ума сойдешь! Потом — зачем вы мне глаза подвели, мне не идет, а сама в очках! Если глаза за очками не подводить, их вообще в камере не видно! — Даша говорила и ловко красила только что приклеенные ресницы. Алина мужественно терпела. — А ты никогда глупостей не говоришь.

— Даш, я же знаю, что хорошие гримеры — большая редкость. Ты просто отличный гример.

— Ну да, — легко согласилась Даша, не страдавшая излишком скромности, мазнула в последний раз, отошла и стала любоваться несказанной Алининой красотой и своей работой. — Уж я-то знаю, как в студии свет стоит, чего можно мазать, а чего нельзя! Ну, посмотри теперь! А губы так оставить или потемнее сделать?

Алина внимательно и придирчиво посмотрела на свои губы — как будто на чьи-то чужие. Она умела так смотреть на себя, со стороны.

Все отлично. Даша справилась с задачей. Ничуть ее не изменив в общем и целом, она все сделала ярче — глаза, брови, ресницы, щеки. Жесткий студийный свет не терпит естественных бледных красок. Ненакрашенная будешь выглядеть больной. Накрашенная слишком сильно — вульгарной.

— Оставь так, по-моему, нормально.

— И по-мосму, тоже. Костюм?

— Еще рано, Даш, все помнется.

— И костюм у тебя сегодня идеальный. Люблю лен.

— Мгм, — пробормотала Алина и перевернула страницу верстки. Она не прочитала еще и половины, а времени было мало.

— Может, кофейку тебе заварить?

— Давай лучше чаю, Даш. Зеленого, что ли.

— Сейчас сделаю. И снять тебя сегодня должны хорошо.

— Почему? — машинально спросила Алина. Она почти не слушала. Верстка ей решительно не нравилась, а менять что-то было уже поздно.

Вечером, после эфира, на летучке ей придется серьезно ругаться со Здановичем и остальными редакторами. Почему-то они думают, что «Новости» могут позволить себе быть скучными! Чушь какая!

— Ники Беляев вернулся. Сегодня его смена, он снимает. А он лучший оператор. Говорят, есть еще какой-то мужик в «Видеоинтернэшнл», тоже неплохой, но наш Беляев лучше всех!

— Посмотрим.

— Да я точно знаю, Алин. Кончились твои мучения.

— И не было особенно никаких мучений.

Держа в опущенной руке белый электрический чайник, Даша остановилась перед дверью.

— Как это — не было! Каждый эфир мучения! Как они свет на тебя ставят, ужас один!

Сверкнула табличка с надписью «Артистическая», и дверь закрылась, сразу отделив Алину от шума коридора. В эфирной зоне всегда было оживленно, даже вечером. Почему-то все комнаты, где они готовились к эфиру, назывались «артистическими», хотя никаких артистов там отродясь не водилось.

А может, артисты понимались телевизионным начальством в широком, так сказать, глобальном смысле этого слова.

Мир — театр. Люди — актеры. Старик Шекспир, кажется, придумал.

Надо бы с Бахрушиным поговорить, почему каждая программа — такая скукотища, но ему сейчас не до нее и не до программы.

Ольга Шелестова пропала, и это моментально стало известно всем. Она пропала, а Беляев, который находился там с ней и который сегодня должен снимать Алину, вернулся целым и невредимым.

Неясно было, что там произошло и что будет дальше, так как никаких тел пока не нашли— ни бахрушинской жены, ни троих других, пропавших с ней.

148

Ужасно было так думать об Ольге — тело, — и Алина знала, что это ужасно, и все-таки думала.

Несколько дней все шушукались по углам и курилкам, передавали друг другу какие-то немыслимые слухи, а девчонки-ассистентки даже бегали на третий этаж, где был кабинет начальника, чтобы посмотреть, как «он переживает». Алина, узнав об этом, их разогнала и велела администратору получше смотреть за персоналом. В результате все оскорбились — и девчонки, и администратор, — но бегать перестали.

Бахрушин решительно и бесповоротно ни с кем и ничего не обсуждал.

Несколько дней все маялись неизвестностью и сочувствием, Зданович сунулся было с вопросами, но Бахрушин его выгнал. В компании булькали и пузырились какие-то слухи, всплывали на поверхность разнообразные версии, одна страшней другой.

Вчера... Вчера «МИД России сделал официальное заявление».

Оно пришло по ленте, и в редакции о нем узнали раньше всех.

Заявление как бы окончательно определило положение. Ольга и трое других журналистов стали называться «пропавшими без вести», и все, что нужно, и все, что бывает всегда в подобного рода бумагах, в этой тоже присутствовало — решительный протест, силы реакции, информационная война, мировой терроризм, и призыв сплотиться, и обещание сделать «все возможное».

Бедный Алеша Бахрушин.

Что ему до «официального заявления» и призыва сплотиться!..

— Давай я к нему съезжу, — предложила Алине мама, когда услышала обо всем по телевизору. — Ну, как он там один! Ну, хоть... уберусь у него!

И вытерла глаза. Мама всегда сочувствовала попавшим в беду изо всех сил.

Алина Храброва была убеждена, что самое правильное в этой ситуации — это сделать вид, что ничего не происходит.

Он не примет сочувствия и вряд ли будет рад, если кто-то поедет к нему убираться, как за покойником! Он не станет ничего и ни с кем обсуждать — по крайней мере, с подчиненными, — а если те полезут с соболезнованиями, в лучшем случае разгонит их.

Костя Зданович совершенно растерялся, и программы в последние дни выходили плохие, просто из рук вон.

Алина была убеждена, что даже этот великий Беляев с собачьим именем Ники, мастер красивых картинок, ничего не изменит.

В середине сегодняшнего дня, после нескольких дней молчания, в редакцию позвонил Бахрушин и равнодушным голосом сказал, что назначает на вечер летучку.

Ни голос, ни обещанное собрание, ни даже то, что позвонил он сам, а не секретарша, ничего хорошего не сулили.

Алина перевернула следующую страницу. Ей казалось, что от страницы к странице программа становится все скучнее.

Вернулась Даша с чашкой. Из чашки поднимался пар, и в мутно-желтой жидкости плавал пакетик.

— Только ромашковый, Алин. Зеленого нету.

Алина отхлебнула ромашкового, сразу напомнившего детство, простуду, распухшие железки и строгий голос врачихи — «полоскать, полоскать ромашкой!».

Она подержала за щекой и с отвращением проглотила.

В «артистическую» заглянул режиссер. За спиной у него маячила редакторша Рая, бледная и нервная.

Она всегда ближе к эфиру становилась бледной и нервной. Алина ей улыбнулась.

— Алин, у нас полчаса, — сказал режиссер.

— Да, знаю.

Даша с костюмом на вытянутых руках протиснулась мимо ее кресла.

— Чуть юбку подглажу, и все, можно надевать.

Алина кивнула, отложила верстку и нацепила «эфирные» туфли на высоченных каблуках. Ей нужно было еще раз, последний, заглянуть в компьютер, и с некоторых пор она боялась в него заглядывать. Впервые за много лет телевизионной работы.

«Тебя никто сюда не звал. Убирайся обратно. Здесь не любят прохиндеек и проституток. Здесь не станут с тобой шутить. Убирайся, или ни один любовник не опознает твой разукрашенный труп».

Черные буквы на белом экране.

Алина зашла в свою каморку, осторожно села, чтобы не дай бог не порвать «эфирные» колготки о неудобную канцелярскую мебель, подвигала «мышью» по коврику и зашла в программу. Компьютер мигнул, загружаясь.

Она никому об этом не говорила, не могла. Даже Бахрушину тогда не сказала.

Она до смерти перепугалась.

И даже не идиотских угроз или оскорблений, а того, что *это* оказалось так близко к ней. В ее собственном компьютере. В ее собственной верстке. В том, что было, или казалось, самым главным.

Тот человек, похоже, отлично знал, как лишить ее самообладания, и сделал это безукоризненно. Пока что у нее получалось скрывать от всех, что она боится компьютерной верстки, но надолго ли ее хватит?! И что она станет делать, когда не хватит?!

Лет пять назад приключилась с ней неприятная история.

Какие-то придурки повадились краской из баллончика малевать на двери ее машины гадкое слово. Всем во дворе было известно, кому принадлежит эта машина, и все относились к ней уважительно, даже место для нее всегда оставляли, да и двор на Ленинских горах был спокойный, солидный и хорошо устроенный.

Потом завелись эти самые придурки. Скорее всего, они откуда-то набегали именно затем, чтобы испоганить ее машину, вряд ли этим занимался кто-то из своих.

Алина перекрасила дверь. Потом перекрасила еще раз. Потом это превратилось в своего рода соревнование — она перекрашивала, а слово возникало на нем вновь, как по мановению некой ведьминской палочки — ведь наверняка такая существует, раз уж есть волшебная!

Потом приехал отец и долго бушевал и доказывал дочери, что «нужно немедленно обратиться в компетентные органы».

Дочь решительно не желала ни в какие органы обращаться.

Придурков поймал сосед, о котором Алина не знала ничего, кроме имени — Иван — и того, что каждое утро он выходил бегать со своей громадной, черной, страшной собачищей.

Собственно, собачища их и поймала.

Как-то утром машина под окнами закричала страшным голосом. Муж, как обычно, спал — Алинины проблемы никогда его особенно не интересовали, — и она выскочила на балкон в ночной рубашке и валенках. Холодно было. Зима.

Возле своей машины, под желтым светом фонаря, она разглядела собаку, равнодушно сидящую на заднице, соседа и еще кого-то.

— Спуститесь, — негромко попросил Иван. — Сигнализация сработала, выключить бы.

— Я сейчас! — крикнула Алина.

— Да не торопитесь, — так же негромко сказал сосед. — Мы вас подождем.

Алина нацепила горнолыжный комбинезон, привезенный вчера из химчистки и оставленный в пакете под дверью, сунула ноги в унты, которые на заказ шили для нее в Красноярске, натянула куртку, схватила ключи и выскочила на лестницу.

Когда она вывалилась из подъезда, сосед все так же приплясывал возле ее машины — в джинсах и глупой спортивной курточке. Собачища равнодушно сидела.

— Здрасти, — весело поздоровался Иван.

— Здравствуйте, — пробормотала Алина и, вытянув руку, остановила наконец заунывные вопли своей машины. Короткий писк, и все смолкло. — Господи, что случилось?

— Да ничего, — сказал сосед, продолжая приплясывать, — все отлично. Я на полчаса раньше вышел, специально. Хотел поглядеть, кто это вам пакостничает. И увидел. А вы хотите?

Алина перевела взгляд вниз и налево, куда он кивнул. В грязном сугробе сидели двое, таращились из него, как перепуганные совы. Собачища, оказывается, не просто так сидела на заднице, а со смыслом — перекрывала пути к отступлению.

— Ну чего, братва? — весело спросил сосед. — Что теперь делать-то будем?

Братва жалась друг к другу и испуганно молчала.

Они оказались юнцами лет по восемнадцать, а Алина думала, что это какие-то дети безумствуют.

— Ну, объясните тете, какого хрена вы ей всю машину испоганили? Что ни день, она на покраску едет, как на работу! А?!

Братва молчала и, видимо, намеревалась промолчать весь допрос, но тут собачища повернула к ним башку, разинула пасть и гавкнула, как будто пушка стрельнула.

Эхо прокатилось по заснеженному сталинскому двору и умерло вдалеке, за «ракушкой» пенсионера Федотушкина.

Братва вздрогнула. Алина вздрогнула тоже и уронила в снег ключи. Собака больше не гавкала, и это почему-то еще больше удручило братву, которая тут же стала сбивчиво объяснять, что она шутила. Братва то есть.

— Вот и хорошо, — похвалил Иван, не переставая прыгать. — Вы так больше не шутите, ребята.

Те поклялись, что больше так шутить не будут, и сосед опять их похвалил.

А потом он заставил их надпись с двери оттереть.

Это было невозможно — замерзшая краска не оттиралась ни в какую, уж Алина за последнее время про это узнала все! А он заставил.

— Рукавом, — равнодушно сказал он, когда юнцы стали вопрошать, каким образом они будут оттирать. — Не хотите, можете языками слизать, мне без разницы. И приступайте, приступайте, это дело небыстрое!

И они начали оттирать.

Они слюнявили пальцы, скребли ногтями, скулили, косились, стояли коленями в снегу, плевали на дверь и терли обшлагами курток, и сосед не ушел, пока они не оттерли все.

— Придется еще раз покрасить, — сказал он Алине, оценивая работу, — былая красота не достигнута. Зато проблем у вас больше не будет, это точно.

— Спасибо.

— Сволочей учить надо, — напоследок сказал сосед. — Никакого другого способа борьбы нет. Если учить не получается, значит, травить надо, как колорадских жуков. А вы за ними подчищаете! Им только того и нужно, развлечение какое у них шикарное! Из-за них, поганцев, звезда машину каждый день красит!

Алина обиделась.

— Я же не могла их тут ловить, как вы!..

— А надо было, — сказал он назидательно и убежал со своей собачищей, и все и вправду прекратилось.

Она подумала об этом именно сейчас, потому что история с машиной потом вспоминалась как одна из самых смешных и милых в ее жизни. Она даже всем знакомым ее рассказала, и все веселились и хохотали, особенно когда она в лицах описывала, как братва канючила,

154

сосед прыгал в своей глупой курточонке, а собачища равнодушно косилась.

Она не смогла бы этого объяснить, но ее собственная машина была гораздо менее личным и драгоценным для нее, чем... верстка программы.

В этой верстке как будто было сосредоточенно все, чем она жила, — ее профессионализм, верность работе, ее успешность и многолетний опыт, и радость, с которой она каждое утро проходила в рамку с надписью «Эфирная зона. Вход строго по пропускам».

Невозможно было придумать ничего более подходящего, чтобы сокрушить ее, сбить с ног, заставить страдать и бояться.

Алеша Бахрушин этого не знал. Для него это был просто форс-мажор, ЧП на работе. Как он сказал? Должностное преступление?

Несколько секунд, пока программа загружалась, Алина Храброва, блестящая ведущая, знаменитость и символ державы, сидела на краешке кресла с незажженной сигаретой в зубах и истово, изо всех сил боялась.

Даже лоб вспотел немного, и она строго сказала себе, что теперь придется заново пудриться. Не забыть бы попросить Дашу.

Экран осветился. «Введите пароль» — появилась надпись в окошечке, и она ввела. У нее был чудный пароль, которого никто не знал.

Снусмумрик, вот какой у нее был пароль.

Программа приняла Снусмумрика, верстка вывалилась на монитор. Приветствие, подводка к первому сюжету, первые и последние слова корреспондента, хронометраж, отводка от первого, подводка ко второму, информационный блок — тот приехал, этот уехал, третий повстречался, Дума проголосовала.

Вот после Думы все и случилось.

«Ты сука, — было написано вместо подводки к следующему сюжету. — Ты ничтожество. Ты никто, и я от тебя избавлюсь».

Алина вскрикнула и отшвырнула «мышь», словно вместо нее схватила змею. От резкого движения кособокий стул поехал, ударился о стену, спружинил и катнулся ей под ноги. Колени подкосились. Цепляя колготками за выдвижные ящики неудобного стола, она почти плашмя упала между ним и стулом и ударилась так сильно, что глаза вылезли из орбит.

Лицо. Чем угодно, но только не лицом, ей через несколько минут в эфир!

Господи, что у нее с лицом?!

Следом за ней что-то съехало со столешницы, и обрушилось рядом, и сильно загрохотало.

— Эй, что тут такое?! Землетрясение? Бомбежка?!

Вспыхнул верхний свет. Оказывается, она его не зажгла, когда пробиралась через каморку к своему компьютеру.

— Але, гараж! Вы где?! Все живы или уже умерли?

— Я здесь, — почти прошипела она и задом полезла из-под стола.

Чертов стул заклинило так, что она не могла его отодвинуть, и вылезти не получалось.

— А, черт возьми!

— Да где вы?!

— Да тут я! Вытащите стул.

Секундная пауза, потом стул дернуло вверх, он застрял, конечно. Потом его как будто подбросило, и он куда-то пропал. Затем незнакомая мужская рука сунулась под стол.

— Выбирайтесь.

Ей неудобно было вылезать задом, да еще контролировать эту самую руку, которая шарила вокруг нее, поэтому она просто ее оттолкнула, сдала еще чуть-чуть назад, стукнулась макушкой, охнула, сморщилась, стала на четвереньки и выползла на свет божий.

Вернее, электрический.

Ничего божеского не было в этом безжалостном ярком свете.

Кто-то длинно и непочтительно присвистнул поблизости.

— Да, да, — раздраженно сказала она и глупо постучала ладонями — одной о другую. — Я Алина Храброва. Я свалилась со стула. Ну и что?

— Ничего, — сказал тип.

— Вот именно.

Она двинулась на него, мельком успев заметить только, что он очень большой — тип посторонился, — подошла к распахнутой двери в коридор и захлопнула ее.

— Вы хотите остаться со мной наедине? — осведомился негодник.

— Я хочу посмотреться в зеркало! А оно на двери!

Слава богу, с лицом все в порядке. Прическу, конечно, придется поправлять, но на лице не было ни синяков, ни царапин.

Господи, спасибо тебе!..

— А как вы там оказались? Под столом, в смысле? Кольцо закатилось?

Тут Алина наконец на него посмотрела.

Он был здоровый и неожиданно молодой, а по голосу ей показалось, что старше. Очень коротко стриженные белые волосы и странное лицо — то ли такой загар, то ли проблемы с кожей, то ли умывается он, как Незнайка в мультфильме, только нос и то, что рядышком.

— Спасибо, что помогли, — сказала Алина, сделав голос потеплее, это она умела. — Как бы я выбиралась?

— Пришлось бы звонить в МЧС.

— Это точно.

Все, светский раут окончен.

Он ее спас, она его поблагодарила. Теперь ему следует уйти. Попрощаться, повернуться и уйти, а он стоит, словно не понимая этого.

Алина посмотрела ему в глаза и вежливо и холодно улыбнулась. Это она тоже умела.

Глаза оказались очень темными.

Странно — белые волосы и темные глаза.

Ей трудно было оторваться от его глаз, очень мудрых и очень мрачных, как будто нарисованных художником для компьютерного злодея. Ему они совсем не подходили, усложняя, в общем, довольно простецкий вид.

Она сделала над собой усилие и перевела взгляд на его ухо.

Ухо тоже было ничего себе, хотя гораздо менее злодейское.

— А я вас сегодня снимаю, — сказал он, помолчав. — Меня зовут Никита Беляев, я главный оператор «Новостей».

— Очень приятно, Никита.

— Зовите меня Ники. Мне не нравится имя Никита.

— По-моему, отличное имя.

— Спасибо, но мне не нравится.

— Я постараюсь запомнить.

— Так что вы делали под столом?..

Тут она вспомнила, *что она* делала, и метнулась к компьютеру, и оттолкнула растреклятый стул, и нашарила «мышь», болтавшуюся на шнуре, как на хвосте, и уставилась в монитор, и даже застонала, когда поняла, что там ничего нет.

То есть верстка была на месте. И Дума тоже — куда ж ей деться! — и подводки, и отводки, и хронометраж! Не было только послания: «Ты сука. Ты ничтожество. Ты никто, и я от тебя избавлюсь».

Выходит, кто-то удалил его, пока Алина ползала под столом, и этот самый Беляев со злодейскими глазами вытаскивал стул, чтобы она могла выбраться. Выходит, опять ничего нет — ни кода, ни времени ввода, ни пароля, ничего!

— Алина? — спросил Ники очень близко. — Что случилось? Что-то в программе?

Она подняла голову и стукнула его своей макушкой в подбородок. Оказывается, он тоже подошел к столу и теперь смотрел в монитор вместе с ней.

— Все в порядке в программе, — сквозь зубы сказала она и повела головой. Его запах — сигарет и какого-то сложного одеколона — раздражал ее. — Все в порядке! Черт, черт, черт!..

Ники удивился.

Он и сам любил поминать черта, и именно таким образом — три раза подряд. Звезда вела себя странно — что-то здесь было явно неправильное, нелогичное, и Ники хотелось бы знать, что именно, особенно если это касалось программы.

Впрочем, разве поймешь этих женщин?!

Может, переживает из-за того, что помада под шкаф закатилась, а ей непременно надо было накраситься именно этой помадой? Или запятую кто-то забыл поставить, а она такая тонкая натура, что ее это раздражает до крайности? Или депутатский закон о многоженстве горских народов так поразил ее воображение?

— Может, вам помочь?

— Не надо мне помогать!

Она схватилась за телефон, нажала подряд несколько кнопок — и передумала.

Звонить Бахрушину нельзя. Ему сейчас не до нее и не до этих идиотских записок. Она не может и не должна загружать его еще и своими проблемами.

Что делать?! Что?

В дверь тихонько и деликатно стукнули, и заглянула редакторша Рая.

— Алиночка, тебе пора.

— Рая! — вскрикнула Алина так, что Ники вздрогнул, как большой пес от резкого звука. — Рая, зайди ко мне на секунду.

Редакторша вдвинулась в каморку и неловко кивнула Ники.

— Здрасти, — пробормотал он в ответ, шагнул назад и уперся спиной в стену.

— Что, Алиночка?

— Ты не знаешь, в «Нью-Старе» сейчас кто-нибудь работал?!

Редакторша пожала плечами и опять покосилась на Ники, как будто это он ее спрашивал.

— Не знаю, а что? Бахрушин, наверное, работает. Зданович. А в чем дело?

— А корреспонденты?!

— Алиночка, я не видела! Но что там сейчас корреспондентам делать, сюжеты давно сдали, все уже в программе стоит, зачем?! Господи, тебе же еще волосы поправлять! Я сейчас сбегаю за Дашей...

— Подожди!

Рая покорно замерла у самой двери. Ники вздохнул от неловкости. За ремнем джинсов у него вдруг ожила рация и осведомилась скрипучим голосом, где он.

Ники рацию вытащил и сказал в нее негромко:

— Сейчас приду.

— А редакторы? — продолжала приставать Храброва. — Ты не видела?

Рае стало не по себе — такое отчаяние было у Алины в голосе.

— Да не видела я! — чуть не плача, воскликнула она. Ей хотелось быть полезной, а никак не получалось. — Я же на выпуске, а там некогда смотреть!..

— Да, — опомнившись, сказала Алина и улыбнулась нежно. Ники отчего-то опечалился немного, увидев эту улыбку. — Конечно. Просто я сообщение одно потеряла и не знаю теперь, как мне его найти.

— Информационное?! — вскрикнула редакторша.

Потеря информационного сообщения перед эфиром — беда, катастрофа, конец света и гибель Помпеи.

— Нет, нет, — успокоила ее Алина. — Мое личное. Ничего особенного. Ты... беги. Я сейчас в гримерку приду, и Дашу попроси...

— Да, я поняла. Только ты не задерживайся, ладненько?

Алина кивнула — отвечать у нее не было сил.

Дверь Рая не закрыла, зато Ники решительно захлопнул ее, как только та выскочила, оторвал от стены широченную спину, сделал шаг и оказался прямо перед Алининым столом.

Алина взялась за лоб.

— Быстро расскажите мне, что случилось. Что с программой? Что с версткой? Кому вы хотели звонить?

Алина посмотрела на него. Прямо в его странные темные глаза, как будто предназначенные для компьютерного злодея.

Она ни за что не рассказала бы, если бы не была так напугана и если бы... у него оказались другие глаза. Серые, к примеру. Или голубые.

Но она слишком испугалась, а глаза у него были черные.

— Кто-то оставляет мне сообщения. Прямо в программе, в эфирной верстке.

— Какие сообщения?

— Первое было о том, чтобы я убиралась отсюда, и еще что-то про мой труп, я точно не помню. — Она помнила каждое слово, каждую букву, каждую запятую. Она видела их во сне и думала о них, не переставая, даже когда работала. — А второе я получила только что.

— Что там было?

— Ты сука. Ты ничтожество. Ты никто, и я от тебя избавлюсь, — монотонно повторила она. — Все. Больше ничего.

— Никто не может зайти в программу...

— Да знаю я это! — крикнула она. — И тем не менее кто-то заходит, уже второй раз! Господи, что мне делать?! Как мне теперь работать?!

— Нормально работать, — вдруг резко сказал он. — Выпейте валерьянки или что там в таких случаях пьют и возьмите себя в руки. У нас программа на носу!

— Это кто-то из своих, — пробормотала она. Зубы издали странный звук, и Алина стиснула их. — Кто знает, что мне в эфир. И уверен, что я это прочитала и что я боюсь. Он хочет, чтобы я не смогла работать.

— Вот именно. — Беляев взял ее за руку и вывел из-за стола. — Сейчас там нет никакого сообщения, правильно я понимаю?

Она кивнула.

Через несколько минут она войдет в студию, сядет за стол, на свое привычное место — несколько камер, операторский кран, подиум и свободное пространство за ней, полное стекла и электронного мерцания компьютеров, почему-то всегда напоминавшего ей аквариум. Ее покажут все мониторы, время пойдет назад, отсчитывая секунды до эфира, и *тот человек* станет всматриваться в ее лицо, искать следы паники и страха вроде бледности или неуверенности. И ждать, что она ошибется и что сразу после Думы не сможет выговорить ни слова, а он будет радоваться, и ликовать, и потирать под столом мокрые от возбуждения ладони.

Кто-то свой. Чужие здесь не ходят. Эфирная зона, вход строго по пропускам.

Ники Беляев как-то ловко подвинул ее, словно она была вещь, быстро опустил себя в ее кресло и проворно застучал по клавиатуре.

Она не ожидала такой ловкости от здоровенных мужицких пальцев. Еще под столом она разглядела его ладонь — крепкую, жесткую, с бугорками желтых мозолей.

— Бахрушин знает?

— Да.

— Вы ему хотели звонить?

— Да.

— А еще кто в курсе?

— Больше никто.

— Совсем никто? — Он опять постучал по клавиатуре. Монитор мигнул, и на нем появилось нечто непонятное. Алина смотрела из-за его плеча.

— Совсем никто.

— И Зданович не знает? И подруги Маша и Катя?

— Какие... Маша и Катя?

— У вас в редакции нет подруг?

Почему-то вопрос показался ей оскорбительным, да и тон странный!

— Я работаю совсем недавно, у меня пока нет подруг в редакции. Кроме того, мне не хотелось бы, чтобы об этом стало известно. Это такая информация, которую обнародовать не хочется.

Дверь широко распахнулась. На пороге стояла запыхавшаяся Даша.

— Алина!

— Иду, — быстро и виновато сказала звезда, и Ники посмотрел на нее с удивлением. — Иду, Даша. Простите меня... Никита. Мне надо идти.

— Да и мне неплохо бы, — пробормотал он и выбрался из-за ее стола. — Поговорим после эфира, хорошо?

Алина, уж взявшаяся за ручку двери, даже засмеялась немножко. Такого нахальства она от него не ожидала.

— О чем?!

Даша подпрыгивала на месте от нетерпения. Кисточка у нее за ухом подрагивала, и большая пудреница в руке ходила ходуном.

— Дарья! — заорали в коридоре. — Где Храброва?!

— Идем!

— О погоде поговорим, — невозмутимо сказал главный оператор. — Тема хорошая и всегда актуальная. Скажете, нет?

— Алина, надо микрофон цеплять, а ты еще без костюма!

— Иду!

Быстрым движением она поправила туфлю на высоченном каблуке, не удержалась и схватилась за его руку. Он галантно поддержал ее, потом отпустил, еще посмотрел на нее своими злодейскими глазищами напоследок и большими шагами ушел в сторону студии.

Рация у него за ремнем продолжала похрюкивать и скрипеть.

— Душка, правда? — прощебетала Даша.

— Где дужка? — не поняла Алина. — Какая дужка? Я сегодня в линзах, а не в очках!

— Не очки, а Беляев! Он просто душка! Понравился тебе?

— Не знаю, — сказала Алина. — Я его почти не заметила.

Это была неправда.

Такая неправда, что она рассердилась на себя за это — она заметила его, еще как, и соврала зачем-то, как девчонка!

В студии камеры стояли немножко не так, как она привыкла за последнее время, и, прищурившись, Алина изучила их новое местоположение.

— Алин, не щурься, — сказал в ухе режиссер, и она перестала щуриться.

Беляева сначала не было видно, а потом она обнаружила его — в самом центре студии. Рации за ремнем серых джинсов уже не было, зато на бритой голове торчали наушники — одно «ухо» сдвинуто почти на затылок, провода заправлены за черный ворот водолазки, и вид недовольный.

Зачем-то он помахал рукой оператору, управлявшему камерой на кране, и тот послушно подъехал. Ники сдвинул наушники на шею и стал что-то говорить — очень темпераментно.

— Храброва, не спи! Замерзнешь!

Такая у них была корпоративная шутка.

Из-за камер подбежала Даша, еще раз обмахнула ей лицо, добиваясь совершенства во всех отношениях.

— Салфетку дать, Алин?

— Не надо.

В эту минуту она увидела Бахрушина за стеклом аппаратной — он помахал ей рукой. Она махнула в ответ и тут же забыла о нем.

Она обо всем на свете забывала, когда часы доходили до последней отметки, в мониторе без звука пролетала заставка, и на камерах загорались красные огни.

— Добрый вечер. В эфире программа «Новости» второго канала и Алина Храброва. Мы познакомим вас с основными событиями этого дня.

Почему-то в эфирном пространстве время всегда искривлялось — об этом знали все ведущие, странно, что Эйнштейн ни о чем таком не подозревал! Время в студии пролетало не то что незаметно, Алине всегда казалось — она вдыхает на словах «добрый вечер», а выдыхает на фразе «увидимся с вами завтра».

...Две секунды крупный план — ее собственное невозможно прекрасное лицо, — отбивка, уход на короткую рекламу, а потом на погоду.

— Всем спасибо, — сказал в динамиках голос режиссера. — Алин, сегодня все было отлично. Никто не расходится, после эфира нас ждет директор информации.

— Да мы знаем, знаем, — пробормотал один из операторов, — уж сто раз говорено!

Алина осторожно спустилась с подиума — она не умела ходить на таких высоченных каблуках и всегда плохо на них держалась. К ней в ту же минуту подбежал звукорежиссер, чтобы вытащить микрофон из уха и из-за пояса юбки, и Рая подошла. После эфира она успокоилась и даже порозовела.

— Ну как?

Микрофон звуковой юноша держал в руке, Алина проворно вытаскивала шнур, заправленный за пиджак.

— Все очень хорошо, — сказала Рая и помогла ей вытянуть остатки шнура. — Мне программа понравилась. Зданович тоже, по-моему, доволен.

— А ты с самого начала смотрела?

— С первой подводки, — поклялась Рая. — И сразу все пошло хорошо. Ты моментально в ритм вошла, и так хорошо улыбалась... и...

Ники, наблюдавший всю сцену, усмехнулся тихонько.

Звезда была какой-то странной, слишком уж не похожей на звезду, с их гонором, уверенностью в себе и космической самооценкой. Эта же была мила и похожа на самую обычную женщину, а не на «символ страны».

И какая-то сволочь еще смеет пугать ее перед эфиром!..

Все вяло подтягивались «на собрание», курили, обсуждали все плюсы и минусы сегодняшней программы, а заодно еще и бахрушинскую жену — понесла ее нелегкая в этот самый Афганистан, а муж теперь расхлебывай! — и обещанную прибавку к зарплате, и еще то, что банкомат на первом этаже сегодня денег опять не давал и был украшен табличкой «Наличных нет».

Говорят, кто-то из техников, увидав табличку, пнул банкомат ногой и заревел:

— Так хоть безналичные давай, сука!

Но банкомат не послушался.

Собрание, назначенное на десять вечера, должно было происходить в News Room, шикарном помещении, специально оборудованном для подготовки новостных программ. Этот самый Room был куплен у американцев за какие-то бешеные деньги и был столь технологичен, что поначалу к нему боялись подступиться даже самые лучшие и самые образованные программисты и техники.

Со временем все освоились.

На стеклянные столы понаставили кофейных чашек, мониторы украсили фотографиями любимых кошек, собак и детей, в выдвижные ящики понапихали кроссвордов и колготок.

Да и техника приспособилась.

Компьютеры перестали виснуть при изменении температуры окружающей среды на один градус. Клавиатуры продолжали работать даже после опрокидывания на них кружек с чаем. Мониторы, украшенные фотографиями, стали послушно загораться после двух ударов кулаком в пластмассовый бок.

Дела пошли.

Только вот название так и не прижилось.

Русский вариант News Room, звучавший, как «ньюсрум», почему-то казался не слишком приличным, и постепенно это стало называться просто «новости».

«Сегодня в «новостях» в шесть», — так приблизительно это сообщалось, и все привыкли, и всем понравилось.

Храброва, смывшая грим и отлепившая накладные ресницы, прибежала самой последней, уже после того, как пришел Бахрушин — туча тучей.

Ники с самого начала строил планы, чтобы она села рядом с ним — просто так. Конечно, скорее всего, у нее было свое место, согласно какой-то там неписаной табели о рангах, о которой он пока не знал. Но все собирались, рассаживались, и стульев почти не оставалось, а потом не осталось совсем, и звукооператоры рядком усаживались на сверкающий пол, напоминавший студию программы «Здоровье», и Бахрушин пришел и сел на край стола, потому что места не было даже для него, и Ники понял, что надежда есть.

— Уважаемые господа журналисты, а также не господа и не журналисты, — начал Бахрушин. — Для начала смотрим программу. Я предлагаю третий блок, как самый показательный.

Аудитория недовольно загудела. Смотреть программу — терять еще минут двадцать, а то и больше, когда так хочется домой есть и спать, и сил больше нет, и сигареты все кончились или вот-вот кончатся, и всем еще добираться, а «ночной развоз» на сегодня не заказывали, потому что в ночь работать никто не планировал!..

Тем не менее режиссер бодро вставил в пасть «Бетакама» мастер-кассету с сегодняшним эфиром и посмотрел вопросительно.

— Давай на двадцатую минуту, — приказал Зданович.

Магнитофон проглотил наживку, и лента закрутилась стремительно, и побежали белые цифры, и полосы пошли по экрану. Пленка остановилась на крупном плане Алины Храбровой, которая сидела с идиотским лицом — глаза закрыты, брови подняты, губы сложены в колесо.

— Господи, — пробормотал Зданович. — Уберите это немедленно.

Режиссер нажал кнопку «Старт», и все оказалось не так уж и ужасно — глаза открылись, брови вернулись обратно на лицо, и губы договорили то, что начали, когда бездушный «Бетакам» остановил их.

«Бетакам» всегда останавливался где ни попадя, и ему было от души наплевать, как при этом выглядит показываемый, такая вот у него имелась особенность!..

Храброва на экране «перешла к новостям культуры», рассказала очередную историю про Большой театр и его очередную приму.

Прима с директором театра никак не могли решить, кто главнее, и очень из-за этого ссорились. Оттого что балерина была молода, блондиниста и «адски хороша собой», как писали в старых берущих за душу романах, а директор — просто мужик в кургузом пиджачке, с лысиной и сигаретой, — все сочувствовали приме.

Директор что-то пробухтел про контракты, никто не понял толком, что именно, а прима пригрозила то ли немедленно вернуться в Лондон, где никто с ней никаких контрактов отродясь не подписывал, то ли податься в депутаты, и сюжет кончился.

Тут Бахрушин махнул рукой, и пленку остановили.

— Ну? — спросил он, рассматривая, как нечто диковинное, пачку собственных сигарет. На команду он не смотрел. — Кто скажет, о чем этот материал?

Ольга Кушнерева, приготовившая сюжет, пятидесятилетняя, возвышенная, очень трепетная, нежно любящая всех артистов, художников, балетмейстеров, резчиков по дереву, мрамору, металлу и стеклу, писателей, режиссеров, так сказать, всем скопом, встрепенулась и покраснела.

В «Новостях» ее всегда звали просто Ляля.

— Ляль, это вы готовили?

— Я, Алексей Владимирович, а что?

— Да то, что чепуха страшная, вот что!

Ляля поднялась со своего стула, прижала к груди полные руки и перекинула за плечо косу. У нее была коса, как из сказки про сестрицу Аленушку.

— Алексей Владимирович, но вы же знаете, какая сложная ситуация вокруг театра и как там все трудно и запутанно! Говорить более конкретно нельзя, мы можем людей задеть или оскорбить! А они такие ранимые, и Большой театр...

— Вот я, — сказал Бахрушин и сверкнул на Лялю стеклами очков, — тоже очень ранимый, но более конкретный! И до появления этой... как ее... которая контракт не подписывает, там были сплошные скандалы, в Большом театре! Теперь еще один скандальчик! Правильно? Именно в этом был космический смысл сюжета?! Больше нам нечего сказать зрителям потому, что мы сами ничего не знаем?! Ляля, вы тридцать лет на телевидении, что я вам объясняю! Это вы мне должны объяснять, как сюжеты делают!

Стеклянная дверь приоткрылась, и вошла Храброва, без каблуков и грима, в джинсах, черном свитере и лакированных ботинках. Ники, увлекшись разбором полетов, чуть было не пропустил ее.

Она вошла и хотела за спинами шмыгнуть в последние ряды, но Бахрушин заметил ее.

— Алина, я начал с сюжетов, потом и до тебя дойдем.

— А можно я пока сяду, Алексей Владимирович? — тоном девочки-отличницы, опоздавшей на урок из-за спасения на водах старичка-инвалида, спросила она, и все засмеялись.

Бахрушин тоже улыбнулся.

Лучше бы не улыбался. Все моментально опустили глаза, как будто самое интересное происходило как раз на полу.

— Некуда садиться, Храброва. Не будете в следующий раз опаздывать.

— Есть место, Леш, — встрял Ники. — Вот, пожалуйста.

Алина оглянулась, ища глазами это самое место, обнаружила Ники, и у нее стало странное выражение лица. Переступая через чьи-то ноги, она добралась до свободного стула рядом с ним, села и сказала тихо:

— Большое вам спасибо.

Он кивнул, не глядя на нее.

Без «сделанного» лица она казалась лет на десять моложе, и у нее была светлая кожа, и пахло от нее изумительно. И кто-то посмел написать ей, что она сука, перед самым эфиром, и она от страха свалилась под стол и не могла оттуда выбраться!

Разве можно после всего этого еще и смотреть на нее!..

— А вот этот Лондон в финале зачем? — продолжал Бахрушин. — Вся страна должна знать, что вообще-то она в Лондоне живет, а здесь у нее просто хобби в виде Большого театра? А Тургенев так расстроился, что тем же вечером уехал в Баден-Баден?

Ляля затрепетала и перекинула косу обратно.

— Ну, хорошая же девочка, — сказала она жалобно. — Хорошая, Алексей Владимирович!

— Да шут с ней, с девочкой! — Бахрушин достал сигарету, закурил и поморщился. — Мы же не девочек показываем, а новости! А это не новость, Ляля, а... тухлый огурец, и вы это понимаете так же, как и я!

Губы у Кушнеревой странно подвинулись, подбородок вздрогнул, и глаза налились слезами. Алексей Бахрушин никогда не позволял себе ничего такого, особенно во время публичного «разбора полетов»!

Пожилая редакторша Тамара Степановна посмотрела на шефа так, что все решили, будто сейчас у него из макушки должен немедленно повалить дым, сунула Ляле платок и, сильно перегнувшись вбок, зашарила по карманам — искала валидол.

— Да, и к режиссеру вопрос! Там был адвокат, в этом сюжете. Кстати, единственный, кто смог хоть что-то внятное сказать. Почему он был без титров?! Из чего я должен сделать вывод, что это адвокат?! Из того, что у него усы?! Было полное впечатление, что это и есть директор театра, а потом, когда появился второй с титрами, что это он директор, я совсем запутался! Что, черт возьми, мы все тут делаем? Резвимся на лужайке? Развлекаем сами себя, как можем?! А можем плохо?!

Храброва рядом с Ники глубоко вздохнула, как перед прыжком в воду, и он все-таки посмотрел на нее.

У нее было серьезное лицо, и она, как в школе, подняла вверх руку.

— Можно я скажу, Алексей Владимирович?

Бахрушин мрачно посмотрел на нее.

— А потом я, — неожиданно предложил Ники. — Можно потом я скажу?

Бахрушин молчал.

Конечно, они знали. Все до единого. Ему было бы легче, если бы никто не знал.

Из-за того, что всем все известно, ему приходилось изо всех сил *делать вид*. Этот гребаный вид давался ему с каждым днем все труднее.

Он делал вид, что слушает на совещаниях. Делал вид, что работает, что ему есть дело до программы, вот как сегодня. Он пытался сделать вид, что такой же, как всегда, и у него это получалось плохо, плохо!..

Он не принял Беляева, который, едва прилетев, примчался в его приемную и торчал там два часа, не веря, что Бахрушин его так и не примет! Он не счел нужным принять. Перед Ники невозможно было играть, потому что тот оказался единственной и последней надеждой — именно он мог что-то видеть, слышать, знать! Именно он мог что-то рассказать такое, из чего хоть стало бы понятно, где искать!

Он притворялся, что верит Добрынину, который говорил: «Правда, делается все возможное, Леша».

Он притворялся — перед самим собой! — что все еще, может быть, обойдется.

На это уходили все силы, он весь словно покрылся открытыми язвами — где ни дотронешься, больно. Он не принимал сочувствия, потому что боялся, что не справится с ним. Он не отвечал на вопросы, потому что правда, не знал, чем это может кончиться — мордобоем, членовредительством, буйным помешательством.

Всю жизнь он боялся, что такое случится, и оно случилось, и оказалось в сто раз хуже того, чего он боялся.

А эти, которые знали... Все время они пытались как-то помочь ему, «войти в положение», простить за резкость, взять на себя, сделать за него, вот как сейчас Храброва!

Он бы отдал все на свете, чтобы они не относились к нему с... «человечностью и пониманием»! Он был бы рад, если бы ему удалось насмерть с кем-нибудь поругаться, чтобы ему наговорили дерзостей или гадостей, хамили и злили, задевали!.. Потому что именно на злость и ненависть он сейчас только и был способен! А перед ним постно опускали глаза, кивали и поддакивали — беда у человека, мы же понимаем, что мы, не люди, сами-то!..

Он молчал, и Храброва поднялась со своего места.

— Можно мне сказать, Алеша?

— Ну, говори, — разрешил он.

Она в центр комнаты не пошла, осталась как-то сбоку — впрочем, ей не надо было никуда выходить. Центр непременно перемещался именно в то место, где она стояла.

172

— Дело не в этом сюжете, — начала она быстро. — На самом деле сюжет не такой уж плохой, правда, Ляля!

— Спасибо, Алиночка...

— Сюжет — чушь собачья, — перебил Бахрушин, но Храброва не дала ему затеять перепалку.

— Плохо то, что мы делаем очень скучную программу.

— Точно, — сказал режиссер на ухо оператору.

— Это не программа «Двери», — резко сказал Зданович. — Какое тебе веселье, Алина?! У нас новости! Президент подписал, президент принял или не принял. Принял одного за другого, как в анекдоте. Что нам, клипов, что ли, в программу навставлять?!

— Костя. — Она даже руку сжала в кулак, Ники было видно, а остальным, за спинами, нет. — При чем тут клипы?! Здесь все знают, как делается информация, правда? Мы получаем три сотни сообщений и выбираем десяток, правильно? Ну, это не считая «паркста».

— «Паркет» — самая скукотень и есть, — не выдержал режиссер. — Как начинается, так моя теща непременно в ванную отбывает. И сидит там, пока до погоды нс доходит!

— Твоя теща не показатель, — сказал кто-то из редакторов.

— Да теща как раз и показатель! Средний гражданин нашей страны. Какого лешего, спрашивается, ей нужен посол республики Гондурас, или чего там в свободной Украине наголосовали!

— Да мы же государственный канал! У нас государственные новости, а они как раз про Гондурас и про украинского президента!

Поднялся шум. Вопрос неожиданно оказался актуальным.

— И про Гондурас, и про выборы на Украине можно сказать разными словами! — почти крикнула Храброва. — Разными! Так, что станут слушать...

— И смотреть, — вставил Ники, который все время

сидел, навострив уши. — Телевидение — это прежде всего картинка. Логично?

Алина кивнула в его сторону, поблагодарила за поддержку.

— Или станут слушать и смотреть, или не станут. Эту историю с Большим театром можно было снять как детектив! Подозреваемый, жертва, и адвокат в роли папаши Пуаро! Кстати сказать, вовсе не обязательно балерина — жертва. Может, директор — жертва. Так даже еще интереснее!

— Алина, у нас новости! — рассердился Зданович. — Ты что?! Какие детективы?!

Но Храброву было не остановить.

— И картинки у нас скучные. Ну что это такое! Идут троллейбусы по Москве, в них едут люди. Это сюжет про пенсионную реформу. Ну, хорошо. Следующий сюжет про выборы. Опять троллейбусы, а в них опять люди, вы не поверите!

— Кстати, Храброва сегодня выглядела хорошо, — сказал Зданович примирительно.

Бахрушин подачу принял, но сыграл сразу на вылет.

— Первый раз за все время! Два месяца не могли снять как следует. Беляев приехал — и пожалуйста, сняли! Кстати, Ники, это твои проблемы. Это твоя команда, и раз они без тебя не могут работать, значит, ты плохой начальник.

— Логично, — согласился тот. — Только из Афгана контролировать подчиненных я не могу.

Бахрушин повернулся и посмотрел ему в глаза.

Ники был последним, что осталось от Ольги, если так можно сказать.

У них двоих в Афганистане были общая трудная работа, общие опасности и проблемы. Бахрушин тут совсем ни при чем. Ники был с ней рядом, а Бахрушин — за тысячи километров. Они вместе мокли, мерзли, боялись бомбежек, получали разрешения на съемки, искали на рынке еду, радовались пришедшей с оказией банке с кофе, монтировали сюжеты, ездили верхом и мечтали поскорее вернуться.

У Ники и его жены было общее прошлое — такое, которое или уж соединяет навсегда, или растаскивает в разные стороны, тоже навсегда.

Бахрушин ничего не мог с этим поделать.

— Дело не во мне, — Беляев неторопливо поднялся. Стоять ему было неудобно, потому что он очень большой, а места мало, поэтому, двинув стул, он пристроил на сиденье одно колено. Вечно он нарушал протокол, не соблюдал этикет, молчал, где нужно говорить, и выступал, когда лучше было бы промолчать. И все ему прощалось, и никогда его выступления не выглядели неуместными, а молчание вызывающим.

Как это у него получалось — загадка.

— Дело не во мне, а в том, что тут все развели... детский сад! В игрушки играете. Про программу забыли.

Зданович моментально сделал ироническое лицо и поднял брови домиком.

— Что это значит, Ники?

— Да то и значит! Никто не понимает, что ли? Пришла новая ведущая, и все давай в бутылку лезть! И так, и эдак! И снимаем, как на тамбовском областном слете ударников, и подводки пишем, как на первом курсе института культуры, отделение циркового искусства!..

Все засмеялись чуть-чуть, пришли в движение и вновь затихли в изумлении — никто и никогда не позволял себе говорить вслух что-то подобное. Конечно, все об этом знали, но вот так, на собрании, при всем честном народе, сор из избы?!..

Ну дает, Беляев, ну совсем голову потерял на своей войне!

— Ники, — сказал Зданович. — Прекрати.

— Да ладно тебе, Кость! Есть сто тридцать три способа угробить ведущего. Грим, свет, съемка и текст — это только первые четыре!

Опять поднялся шум, на этот раз несколько угрожающий, хотя все еще как будто растерянный. Оттого что Беляев был во всем прав, команда чувствовала себя неловко.

Никто не желал признавать, что он прав!

Бахрушин молча курил.

Ники повысил голос:

— Да ладно! Я же не по радио выступаю на всю страну! А здесь все свои! Я сегодня в приемной у... Алексея Владимировича три выпуска посмотрел — вчерашний с... Алиной, — он чуть-чуть запнулся на ее имени, — и два сегодняшних с какими-то хлопцами и дивчинами, дневные. Так дневные лучше наших! Это я вам точно говорю, потому что у меня глаз не замыленный!

— Беляев, ты бы в творчество не лез! Ты стоишь за своей камерой, и стой себе!

— Да я, блин, не за камерой стою, я дело делаю, общее для всех!

— Почему вы считаете, Никита, что можете всех тут безнаказанно оскорблять?!

— Да что он понимает-то?!

— ... режиссерское решение как раз и требует...

— ...а грим у нас всегда нормальный...

— А хотите, я вам скажу, почему у дневных бригад выпуски лучше?! — перекрывая шум, почти заорал Ники. — Хотите?! Потому что они своих ведущих поддерживают! А мы гробим!

Произошла немая сцена.

На комнату «новостей» словно опрокинули корыто с ледяной водой — все моментально смолкли, как подавились, вытаращили глаза, а некоторые, вроде пожилой редакторши Тамары Степановны, даже стали хватать ртом воздух.

Сразу стало слышно, как гудят еще не выключенные компьютеры, а за стеной с визгом отматывается кассета — в-з-з, в-з-з-з...

— Ты чокнулся, что ли, Беляев? — среди всеобщей тишины спросил Зданович.

176

— Я не чокнулся, — ответил Ники совершенно спокойно.

За изумление, написанное на лице у Алины Храбровой, суперзвезды и блестящей телевизионной ведущей, он, пожалуй, готов был бы стерпеть не только неудовольствие главного сменного, но и что-нибудь похуже.

— Я вчера вернулся, — вдруг объявил Ники. — Точнее... — Он полез в карман, вытащил телефон и посмотрел в окошечке время. Он никогда не носил часов. — Точнее, вернулся я сегодня. Я все пропустил, ребята! Все ваши междоусобные войны. Я даже приход Алины пропустил. И у меня к вам деловое предложение.

Бахрушин усмехнулся, но так ничего и не сказал.

Деловые предложения Ники были ему хорошо известны.

— Значит, так. Предлагаю всем немедленно зарыть топор войны и некоторое время делать программу как надо. Чтобы рейтинги вернулись и никого не вынесли с поля боя в белых тапочках. Ну, а потом, когда вершина славы, черт ее побери, будет уже видна, каждый для себя решит сам — продолжать или остановиться на достигнутом. Ну что? По-моему, все логично.

Он говорит это вовсе не всем, вдруг поняла Алина. Он говорит это только одному человеку. Тому самому, который пишет мне записки и оставляет их в верстке перед самым эфиром.

Тому самому, который сегодня из-за студийных камер или из-за стекла аппаратной пристально следил за мной, выискивал на моем лице что-то, понятное только ему одному. Который ждет, что я сорвусь в истерику и депрессию.

Которому зачем-то нужно лишить меня самообладания и сил.

Только ему одному.

И еще ей показалось, что Ники говорит так специально — чтобы тот человек понял, что он теперь *тоже знает*. Что она теперь не одна.

Возможно, она все усложняла по своей женской и телевизионной привычке, возможно, Ники Беляев вовсе не придумывал ничего такого сложного и не собирался с места в карьер ее защищать, но... ей хотелось, чтобы он ее защищал.

Кроме того, теперь она и вправду была не одна.

После того как она рассказала Бахрушину, ничего не изменилось.

Ники как будто все взял на себя, хотя ничего такого не сделал и не мог сделать за пятнадцать минут до эфира, да еще увидев ее впервые в жизни... вылезающей из-под стола!

— Ну как? — повторил Ники. — Логично?

Бахрушин потушил сигарету и спросил довольно сварливо:

— Что ты хочешь услышать, Беляев? Что ты один прав, а мы тут все только интригами занимаемся?!

— Леш...

— Самое печальное, что ты на самом деле прав, — громко сказал Бахрушин, — хотя я уверен, что зря ты старался. Такие вопросы кавалерийским наскоком не решаются.

— Алексей, неужели ты думаешь, что кто-то специально работает плохо, чтобы Алина... — начал Зданович.

— Я предлагаю тему закрыть, — твердо сказал Бахрушин. — Храброва выступила. Беляев выступил. Мы послушали. Хватит. Продолжаем с того места, на котором остановились. Храброва, почему, как только речь заходит о каких-то благотворительных или праздничных мероприятиях, ты начинаешь сюсюкать и пришепетывать?! Ты что, думаешь, что так убедительнее выйдет?!

— Я не обращала внимания.

— Обрати, пожалуйста. И пусть режиссер обратит! И на гостей пусть кто-нибудь тоже обратит хоть что-нибудь! Ты разговариваешь с гостями так, словно всю жизнь ждала, что к тебе кто-то придет, а он все не шел, а теперь явился, и это такой подарок судьбы! Ты просто вся в любви к этому гостю утопаешь, а это неправильно!

— Я пытаюсь просто... проявлять интерес.

— Следующая стадия такого интереса — это поцелуи взасос!

— Алеша, я стараюсь, чтобы гость, во-первых, чувствовал себя комфортно, во-вторых...

— Алина, стараться, чтобы гость чувствовал себя комфортно, должна Дина Африканова с восьмого канала! Ты в другой весовой категории. Тебе десять лет назад надо было стараться, а теперь уже нет!

Ники снял колено со стула и сел — словно дальнейшее его не интересовало. Зданович проводил его взглядом.

После этого обсуждение как-то быстро съехало на то, что кофе в аппаратах пить невозможно и хорошо бы сбрасываться по полтиннику на приличный, а также машины на развоз сотрудников заказывать заранее, потому что начальник координации ругается.

Бахрушин послушал-послушал и потом встал и сказал, что концерт окончен.

— Давайте по домам, ребята. Всем спасибо, все свободны.

— Маша, Маша, не забудь, у нас в холодильнике сосиски!

— Кость, так, значит, завтра «Фольксваген» ты сам пишешь?

— Вместо Брандта завтра в эфире Лена Малышева. Света, с утра надо ее секретарше позвонить, напомнить!

— Девочки, а ей нужен грим?

— У нее свой гример!

— Кто со мной едет, я в сторону «Алексеевской»?!

— Алин, — Костя застегнул портфель и сунул в карман сигареты, — тебя подвезти или ты на машине?

— Я на машине, так что спасибо.

Он помедлил, пропуская народ, тащившийся к выходу.

— Алин, ты не думай... Беляев тут наговорил... Мы никогда...

— Я все понимаю, — сказала она телевизионным голосом и улыбнулась телевизионной улыбкой. — Новый ведущий — это всегда проблемы. Конечно, я знаю, что никто специально мне никаких козней не строит...

Строит, быстро подумал Зданович, отводя глаза от очень красивого лица. Еще как строит!

Впрочем, это не его проблемы.

Если звезды зажигают, значит, это кому-нибудь нужно. Сами по себе они загораются очень редко. Почти никогда. Нужен некий подъемный кран, который вознесет на небосвод. Все знали, что подъемный кран Храбровой Ахмет Баширов славен и всемогущ, как эмир бухарский, и богат, как Гарун Аль Рашид.

Кто посмеет с ним тягаться?!

А Беляев идиот. Странно, что Бахрушин этого не понимает! Вот так, при всем честном народе, взять и ляпнуть, что Храброву зажимают и подставляют!.. Это сегодня он здесь ляпнул, а завтра... Завтра где ляпнет?!

От Беляева надо избавляться, пока он не наделал дел.

Это трудно, потому что Бахрушин тащит его за собой, хотя разговоров о том, что Ольга Шелестова с шефом операторов спит, было очень много. Впрочем, говорят, что есть мужики, которые специально содержат любовников для жен. Будто так спокойнее и все под контролем.

Он, Костя, так не смог бы. Ни за что.

И, чувствуя свое глубокое внутреннее превосходство и над Бахрушиным, и над Беляевым, Костя неторопливо пошел к лифтам.

Нужно придумать, как избавиться от Беляева.

В пустом коридоре, тянувшемся вдоль всего здания, курили двое, довольно далеко, и Костя чуть приостановился, чтобы посмотреть, кто это.

Оказалось, что это Бахрушин и тот самый Беляев, будь он неладен!

Избавиться от него будет трудно. Впрочем, нет ничего невозможного.

Стена. Кажется, бетонная. Сырая.

Очень холодно. Так холодно, что стынет дыхание, превращается в пар.

Пахнет гнилью и плесенью.

Лампочка под потолком, очень слабая, не видно, что там, в углах.

Сидеть на полу нельзя, холодно. Стоять у стены тоже нельзя. Ужасно холодно.

Брезентовая раскладушка. Брезент по краям сгнил, и пружины с крючками торчат наружу. Лежать на ней долго нельзя — дужки давят на шею и поясницу, а спина как будто висит. И очень холодно! Кажется, что все внутренности свело.

От холода и голода.

Ольга все время ходила. Как маятник. Как обезьяна в клетке, которая мечется по крохотному пятачку, от решетки до решетки, а сторожа смеются и говорят, что у нее «помрачение».

Помрачение.

Захват оказался гораздо менее зрелищным и красивым, чем в кино. Одна машина впереди. Другая, та, в которой ей померещился Масуд, сзади. Афганцы, «калашниковы», короткоствольные американские автоматы. Всех вышвырнули из салона, обыскали, лицом в капот, мешки на голову.

— Я не хочу, — все скулил один из мальчиков с Первого канала, — я не хочу, отстаньте от меня!..

Он скулил так по-детски и так жалобно, что очень быстро им надоел и ему дали прикладом по зубам. Он вытаращил побелевшие глаза, кровь хлынула изо рта, он захлебнулся и затих.

Потом пленных затолкали в разные машины — головой вниз, в колени, как баранов, — и долго везли.

Очень долго.

Ольга была уверена, что разогнуться больше никогда не сможет, что она умрет в этом постыдном, согнутом, нечеловеческом состоянии. Спина болела так сильно, что из глаз сами собой лились слезы, не потому, что Ольга хотела плакать, а потому, что какие-то нервы оказались переплетены между собой и теперь давили и лезли друг на друга.

С каждым толчком машины становилось все невыносимей и невыносимей, а потом вдруг как будто кто-то сказал внутри ее головы:

— Нет. Не может быть.

Голова моталась, стукалась то в дверь, то в переднее кресло, а внутри нее кто-то чужой бормотал непрерывно:

— Нет. Нет. Не может быть, что все это происходит со мной.

Это не меня бородатые люди с автоматами везут куда-то, и ясно, что везут убивать. Всех убивают, и меня тоже убьют. Они больше ничего не умеют. Они родились только для того, чтобы умереть, захватив с собой еще несколько жизней. Или несколько десятков жизней. Или сотен.

Не может быть, что это случилось со мной, так не бывает. Ведь у меня броня. Страховка. Редакционное удостоверение на шее — ламинированный кусочек картона. Я ни в чем перед ними не виновата, я просто журналист. Свобода слова. Первая поправка.

Кому в этих горах нужна свобода слова и первая поправка?!

Слезы лились, капали с носа, а вытереть их было нечем. Они скатывались на грубую ткань грязного мешка, который, наверное, совсем промок.

Как они станут убивать меня? Долго? С наслаждением? Или быстро и просто? А вдруг не убьют сразу?! Что будет со мной, если не сразу?! Что они успеют сделать с моим телом и моей душой до того, как убьют меня?!

Или у меня больше нет ничего своего — ни души, ни тела, — и я просто субстанция, биомасса, мешок костей и мяса?!

Машина тряслась, голова колотилась в переднее кресло, слезы лились без остановки.

Ольга знала, что ее жизнь кончилась, как если бы кто-то из них сказал ей об этом. Ей только хотелось, чтобы она *на самом деле* кончилась побыстрее, и еще ей казалось, что это время, пока она еще не умерла, но и в живых ее тоже больше нет, дано ей для того, чтобы проститься.

С Алешей, с мамой, с собакой Димкой, приблудившейся прошлой зимой, и она очень сердилась на себя за то, что попрощаться никак не может, что ей мешает эта подлая боль в спине, и скрученные сзади руки, и унизительная поза, и то, что нос распух, чешется, и трудно дышать!..

Потом машина остановилась, и она, сжавшись, насколько могла, стала ждать, когда ее начнут убивать, и молилась, и надеялась на то, что это будет быстро, лучше всего прямо сейчас, и нос чесался невыносимо!..

Ее вышвырнули из машины, подняв за воротник и ремень, как овцу, она упала на камни, взвыла от боли, и ее в первый раз ударили — она не поняла чем, — в спину, и как-то так, что в глазах все стало ослепительно белым, а в ушах звук осел и замедлился, словно кассета закрутилась на пониженных оборотах.

После этого у нее еще долго была какая-то странная вязкость в ушах.

Опять тычок, и ее сильно ухватили за мешок. Она захрипела и поднялась с колен. Куда-то ее вели, но она плохо понимала, долго ли ведут и куда поворачивают, потом короткий каменный грохот, еще один удар в спину, но не такой сильный, мешок с головы сильно дернули, кажется, вместе с волосами, и она полетела вниз, на холодный бетонный пол.

Нет. Не может быть.

Неужели все это на самом деле произошло со мной?

Но вот пол — бетонный. Вот стены — ледяные. Вот раскладушка — ржавые зубы пружин давно прогрызли побелевший от времени советский брезент.

Холодно, холодно так, что вокруг рта стынет дыхание. Очень болит спина, и на кистях рук сильно содрана кожа.

Значит, это я? Значит, все это происходит сейчас со мной?!

Она даже не сразу сообразила, что парней, которых захватили вместе с ней, здесь нет и в машине не было, что она почему-то одна, совсем одна, как припомнившаяся ей давеча обезьяна в клетке.

Ольга думать не могла о том, что уже случилось с ними.

И не думать тоже не могла.

Почему-то она совсем не надеялась на то, что кто-то спасет ее. Наверное, было бы хуже, если бы вместе с ней оказался Ники. Ей пришлось бы надеяться на него, потому что она *привыкла* к этому, а что он мог сделать!..

Потом она рассердилась на него за то, что он остался на том блокпосте, цел и невредим, а она здесь, в этом ледяном кошмаре, и это так неправильно и несправедливо!

Он не смел так поступить с ней, бросить ее одну, когда ей больно и страшно, и оставить ее умирать, и еще даже неизвестно, умрет ли она сразу!

«Господи, если мне суждено это, пусть все произойдет быстро! Пожалуйста. Ты же меня знаешь, я ничего не вынесу, если долго. Я просто не вынесу. Так что ты возьми меня побыстрее, господи, прошу тебя, если можешь, то прямо сейчас, с этого холодного бетонного пола».

И она села, и стала ждать, и это длилось довольно долго, а потом встала и начала ходить, потому что сидеть дальше стало невозможно.

184

Потом она легла и, кажется, уснула, но разве можно уснуть в бетонном подвале с единственной лампочкой, на раскладушке, где есть только алюминиевые дуги, а брезент давно сгнил, и ржавые оскаленные пружины впиваются в бока?!

Ей снился сон, в котором все было — дом в Кратове, очень старый и очень неудобный, которым Бахрушин тем не менее гордился. Дом строили его бабушка и дедушка в сороковых годах. Тогда даже академикам и профессорам строить было особенно не из чего и не на что, и дом получился не очень. Он оказался вытянут в одну сторону и как-то нелепо приплюснут с другой, и единственное, что было хорошо в нем, — это терраса с окнами от пола до потолка, с бревенчатой стеной, с самоваром на скатерти, со старинным блюдом, в которое каждое лето выкладывали белый налив — по яблочку. Осенью, когда потихоньку осыпались листья со старых яблонь, на этой террасе становилось особенно просторно, светло, и деревом пахло как-то грустно, будто прощально. И антоновка в деревянном ларе лежала холодная, плотная, желтая, налитая острым соком. Ольга до самых холодов пила на этой террасе чай, грела руки о чашку, и самовар шумел, и листья летели за высокими окнами.

Еще в ее сне был Бахрушин, который приходил к ней на террасу, приносил плед и неловко накрывал ее — он вообще ухаживал за ней как-то неуклюже. Если она работала, он, посидев немного, вставал и уходил, а если думала, приваливался к ней боком и сопел успокоительно, как приблудная собака Димка, когда набегается по холоду и вернется в дом, к теплу и покою.

Было деревце, дрожавшее у забора и ронявшее листья на траву. Были под сосной деревянные качели на длинных палках — рассказывали, что эти качели когда-то повесил Вертинский, потому что его дочери дружили с матерью Бахрушина, а их участок находился как раз через забор. Еще рассказывали, что в соседней даче, за другим забором, обитает привидение, потому что девица, дочка хозяйки, была влюблена в Шаляпина и однажды после его концерта с горя утопилась в пруду. А теперь дачу никто не снимает, так как привидение очень беспокойное — шумит по ночам, бродит по дому, а извести его никак не удается.

И еще что-то было у нее во сне, очень важное, самое главное, такое, о чем никогда не думалось раньше, и вспомнилось почему-то именно теперь, но, проснувшись и увидев перед собой низкий серый потолок, Ольга вдруг поняла, что вспомнить не может.

Она смотрела на потолок и заставляла себя — ну, вспомни, вспомни! А когда поняла, что это невозможно, заплакала навзрыд.

Раскладушка заходила ходуном, и оставшиеся в брезентовых деснах гнилые зубы пружин заскрипели старческим скрипом, и Ольга кое-как сползла с раскладушки на пол, и рыдала, и корчилась, и грызла себе пальцы.

Наверху загрохотало, и она вскочила, заметалась и бросилась в самый дальний угол, и замерла там, потому что была уверена — это пришли за ней, чтобы начать ее убивать.

Сверху спустилась деревянная лестница, и по ней затопали военные ботинки с высокой шнуровкой. Ольга, сунув кулак в рот, чтобы не закричать, смотрела, как они спускаются.

Человек слез с лестницы, постоял, глядя на нее, потом свистнул, и сверху ему проворно подали деревянный ящик, на который он уселся прямо под лампочкой.

И тут, под лампочкой, Ольга его разглядела.

Масуд, корреспондент «Аль Джазиры».

— Привет, — сказал он по-английски. — Вы отдаете нам кассету, и мы вас отпускаем домой. Вы не отдаете нам кассету, и мы вас убиваем. Все очень просто.

— Леша, это ни фига не похищение с целью выкупа, понимаешь?! Это что-то другое, точно тебе говорю!

Бахрушин молчал, курил, смотрел в окно, на свет

прожекторов, подсвечивающих голубые ели. В синих прожекторных полосах сыпал дождь, лужи блестели на асфальте.

— Поэтому и следов никаких нет, и никто не объявлял никаких... денег.

— Почему — поэтому?

— Потому что, когда я вернулся в гостиницу, в ее номере был полный разгром!

— Ну и что?

— Кто мог туда влезть?

— Да кто угодно, — сказал Бахрушин. У него сильно болела голова. Вообще теперь не было ни одного дня, когда бы у него не болела голова. — Жулики. Бандито-гангстерито.

Ники Беляев посмотрел на него и, кажется, в последнюю секунду поймал себя за язык, чтобы не выматериться.

— Какие жулики, Леша?! Что у нас можно украсть?! Спальные мешки?!

— Что всегда крадут у всех. Деньги.

— У нас не было денег. У нас даже на карточках лежало всего по сто пятьдесят баксов! Ну, ты же знаешь, никто не возит с собой денег, и все там об этом знают. В смысле, в горах! У кого много денег, тех убивают. Какие у журналюг деньги, Леша! Вся наличка в корпункте хранится в сейфе.

Бахрушин еще помолчал и покурил.

Все в нем сопротивлялось и не желало слушать. От этого сопротивления, как и от деланья лица, его почти тошнило.

Кроме того, Бахрушин видеть не мог Ники.

Он вернулся, а Ольга осталась.

Ники стоит теперь перед ним, в телевизионном коридоре, такой... здоровый, огромный, очень уверенный в себе, с огоньком в дьявольских черных глазах, а Ольга...

Ольга.

Дальше Бахрушин думать не мог, как будто железная дверь захлопывалась, сходились бронированные створки. Инстинкт самосохранения?

Он был убежден, что, как только подумает чуть-чуть *дальше*, ему немедленно придет конец.

Он отвернулся якобы затем, чтобы потушить сигарету, и получил некоторую передышку — черные глаза теперь сверлили ее затылок, а не смотрели в лицо.

Ты слабак, сказал он себе презрительно. Слюнтяй. Червяк.

Ты не можешь себя заставить, а он, быть может, говорит дело. Ты не можешь знать, потому что *ты* там не был. Ты должен его выслушать, как бы это ни было трудно.

Ты пестуешь свое истерическое горе, а должен оставаться в здравом уме. По крайней мере, до тех пор, пока все не станет ясно... до конца.

До конца.

— Говори, Ники, — приказал он, кое-как справившись с собой. — Что ты хотел сказать?

— Это не просто очередная история с заложниками. Что искали у нее в комнате?! Даже матрас распороли! Зачем туда влезли?! Когда влезли? У нас весь этаж заселен, в каждой комнате живут. Они рисковали, что их заметят, полицию вызовут!

— Какую полицию, Ники?! Какая полиция в Кабуле?

— Ну, какая-то полиция там есть. Но дело даже не в этом. Представь себе, что к ней в комнату влезли жулики и шуруют. Откуда им знать, что она именно в этот момент не вернется?! А возвращалась она всегда со мной! А я для жуликов... короче, они как-то предпочитают со мной не встречаться, понимаешь?

— Понимаю.

— Выходит, знали, что ее нет и не будет? А если так, значит, это те же, кто ее... увез. Так или не так?

Бахрушин соображал с трудом.

Для него это было началом конца всей его прежней жизни. То есть он, конечно, понимал, что вряд ли завтра пойдет и утопится, но он не мог себе представить, как станет существовать в оставшийся отведенный ему срок.

Как?! И зачем?!

Для Ники же это было нечто такое, что поддавалось не только осмыслению, а даже некоторой попытке решения.

Он изо всех сил старался навязать Бахрушину свое отношение — и не мог.

Ники решил, что понимает то, что чувствует тот, и его понимание было так же далеко от правды, как представление в театре наводнения в Питере.

— Ники, я не врубаюсь, о чем ты говоришь.

— Я о том, что в номере у нее точно что-то искали. Из кошелька вытряхнули все деньги, но это не в счет.

Тут Бахрушин вдруг посмотрел на него с первым проблеском интереса, словно Ники наконец сказал что-то особенное, задевшее его.

Так оно и было.

Пока разговор шел просто ни о чем — о каких-то идиотских Никиных соображениях, он мрачно думал только о том, что надо как-то отвязаться от настырного собеседника, вернуться в кабинет, набрать номер Добрынина, узнать, может, есть какие-то новости в МИДе. Добрынин обещал еще утром, что непременно позвонит в МИД.

Когда Ники сказал «кошелек», все открытые язвы вдруг обожгло болью, его дернуло током с головы до ног.

Бахрушин отлично помнил этот кошелек — из коричневой кожи, с какими-то важными золотыми штучками, которые свидетельствовали о том, что это «Шанель».

— Есть духи «Шанель», я точно знаю, — говорил Бахрушин, — при чем тут кошелек!

Ольга сердилась и говорила, что раз уж он дожил до сорока лет, ничего не понимая, то она и объяснять не станет!

Кошелек был словно частью ее, и он вдруг вспомнил Ольгу так, как не вспоминал ни разу за все эти дни. Так, что пришлось сильно сцепить зубы, чтобы не завыть.

Ники опять ничего не понял, кроме того, что Бахрушин вдруг как будто очнулся. Пока еще не было понятно, хорошо это или плохо, но на всякий случай Ники решил продолжать.

— Накануне она посылку получила. Из Парижа. От какой-то Вали. И странная история вышла. Ольга говорила, что никакой такой Вали не знает, и еще записка там была, тоже непонятная. Я думаю, может, все дело в этой записке, а?

— Посылка? — переспросил Бахрушин мертвым голосом.

Ники посмотрел на него. Он был выше и поэтому посмотрел сверху вниз.

— Да. Пришел Борейко из «Интерфакса», сказал, что Ольге пришла посылка. И мы поехали за ней.

— И что в ней было, в этой посылке?

Вопрос прозвучал так странно, что Ники ответил не сразу. Сначала пожал плечами.

— Кофе. Колбаса какая-то. Мы ее съели. И кофе выпили. Ну, не весь, конечно...

Ольга пила кофе и ела колбасу, присланную во французской посылке. С Ники Беляевым, который стоит сейчас рядом с ним, целый и невредимый, а она, а ее...

Бахрушин понятия не имел, что способен на подобное.

Никогда. Ни за что.

У него было чувство юмора, и чувство самоиронии, и чувство собственного достоинства, и еще тьма каких-то нужных чувств!..

Он вдруг схватил Ники за водолазку, так что тот от

неожиданности нагнулся, двинул назад и прижал спиной к стене.

— Ты скотина! — сказал он ему. — Ты ее бросил! Ты бросил ее одну, ублюдок!

И он ударил его в лицо, но промахнулся, вышло в ухо, и голова у Ники качнулась в сторону, как у деревянного Буратино.

— Ты вернулся, а она осталась! Ты с ней кофе пил, твою мать!..

Он ударил еще раз, а потом Ники опомнился и тоже схватил Бахрушина за водолазку, и это хватание друг друга и какие-то чавкающие, смазанные удары были отвратительны, как в оперетте!..

— Послушай, — в лицо ему прохрипел Ники, — нет, ты послушай меня! Я каждую секунду об этом помню! Ты понимаешь?! Каждую! Что это я во всем виноват! Что надо было ее не отпускать, а я отпустил, потому что у нас ведь эфир, мать твою!! И я отпустил! И помирать буду, не забуду, что это я, я!.. И ты мне не говори, что я виноват, я сам знаю! И надо думать, как спасать ее, а ты хнычешь, твою мать, как истеричка!..

Повисло молчание.

В коридоре никого не было. Дождь летел за окном, заливал асфальт и крыши машин, в которых плавали и струились огни.

— Пусти, — сказал Бахрушин и стукнул его по рукам. Глупо было стоять в коридоре, вцепившись друг в друга. Продолжать лупить друг друга по физиономиям было еще глупее. — Пусти, ну!

Ники с некоторым усилием оторвал от него руки, отвернулся и вытер мокрый лоб.

Они еще помолчали и одновременно закурили.

— Я не прав, — сказал Бахрушин. — Просто это очень трудно.

— Я знаю.

— Да ничего ты не знаешь!..

— Да, — вдруг признался Ники. — Наверное, ты прав.

Нужно было какое-то время, чтобы заново приспособиться друг к другу, и они еще покурили, глядя каждый в свою стену.

— Пошли, — сказал наконец Бахрушин. — Поговорим.

— Куда?..

— В кабинет. Или лучше в машину. Наверное, надо уезжать, поздно уже.

Ники выудил из джинсов свой знаменитый телефон и посмотрел. Бахрушин усмехнулся.

— Ты на машине, Ники?

— Да нет, черт побери! У меня машина-то англичанами даденная, и я ее еще не забирал.

— Тогда пошли в мою, я тебя подвезу. Далеко тебе?

— Неблизко, — протянул Ники. — Сначала на оленях, потом на собаках, потом на байдарке. В Северное Бутово.

— Скотина, — оценил Бахрушин. — Поехали в Северное Бутово.

В холодной машине стекла сразу запотели, и Бахрушин включил отопитель, откуда понесло теплом, и нестерпимо захотелось спать.

Ники тут же зевнул.

Дворники с мерным стуком сгоняли на капот воду.

— Не спи, — приказал Бахрушин. — Говори. Сейчас пусто, мы до твоего Бутова в два счета доедем.

Ники кивнул и сунул ладонь почти в решетку. Ладони стало тепло, а он теперь все время мерз. То ли оттого, что сильно нервничал, то ли оттого, что не спал. Он всегда страшно гордился тем, что не мерзнет, даже в самые жестокие морозы ходил без шапки, только иногда накидывал капюшон, впрочем, какая оператору шапка!..

Было еще множество штучек, таких же глупых, которыми он гордился, — Ольга всегда смеялась над ним.

— Ники?

192

— Да. Сейчас.

В багажник бахрушинского «эксплорера» были брошены его сумка, рюкзак и куртка. Эти сумка, рюкзак и куртка и были основной частью его жизни.

Он еще не был дома — и отдал бы сейчас все, что угодно, только чтобы туда не приезжать. Хорошо бы опять в самолет — и в очередную командировку. В Антарктиду, к примеру, или на острова Франца Иосифа.

Вот интересно — все, что угодно, это много или мало? Это сколько? И чего?

У Ники Беляева не имелось решительно ничего, что можно было бы отдать, кроме черной сумки и операторского рюкзака, но он и их бы отдал, пожалуй.

— Ники, твою мать! Ты меня извел разговорами, а сейчас спишь?!

— Я не сплю, — возразил тот, зевнул и мужественно подавил зевок. — Леш, я с самолета, и мне малость... не по себе.

— Это твоя инициатива. С разговорами.

— Да. Я знаю. Сейчас.

Он достал сигареты, купленные в Жуковском, куда прилетел самолет, не те, которые курил обычно. Сигареты были слабые, «мадамские», как он называл их про себя, и нисколько не помогали.

— Давай сначала, — предложил Бахрушин, притормозив на светофоре. — Что за посылка, что в ней было, какая записка?..

— Она получила посылку. Из Парижа. От какой-то Вали, которую знать не знала. И текст какой-то идиотский, про Пхеньян, про последний день в Довиле. Про то, что сто лет не видались.

— Ольга в Довиле не была никогда.

— И она сказала, что не была! — Ники сел прямее и сильно затянулся. — Мы думали, что ошибся кто-то, но кофе решили того... выпить. Там без него труба.

— Ты думаешь, эта записка как-то связана с похищением?

— Леша, нечего было в номере искать, кроме записки! И не взяли ничего. Деньги взяли, но это не в счет!

Бахрушин опять притормозил на пустой дороге, повернул, посмотрел в зеркало и выскочил на МКАД. Ники отвернулся. Он терпеть не мог ездить... пассажиром. Он всегда ездил только за рулем.

— А ты точно помнишь, что там было написано?

— Точно я не помню, — сказал Ники. — Но можно посмотреть.

— Как?!

— Да так. Она у меня в рюкзаке.

— Твою мать, — тихо сказал Бахрушин, начиная почему-то верить во всю эту дикость с посылкой и Валей из Парижа. — Как она у тебя оказалась?!

— Ольга прочитала и бросила, а я забрал. На всякий случай. Чтобы потом не было вопросов, что мы чужую колбасу сожрали и чужой кофе выпили. Я вообще не люблю... швырять бумаги.

— Ты даешь, Ники.

Машина летела по пустому шоссе, объезжала Москву, веером разбрасывала на две стороны дождевую воду.

Как это было недавно, в горах?

Ночь после бомбежки, «уазик», бородатый человек за рулем. Странное ощущение края бездны. Тогда он почувствовал его впервые, спиной, кожей. Сердитая река неслась по камушкам, и машина, врезавшись в нее, так же на две стороны разрезала темную воду, блестевшую в свете фар.

Ники закрыл и открыл глаза.

Москва, ночь, синий свет фонарей, стрелки указателей, подсвеченные белым, клокастые тучи над городом.

В какую секунду изменился мир? Он даже не заметил.

— Я покажу тебе эту записку. Ты посмотришь. Ты должен точно вспомнить, кто у нее есть в Париже, кто мог это прислать?! Зачем они могли ее искать, те бандиты? Может, там какой-то секретный код?

— Да какой еще код!

— Я не знаю, Леша! Понятия не имею.

Теперь предстояло сказать самое трудное, и он некоторое время собирался с силами.

— Есть еще одна штука.

— Какая?

— В тот вторник, когда... когда все случилось, мы с ней ездили в горы.

— Я помню. В Калакату.

— Точно. Я снимал, а она разговаривала с командиром военной части, которая там стоит. Я при разговоре не был, с японцами обстрел снимал.

Бахрушин вдруг сильно забеспокоился, как будто можно было беспокоиться еще сильнее.

— Ну и что?

— Она все хотела его на интервью склеить, этого придурка, а он не соглашался, как я понял. Это он ей сказал про американский десант и про то, что талибы в наступление собрались.

— Ну и что?!

Ники нажал кнопку, опустил стекло и выбросил сигарету. В машине сразу стало холодно, и глаза пришлось закрыть, потому что ветер бил в лицо, мешал смотреть. Но поднимать стекло он не стал.

— В город ведет только одна дорога, — сказал Ники твердо. — Та, на которой их захватили. Я на следующий день поехал. Утром, как только рассвело. Я искать решил, понимаешь? Я считал, что у меня ксивы всякие и вряд ли они осмелятся на следующий же день!.. И поехал.

Бахрушин коротко взглянул на него.

— Я нашел то место, где их взяли. Чуть в стороне от дороги. Шины все хорошо пропечатались, там же пыль сплошная, и ветра тогда не было. Накануне был, а в ночь прекратился. И следы, конечно. Там тьма следов этих, как будто... отряд штурмовал. Ну, потом две колеи, налево и направо, до дороги. И все, больше ничего.

— Ники.

— Я нашел ее диктофон, — договорил он быстро. — В пыли, за камнями. Она его вечно к ремню пристегивала, а там эта штука такая ненадежная! Сто раз хотел сделать и все забывал, будто знал, что она его потеряет!

У Бахрушина так сильно взмокли ладони, что руль поехал из потных пальцев, пришлось его перехватить.

— В диктофоне кассета. Целая. Я ее привез, Леш. На кассете запись ее разговора с этим самым командиром. У него какое-то странное имя, Готье или что-то в этом роде.

— Какой еще... Готье? — повторил Бахрушин почти по слогам. — Или он француз, что ли?!

— Я не знаю. Почти ничего не слышно, но я так понял, что, когда он ее возил в горы, к ним подъезжали какие-то люди, а потом он ее предупредил, что они кого-то ищут. Журналистов. И имя назвал того, кто ищет.

— Какое?

— Фахим. Правая рука Аль Акбара.

— Мама?

Тишина, полусвет, дрожание сухих цветов в высокой вазе.

Алина стянула куртку, пристроила ее на вешалку и послушала немного.

Никаких звуков.

Неслышно вышла заспанная Муся, привалилась бочком к косяку, подумала и потерлась шеей.

Алина присела на широкую скамейку, стоявшую под вешалкой, и по одному расшнуровала башмаки.

Муся подумала и еще потерлась. Потом подошла, присела и брезгливо понюхала ботинки.

— Привет, — сказала ей Алина и погладила по макушке. Муся ловко увернулась. Алина еще не мыла рук, а Муся была чистюля. — Ты одна? А мне показалось, что мама приехала.

— Приехала, приехала, — донеслось из кухни. — Я не слышала, как ты вошла!

Алина сунула ноги в тапки, посмотрелась на себя в большое зеркало, отразившее ее всю вместе с Мусей. Собственный вид оптимизма ей не добавил — тени под глазами, синева на висках, волосы как будто поблекли, зато Муся на заднем плане была хороша.

Распушив хвост, она охотилась на Алинины ботинки.

Конечно, она понимала, что это просто башмаки и охотиться на них нет никакого интереса, но тем не менее делала это, и так, чтобы Алина непременно видела, — утешала.

Алина специально постояла возле нее, дав понять, что хозяйка ее усилия оценила, и прошла на кухню.

Мать сидела за столом под низким абажуром и читала книгу, сдвинув на кончик носа очки.

Вид иронический.

— Привет, мамуль!

— Привет.

— Что ты делаешь? — Алина за ее спиной подошла к плите и стала по очереди поднимать крышки. В одной сковородке была жареная картошка, в другой котлеты, а в третьей цветная капуста, тоже жареная. Алина схватила котлету и откусила половину — внезапно так захотелось есть, что даже живот подвело.

— Руки вымой, душа моя!

— А что ты делаешь? — Алина прожевала полкотлеты и сунула в рот остатки. — И почему здесь?

— Я читаю, — ответила Ирина Михайловна. — То есть это мне так кажется, что я читаю! А здесь я потому, что твой отец уехал за какими-то грибами в Тверскую область. Помнишь Якова Ильича?

Алина промычала нечто невразумительное, из чего

никак нельзя было сделать однозначный вывод, помнит она Якова Ильича или нет.

— А что ты читаешь? — Это она уже из ванной спросила.

— О, боже, боже. Биографию Вивьен Ли. Якобы.

— Почему якобы?

— Да потому что это не чтение, а упражнение для слабоумных! Я все еще не слабоумная, как это ни странно. Издательство «Ваза», слышала ты про что-либо подобное?! Мичуринский полиграфкомбинат.

— А что? — Алина рассеянно рассматривала себя в зеркало. — Плохо написано?

— Ужасно, — пожаловалась мать, появляясь на пороге. — Бумага ужасная. Перевод ужасный. Мусенька, иди, девочка, я тебе котлетку положу! Оказывается, у Вивьен была сумочка из «патентованной черной кожи»! Господи, патентованная кожа! И знаешь, что это означает?

— Что?

— Лаковая! — сказала мать в сердцах. — У людей это называется лаковая кожа, и никакая не патентованная! Господи, где их учат языкам, этих так называемых переводчиков!

Алина улыбнулась.

Ирина Михайловна говорила по-английски и по-французски, и вдвоем с отцом они объездили весь мир. Отец был инженер и строил электростанции в Иране, в Индии, в Китае и даже на Мадагаскаре, кажется. Везде она находила себе занятие, без дела никогда не сидела, к семидесяти годам сохранила чувство юмора, некоторую резкость в оценках и известное фрондерство.

Отец ее обожал, и Алина всегда грустила, когда они справляли очередные «тридцать пять лет со дня свадьбы».

У них получилось, а у нее нет. Так обидно. Почему у нее не получилось? Она так старалась.

Она была очень хорошей женой — гладила рубашки,

принимала гостей, жарила котлеты. И еще шила во времена беспросветной бедности, когда купить юбку было не на что. И еще вязала — красиво получалось! Мама ее научила и шить, и вязать, потому что считала, что «девочка должна все это уметь»! И постоянно приводила в пример дочек английской королевы, которые шили солдатам рукавицы.

Алина очень хорошо помнила, как заработала первые деньги — тысячу семьсот рублей, сумасшедшая сумма!

Она даже не знала, как донесет их домой, ей было страшно, что по дороге у нее их украдут. Она донесла, и ничего не украли, и у них был праздник с шампанским и копченой колбасой. Алина Храброва очень любила копченую колбасу, больше любых других деликатесов!

На свои бешеные деньги она купила отцу куртку в очень шикарном, только что открывшемся магазине на Новом Арбате, и дубленку мужу и маме, тоже что-то очень ценное.

Как она собой гордилась, как чувствовала себя хорошей дочерью и самой лучшей женой! Даже в зеркало на себя смотрела по-другому. Когда смотрела, думала что то вроде — вот портрет настоящей женщины, умеющей зарабатывать и любящей свою семью больше всего на свете!

Когда все кончилось? Из-за чего?

Работы все прибавлялось, это точно.

Однажды в «Останкино» она шла по коридору — просто так, за сигаретами, что ли, или в буфет, и ее окликнул Сережа Соловьев, давний друг, большой начальник и начинающий продюсер.

Тогда такие профессии — продюсер — значились только в титрах американского кино.

— Алинка, давай сюда!

— Что?

— Давай, давай быстрей!

Он затащил ее в комнатенку, где стояли стул, стол и камера. Она даже не успела как следует объяснить ему, что идет за булкой или сигаретами, да он и не слушал.

За камерой стоял оператор.

— Эта? — обидно спросил он, посмотрев на нее. — Куда такую дылду? Она ни в один кадр не войдет!

— Твое дело снимать, — отозвался Соловьев.

— Сереж, что ты придумал?

Соловьев сунул ей какой-то текст, листочек упал, она нагнулась, чтобы поднять его.

— Ничего такого особенного. Читай отсюда и пару раз улыбнись.

Текст был про развитие овощеводства в условиях пустынь и полупустынь — откуда они его выкопали?!

Алина прочла и ослепительно улыбнулась под конец, думая о том, что Соловьев полоумный, а буфет сейчас закроют.

— Теперь давай отсюда!

«Оттуда» она тоже прочитала. Это была пользовательская инструкция к факсу на английском языке.

Алина дочитала до «in this case use button number 5» и опять ослепительно улыбнулась в финале.

— Все, — сказал Соловьев. — Свободна.

— Вот спасибо тебе, — поблагодарила Алина язвительно. — Я теперь без обеда останусь!

— Похудеешь, — пообещал Сергей. — Станешь еще краше. Хотя ты и так хороша!

Через неделю ей позвонили и сказали, что она прошла конкурс на место ведущего в новостях, что американская сторона, пересмотрев претендентов, выбрала именно ее, и нужно быстренько принести в международный отдел паспорт, чтобы также быстренько поехать поучиться в Нью-Йорк.

Сказать, что это был миллион по трамвайному билету, — значит не сказать ничего.

Потом она десятки раз повторяла эту историю в многочисленных интервью, с которыми к ней приставали журнальные девочки с истовым карьерным огнем в глазах, которым до смерти хотелось узнать — как?!

Как выходят в звезды такой величины?! Как простые редакторши становятся Алиной Храбровой?! Как делаются такие карьеры?!

Она рассказывала, и ей никто не верил, конечно.

Это было слишком просто и слишком обыкновенно, а потому не годилось, и она перестала рассказывать. История про Роже Вадима и Катрин Денев была гораздо красивее и, главное, гораздо правдоподобнее, особенно в отечественном сознании, предписывающем каждой красивой женщине иметь надлежащего мужчину, который, собственно, и создает из нее звезду. Чтобы ей было чем развлекаться на досуге, пока он делает свои надлежащие деньги.

Никто не знает, какую цену надо заплатить. Никто не знает, чего это стоит.

Никто не видел и никогда не увидит, как она, приехав к двум часам ночи домой, плачет, сидя в куртке на краю ванной, потому что нет сил раздеться, а утром все начнется сначала. Плачет и гладит сонную Мусю, которая вопросительно трется о колени и мечтает, что ее сейчас будут кормить — раз уж приехала, давай ужинать, что ли!

Никто и никогда не узнает, как трудно удержаться на вершине — одной. «Ты доберешься, — сказал ей как-то Соловьев, тоже вышедший в телевизионные монстры. Они курили на лестнице в «Останкино», сидя рядышком, как влюбленные на крылечке, а впереди еще была почти целая ночь работы. — Ты влезешь на эту свою вершину, и будет тебе там одиноко и холодно, а впереди только новая вершина».

Она тогда решила, что он все выдумывает. Она подумала, что ей-то уж точно не будет ни холодно, ни одиноко, только бы влезть!

Она влезла и осталась там одна, и ледяной ветер — перемен, новых назначений, уволившихся и вновь пришедших начальников, постоянной, безжалостной, сумасшедшей конкуренции — пробирал ее до костей. И только одна мысль настойчиво возилась в голове — она ведет хорошую, крепкую еженедельную программу на четвертом канале.

Теперь нужно долезть до «Новостей» на первом или на втором.

Она добралась и до «Новостей», и до кремлевских концертов, и до новогодних «огоньков», и «специальных выпусков» на Первое мая и Седьмое ноября.

Муж ушел, но не сразу. Последние пять лет он только и делал, что пытался «поставить ее на место», «вернуть на землю», «вправить мозги». Он как будто задался целью извести ее, потому что под конец она очень уж его раздражала, он сильно старался, и у него получалось, потому что он знал о ней все. Где больно, где страшно, что любимо, а что презираемо. Он расставлял ей ловушки с искусством монаха времен святой инквизиции, выслеживающего ведьму. Он не уставал повторять ей, что она — слишком высокая, слишком здоровая — «кровь с молоком, клубника со сливками, пошлость какая!» — слишком «грудастая», чтобы быть настоящей звездой!

Почему-то он искренне считал, что «настоящими звездами» могут быть лишь субтильные, непременно бледные и всегда находящиеся на грани обморока трепетные лани.

Потом пошли слухи о ее связи с Башировым.

Алина развелась.

Мужа нет.

Дети не родились.

Очередная вершина взята — «Новости» на втором канале, вечерний выпуск, прайм-тайм, и впереди только следующая вершина. Собственная аналитическая программа, первый канал или что-то в этом роде.

С некоторых пор оказалось, что и на этой вершине она едва держится.

«Ты сука. Ты ничтожество. Ты никто, и я от тебя избавлюсь.

Тебя никто сюда не звал. Убирайся обратно. Здесь не любят прохиндеек и проституток. Здесь никто не станет с тобой шутить. Убирайся, или ни один твой любовник не сможет опознать твой разукрашенный труп».

Вдруг что-то подкатило к глазам и горлу, очень острое, болезненное, большое, и стало невозможно дышать, и в глаза будто воткнулась раскаленная проволока, и пришлось схватиться за раковину.

Не смей об этом думать.

Перестань.

Сейчас же.

Ничего не помогало, и она открыла воду, нагнулась и сунула лицо под холодную струю. Висок заломило, и это оказалось спасением.

В этой тупой боли была обыденность, и исчезла раскаленная проволока, и Алина как-то сразу осознала себя в собственной квартире, в своей ванной — в безопасности.

По крайней мере, пока.

— Алина?.. Ты что там? Давай к нам, мы с Мусенькой ужинать хотим.

Алина Храброва завернула кран, осторожно промокнула лицо — тереть нельзя, мать моментально заметит, что красное, и гримерша завтра заметит что-нибудь, и не ответиться будет от вопросов, отвечать на которые она не могла.

— А папа на сколько уехал?

— На три дня, но ты не волнуйся, я не стану утомлять тебя своим видом слишком долго.

— Мама!

— Что Алексей?

Алина поковыряла картошку и налила себе воды в стакан. Есть почему-то расхотелось.

— Да ничего. Все то же. Новостей никаких нет, и...

знаешь, мне иногда кажется, что лучше бы их сразу убили, чем такая... неизвестность. И этого парня я знаю, Вадима Грохотова, который пропал. Ужасно.

— Ужасно, — согласилась мать. — А ты не думаешь, что вы совершенно напрасно бросили его одного? Что вы должны... проявить какое-то участие. Помочь. А?

— Мам, ему никак нельзя помочь! Ну что мы можем?! Полы у него помыть, как ты собиралась? Или яд кураре в аптеке купить, чтобы он не мучился?!

— Ты говоришь глупости.

— Возможно, — согласилась Алина. — И даже скорее всего. Но я правда не знаю, как ему помочь.

Я даже не знаю, как мне помочь себе самой, вслед подумала она, но вслух это говорить было нельзя.

Зазвонил телефон. Муся недовольно дернула ушами и мягко спрыгнула со стула на пол. Задрала морду и посмотрела вопросительно. После ужина следовало идти на диван, валяться и смотреть телевизор. У Муси были устойчивые привычки.

Алина нагнулась погладить ее и рассеянно сказала в трубку:

— Да?

— Алина?

Голос мужской, совсем незнакомый.

Муся брякнулась на бок, разбросала лапы и подставила живот — чешите теперь, раз уж никто на диван не идет.

Алина дотянулась и стала чесать.

— Да, это я.

— Это Ники Беляев, добрый вечер.

Она даже сразу не поняла, что за Ники. Кто это такой?

Ах да. Оператор. Глаза как у компьютерного злодея.

— Здравствуйте, Ники.

— Мне нужно с вами поговорить, — сказал он решительно. — Можете?

— Завтра могу, — ответила она. Его решительность ее рассмешила. Как будто он предлагал ей выйти за него замуж. — Я буду на работе после одиннадцати...

— В студии не годится, — отрезал он. — Я могу сейчас подъехать, если вы разрешите. Или встретимся где-нибудь на нейтральной территории. Можете?

— На какой... территории? — переспросила она.

Разговаривать было неудобно, потому что Муся отодвинулась еще дальше, перевернулась на другой бочок, и теперь, чтобы чесать ей живот, приходилось сильно наклоняться.

Господи, что ему надо?! Зачем он звонит? О чем он хочет с ней разговаривать?!

— В кафе или в ресторане. Вы сейчас не слишком заняты?

Алина перестала гладить кошку и села прямо. Муся посмотрела с осуждением. Потом встала и вышла.

— Ники, о чем вы говорите?! Какое кафе с рестораном?! Давайте завтра в моем кабинете!

— Давайте сегодня, я к вам подъеду через полчаса и времени много не отниму. И клянусь вам, что я не сдам в прессу адрес вашей квартиры!

— А что за срочность такая?! И почему именно сейчас? Мы с вами всю неделю встречаемся и могли уже сто раз поговорить...

— Алина, я хотел бы поговорить про... верстку. И про разные... информационные сообщения. Вы... можете?

Из-за того, что она недавно думала об этом в ванной и даже хваталась за край раковины так, что больно было пальцам, Алина сильно струсила.

— Алина? Что вы молчите?

Ирина Михайловна показалась на пороге и посмотрела вопросительно. Кажется, ее привела бдительная Муся.

— Алин, чай будем пить?

— Будем.

— Але, — сказал в трубке Ники, — вы со мной разговариваете или еще с кем-то?

— Сама не знаю, — призналась Алина. — Ладно. Приезжайте. Я живу на Ленинских горах, ехать очень просто.

Она назвала адрес и осторожно постучала трубкой о стол, словно вытряхивая из нее голос Ники Беляева.

В конце концов он защищал ее на том собрании, и у него очень темные глаза!

Пусть приезжает.

— У тебя еще сегодня гости?

— Это с работы, мам, — со вздохом сказала Алина и поднялась. — Наш главный оператор. Только что вернулся из Афгана. Он как раз с Ольгой Шелестовой там был. Наверное, его придется кормить, так что давай я разогрею.

Он приехал неожиданно быстро, и Алина, услышав его звонок, испытала даже некоторое дамское волнение, позабавившее ее.

Нет, не дамское, а школьное.

Именно школьное, когда по пути к двери непременно нужно посмотреться в зеркало — все ли в порядке? — расправить плечи, подтянуть живот и вообще несколько «накрахмалиться».

— Здравствуйте, Ники, проходите, пожалуйста.

Он шагнул и замер, испытывая те самые чувства того самого бедолаги-слона, что влез в посудную лавку.

Помещение было просторным и не то чтобы богатым, а стильным, как определил он для себя. Высокие потолки, никаких дверей. Только колонночка отделяла «холл» от гостиной, в которой работал телевизор, лежал белый ковер и стояла английская корзиночка с вязанием. Розовая плитка, а за ней светлый паркет, и на этой плитке ее ботинки, наверное, сняла и бросила, когда приехала. Сухие цветы в китайской вазе, высокое зеркало и скульптура — пара бронзовых негритосов, слившихся в жарких объятиях.

Негритосы показались Ники неприличными, и он от них отвернулся.

Широкий коридор поворачивал направо, и за поворотом угадывалось еще какое-то пространство, а из гостиной выходили две или три двери, и Ники совсем упал духом.

Все это было так не похоже на его собственный быт, будто он случайно заглянул в окно Букингемского дворца, как раз когда королевская семья собиралась на свой five o'clock tea!

— Алина, где вы сядете, в гостиной или на кухне? Здравствуйте, молодой человек!

— Здравствуйте, — пробормотал Ники, таращa глаза и очень стараясь сделать это незаметно.

— Это моя мама, Ирина Михайловна. Мама, это Ники... Никита Беляев.

— Ники? — переспросила дама. — Очень интересно. В «Адъютанте его превосходительства» был, помнится, Микки. Это вы оттуда слямзили?

Дама была очень красивой.

Ники имел своеобразные представления о красоте и возрасте — его собственной матери чуть за пятьдесят, и она давно была старухой, и выглядела старухой, и одевалась соответственно.

Эта дама значительно старше его матери — и сказочно хороша собой. И молода!.. Она была высокой, почти вровень с Алиной, в черных брюках и голубом свитере. На носу очки, в руке газета, и губы накрашены!..

— Так что за Ники?

Он объяснил про Никиту и про то, что имя ему не нравится, а обе дамы снисходительно выслушали его.

— Мы будем на кухне, мам, — сказала Алина, когда он договорил, и ему показалось, что спрашивалось просто так, для протокола.

— Тебе помочь?

— Нет, все готово. Ники, вы будете ужинать?

Ужинать он решительно отказался.

Он вообще не особенно любил есть в гостях, да еще в таких сложных «гостях», в каких оказался сейчас! Его всегда это смущало — когда он ел, а на него смотрели. В ресторанах — другое дело, там все едят и никто ни на кого не смотрит, а здесь...

Кроме того, после еды он моментально начинал засыпать и плохо соображал.

А ему сегодня надо быть очень умным и убедительным.

— Нет, как же? — даже не поняла Алина Храброва. — Вы с работы и не станете ужинать?! Так не годится, нужно поесть.

Ники решил, что лучше он немедленно уедет, и пусть она думает о нем что хочет, чем станет есть в ее присутствии!

Ну, не может он, и все тут! И что она к нему пристала?!

— Тогда кофе, — сказала она решительно. — Или чай?

— Кофе, — выбрал он.

— Хорошо, кофе и бутерброды. Проходите. В ванной можно помыть руки.

Следом за ней по широкому полукруглому коридору, где стояли еще одна ваза и антикварный столик, а на столике лежали газеты и очки, он прошел в кухню и приткнулся на первый попавшийся стул.

— Может, на диван пересядете? Там места больше, — предложила она, не оборачиваясь.

Ники готов был провалиться сквозь землю.

Зачем он приехал?!

Совершенно неожиданно он решил, что должен с ней поговорить, и позвонил, и настаивал, и все было очень просто до тех пор, пока он не увидел ее в голубых джинсах и короткой черной майке. Волосы подколоты вверх так, что торчат очень светлые игривые хвостики и открыта шея, длинная и стройная, как у античных богинь.

Ужас.

Абсолютно серьезно и даже вдумчиво она готовила ему кофе, доставала из холодильника какой-то сыр и выкладывала его на тарелке, и длинный батон в аппетитно шелестящей бумажке, и твердую палку копченой колбасы, и какие-то сладости в деревянной тарелочке.

Он смотрел.

Алина Храброва на собственной кухне разительно отличалась от Алины Храбровой в коридорах эфирной зоны.

Ни та, ни другая не могли иметь к нему никакого отношения, и он все время строго напоминал себе: только этого нам и не хватает в дополнение ко всем нынешним радостям нашей жизни!

Еще более строго он говорил себе, что она звезда и, должно быть, стерва, а он, уезжая в Афганистан, слезно прощался с Леной, тогдашней «девушкой его жизни», и даже собирался ей позвонить, и вообще Алина Храброва не может и не должна не то чтобы волновать его, но даже думать о ней как о чем-то реальном — нелепо и странно!

Она не могла быть реальной.

Она на одной стороне земли, а он на другой.

Все это он строго сказал себе два раза подряд, а потом еще раз напомнил.

А потом повторил.

Примерно с пятого раза все получилось.

Вот теперь он вооружился мудростью с головы до ног, и ему никто не страшен. Даже Алина Храброва на ее собственной кухне.

— Пейте, — сказала она, поставила чашку, пристроилась напротив и подвинула к нему пепельницу и пачку диковинных сигарет с зажигалкой. — И бутерброды ешьте, Ники! Вы же с работы!

Он промычал, соглашаясь.

— Ну вот. Значит, есть хотите. Когда я приезжаю домой, у меня от голода в глазах темно! Еле до холодильника дохожу.

Ники улыбнулся, прихлебывая огненный кофе.

Какой еще холодильник?! Она неземное создание, суперзвезда и волшебная фея. У нее не может темнеть в глазах от голода. Она должна питаться розовым лепестком, пыльцой нарцисса и глотком серебряной утренней росы.

Фея закурила и рассеянно сунула зажигалку в собственную пустую чашку. Ники смотрел на нее во все глаза.

Он не знал тогда, что у нее есть удивительная способность терять зажигалки, очки, деньги и туфли — прямо на пороге магазина, когда каблуки застревали в решетке. Оказавшись босиком, она оглядывалась и растерянно смотрела на свою босую ногу, как на нечто ей не принадлежавшее.

Он не знал, что она близорука и поминутно ищет очки, когда ей нужно что-нибудь рассмотреть. Он не знал, что она варит кофе, от которого в лучшем случае немедленно повышается кровяное давление, а в худшем случается гипертонический криз. Не знал, что она язвительна, остроумна и, когда хохочет, закидывает голову так, что открывается античная шея. Что после бокала шампанского у нее сильно краснеют щеки, и она очень этого стесняется и никогда не пьет «на людях» ничего, кроме минеральной воды.

Он и не подозревал, что все это в скором времени станет приводить его в восторг и собственная неконтролируемая нежность будет до смерти пугать его.

Иначе он отступил бы немедленно, прямо сейчас.

Или не отступил бы?..

И только предчувствие настойчиво шептало ему, что нужно бежать, но он никогда не слушался своих предчувствий.

— Почему вы не едите?

— Я ем, — сказал он с досадой и, чтобы она успокоилась, положил рядом с собой бутерброд.

Алина тут же подала ему салфетку.

Покорившись, он взял и салфетку.

— Я хотел поговорить с вами об этом вашем придурке, который...

— Тише! — приказал она, поднялась, перебежала плиточно-ковровое пространство кухни и задвинула обе створки высоких раздвижных дверей. — Не кричите, Ники. Я не хочу, чтобы мама...

— Да, простите, — сказал он, понизив голос, — я не подумал.

Алина села и стала искать зажигалку. Он не сразу понял, что именно она ищет, и некоторое время просто наблюдал с интересом.

Она осмотрела стол, потом широкий подоконник, на котором стояли диковинные цветы и маленькие штучки, которые Ники хотелось потрогать. Потом пошарила в карманах джинсов и беспомощно оглянулась на плиту.

Ники, слава богу, догадался и вытащил зажигалку из ее чашки.

— О, господи, — пробормотала суперзвезда, — как она туда попала?..

— Понятия не имею, — признался развеселившийся Ники и протянул ей зажигалку, как-то благополучно миновав вечную мужскую затею с вытягиванием руки, чирканьем колесиком, поднесением неравномерного пламени, от которого нужно успеть отшатнуться и непременно попасть в него сигаретой, а не волосами и не носом! Почему-то это считалось проявлением галантности — «дать прикурить даме». Ники такую галантность не признавал, и оказалось, что Алина не признает тоже.

Он глотнул кофе и покосился на бутерброд.

Следовало переходить к делу, а он никак не мог собраться с мыслями. Вернее, мысль у него была только одна, и она казалась ему абсолютно верной, он сто раз со всех сторон обдумал ее и загорелся непременным желанием изложить. Теперь эта превосходная мысль казалась ему страшно глупой и неважной, ради нее не стоило и тащиться в ночь-полночь, обременять собой звезду.

Звезда подумала и тоже налила себе кофе.

У нее были длинные пальцы и высокая грудь, которую плотно облегала черная майка.

Ники посмотрел и отвел глаза.

Примерно после восьмой, а может, девятой романтической истории с очередной «девушкой его жизни» женская грудь, как основная составляющая романтизма, перестала занимать его воображение, а тут вдруг опять... заняла.

Храброва была с другой стороны Земли. Нет, с другой стороны Луны. Ее грудь уж точно не могла иметь к нему никакого отношения!

— Вы хотели мне что-то сказать, Ники?

Да, он хотел. Он все время хотел изложить ей свою умную мысль. Тщательно обдуманную со всех сторон.

— Ники?

— Извините, — пробормотал он. Щеки у него вдруг покрылись кофейным румянцем и все лицо стало одного цвета — ровного, коричневого. Алина смотрела с интересом.

— Алина, я вот что подумал... Про эти записки.

Теперь он старательно отводил от нее глаза — на всякий случай, чтобы она не подумала, что он маньяк или извращенец. И потому, что очень старался, получалось так, что он все время смотрит именно на ее грудь.

Черт, черт, черт!..

— В последнем случае, который был... при мне... вы прочитали записку, и текст тут же кто-то удалил. Я ее уже не видел.

— Да.

Ники воспрянул духом. Та самая конструктивная мысль вернулась в голову, можно было попробовать ухватить ее за хвост и надеяться, что она распугает все остальные, вовсе не конструктивные мысли... про грудь.

Давай. Отвлекись ты от этой груди, ей-богу!.. Тебе не пятнадцать лет, в конце концов!..

— Значит, человек, который написал записку, *видел*, что вы пошли в свой кабинет смотреть верстку. Логично?

Она раскапывала пальцами орехи в вазочке и, когда он спросил, бросила это дело и уставилась на него.

— Почему?

— Потому что записку удалили, как только вы ее прочли. Я пришел через пять минут, и там уже ничего такого. Пусто.

— Ну и что?

— Смотрите. Бригада работает. До эфира пятнадцать минут. Вы заходите в свою комнату. Этот ваш... писатель знает, что вы пошли смотреть верстку, входит в систему и ждет пять минут. Считает до ста. Или до тысячи. Потом сообщение удаляет. Вот и все.

Алина, казалось, изучает его лицо.

Все-таки у него чудовищные глаза. Такие бы графу Калиостро, а никак не этому парню с неопределенной внешностью и разноцветной физиономией!

— Что — все, Ники?

— Нам остается узнать, кто из вашей команды видел, что вы пошли читать верстку. А это точно не сорок человек!..

— Да все видели!

— Неправда, — сказал он хладнокровно. — Почему все-то? Я вот, например, нет. Операторы и звуковики точно не видели, они в это время в студии. Зданович в аппаратной на третьем этаже. Кто остается? Выпускающий и пара редакторов. Разве нет?

Она молчала.

— Послушайте. — Ники зажег сигарету и почему-то не стал курить. Дым приятно щекотал ему ноздри. — Если это кто-то, допустим, из операторов, можно очень просто установить.

— Как?!

— Значит, кто-то из них в это время болтался по коридору, следил за вами, а потом опрометью кинулся к компьютеру.

— Но мы-то не установили!

— А вы думаете, что тот раз был последним? — спросил он.

Да. Конечно.

Конечно, он прав. Продолжение последует. Бог троицу любит. Один раз все сошло благополучно, и во второй тоже! Скорее всего сойдет и в третий.

— Я хотел вам предложить вот что. Как только вы... увидите что-то такое в своей верстке, в ту же секунду, даже не читая, бегите в «новости» и смотрите, кто сидит за компьютером. Я думаю, что кто-то один. Максимум двое или трое. Из них выбрать проще, чем из всей... бригады.

— Господи, я же не комиссар Рекс! — воскликнула она. — Что значит — бегите?! А если это случится не перед эфиром?! Перед эфиром в системе никто не сидит, а днем-то все сидят!

— Да не все, — повторил он с досадой и ткнул в пепельницу сигарету. От нее отвалилась колбаска серого пепла. — С чего вы взяли, что все? Это вам кажется! Корреспонденты на выездах, редакторы в курилках! Операторов нет, и звуковиков тоже, что им днем в редакции делать! Ну, будет не три человека, а пять. А я попрошу Бахрушина, чтобы Кривошеев записи с камер слежения нам показал.

Храброва помолчала и поболтала в турке остатки кофе.

— Сварить еще? — спросила рассеянно.

— Нет, спасибо.

Как будто он сказал ей, что ни минуты больше не может прожить без ее кофе, она встала, подошла к плите и стала мыть турку. Потом насыпала в нее коричневый порошок. Головокружительный наркотический запах поплыл, наполнил воздух.

Ники следил за ней.

Зачем он полез в это дело?! Своих забот мало?! Драйва не хватает? Или чего там? Экстрима, что ли?

На данный момент Ники Беляеву вполне хватало и драйва, и экстрима. Бахрушин забрал кассету из диктофона и обещал что-то такое с ней сделать, куда-то отнести, но Ники, в отличие от них, выросших в теплицах и оранжереях и уверенных в том, что система их защищает, как защищала всегда, был убежден, что надеяться нужно только на себя.

Ники Беляев знал, что все на свете зависит вовсе не от меморандумов Генеральной ассамблеи ООН и не от конституции, а от того, какой именно человек оказался в данное время в данном месте.

Если плохой — ты пропал, и не спасут тебя ни меморандумы, ни законы.

Если хороший, значит, еще можно попробовать побороться вместе с ним, когда одному не под силу.

Может, это и была несколько упрощенная модель жизни, но Ники она подходила.

Кассета. Кассета и записка. Все дело в них.

Странно, что Бахрушин этого не понимает. Или он понимает, только с Ники не собирается делиться?!

Тогда, в ночном телевизионном коридоре, он решил было, что они друг другу сказали все, что хотели.

Взаимопонимание достигнуто, как говорила Алина Храброва в своих подводках.

Выходит, ни черта оно не достигнуто?

Ему было тяжело.

В силу характера Ники привык всегда чувствовать себя уверенно. Не было случая, когда бы он сомневался в правильности своих поступков и решений. Он очень любил себя, и его жизнь складывалась так, что он почти не ошибался — и не было случая разувериться в этой любви или собственной непогрешимости!

Вернувшись из Афганистана, он вдруг понял, что окружающие смотрят на него как-то странно.

Подозрительно.

Он пытался не обращать внимания — в конце концов, это вовсе не его проблемы, кто и как на него смотрит! Он никому себя не навязывает и оставляет людям право думать все, что они хотят. Он пытался жить, как раньше, но это оказалось трудно — старые приятели как-то непонятно косились, поводили шеями и быстро сворачивали разговор, а новые сотрудники все что-то свистели друг другу в уши и замолкали, когда он входил.

Конечно, он добавил себе «мировой славы» тем самым выступлением на собрании, когда защищал Храброву, но не только в собрании было дело.

Похоже, все считали — вернулся, жив и невредим, «бросил своих на линии фронта», «дезертировал с поля боя», вот так. Никто и никогда не решился бы сказать это ему в лицо, но он знал, чувствовал — они думают именно так.

Может, только поэтому он и полез в проблемы Алины Храбровой.

Он никогда, никому и ничего не доказывал и всякие такие доказательства считал занятием страшно глупым и ненужным. Он не презирал себя, не мучился собственным несовершенством, не изводился мыслями об упущенных возможностях. Он слишком любил себя для этого.

Ему не было дела до окружающих, и он искренне считал, что, если он им тоже станет безразличен, в его жизни наступит долгожданная и полная гармония.

Окружающие вели себя странно, и Ники, привыкший ничего и никого вокруг себя не замечать, всей своей шкурой чувствовал эту странность, и она начала его пугать.

Для того чтобы отделаться от этого, следовало непременно совершить что-нибудь более или менее героическое.

Спасти Алину Храброву от каких-то подлецов, которые замучили ее. Вполне героический поступок, который примирил бы его с собой.

Внутренний разлад был несвойствен Ники Беляеву.

Алина налила ему кофе, положила под его локоть следующую салфетку и придвинула еще какие-то вазочки.

Неловкость Ники росла пропорционально количеству предложенных салфеток.

Она не должна за ним ухаживать! Она... кто там?.. Ах да, фея, ангел божий, цветок роза, глоток росы, клочок тумана! Почему она подает ему кофе и салфетки и вскакивает, как самая обыкновенная женщина, как только чайник начинает свистеть, и суетится, и смотрит, сколько у него осталось в чашке?! И вообще у нее должен быть штат слуг и дворецкий в белом галстуке, который будет «неслышно возникать» в дверях, а «проворные лакеи» из серебряных кофейников станут подливать кофе в фарфоровые чашки... Или это чашки серебряные, а кофейники фарфоровые?

Или все наоборот?

Тут ему на глаза опять попалась ее грудь, и он понял, что всю эту мороку надо заканчивать. Немедленно.

Не допив, он поднялся из-за стола, вызвал неодобрение громадной серой кошки, которая смотрела на него из угла дивана, почти не мигая, будто оценивала, и сказал, что, пожалуй, поедет.

— Только на работе никому ничего не рассказывайте, — попросил он. — Я потому, собственно, и приехал, чтобы не на работе... Короче, мне кажется, что вообще ни с кем это обсуждать не надо.

— Я обсудила только с Бахрушиным!

Ники кивнул, пошел к раздвижным дверям, но у самого выхода остановился и повернулся. Алина Храброва, оказавшаяся очень близко, немедленно уткнулась ему в живот, и он, как ужаленный, отскочил от нее, налетел на какую-то высокую металлическую штуку на длинной ноге, та страшно загрохотала, поехала, Ники подхватил ее, задев по пути еще что-то, кошка спрыгнула с дивана — вышел ужасный шум.

Алина смотрела с изумлением.

Наверное, он ведет себя неприлично. Вряд ли кто-то еще отпрыгивал от нее с таким... заячьим энтузиазмом, особенно учитывая, что она не делала никаких попыток напасть на него.

— Простите, — пробормотал он.

— Ничего-ничего, — ответила она насмешливо.

Из этого «ничего-ничего» следовало, что он навсегда упал в ее глазах так низко, как только возможно. Ниже плинтуса, кажется, так теперь говорят. По крайней мере, он именно так это понял.

Ну и наплевать. Если я вам не подхожу, то и черт с вами!

Сопя и топая, он выскочил в просторный холл и обнаружил, что испытания еще не закончились. Красотка в голубом свитере и очках — ее мать — смотрела телевизор.

— Уже поговорили? — спросила она, поднимаясь.

Ники злобно ответил, что да, поговорили.

— Будьте осторожны за рулем, — безмятежно напутствовала его Алина, и он пообещал, что будет.

Они обе стояли у двери, провожая его, очень высокие, очень красивые, похожие друг на друга, в окружении мягкого света, высоких ваз, обнимающихся негритосов и японских циновок.

Никогда в жизни он еще не чувствовал себя так погано.

Дверь открылась, возвращая ему свободу, он неловко кивнул и опрометью кинулся в лифт.

— Странный молодой человек, — констатировала Ирина Михайловна и подхватила Мусю, тоже вышедшую провожать. — Что у него с лицом?

— Наверное, такой загар. Он только вернулся из Афгана.

Ирина Михайловна рассеянно почесала Мусю за ушком.

— Кого он так испугался?

— Меня, мам! Кого еще он мог испугаться!

— Ты к нему приставала?

— Ну конечно.

— А зачем он приезжал? Правда по делу?

— Правда.

— Или выдумал все?

— Мама, ничего он не выдумал! Или ты подозреваешь, что у меня с ним романтическая история?!

— Он не годится для романтических историй, — категорически заявила мать, — разве ты не видишь? Но ты можешь выйти за него замуж.

— Обязательно, — пообещала Алина Храброва.

Ники сворачивал с Ломоносовского проспекта, когда ему позвонил Бахрушин и велел немедленно приезжать.

— Где ты?

— На Ломоносовском.

Бахрушины жили на Маросейке, в Потаповском переулке. Ники несколько раз бывал у них, еще в той, нормальной и благополучной жизни.

— Что-то случилось, Леш?

— Я лечу в Афган. Завтра. Я хотел бы до этого с тобой поговорить.

— Сейчас приеду, — мигом отозвался Ники. — А что там, в Афгане?..

Он боялся услышать, что нашли... тело. Или тела.

— Ничего, черт побери, — ответил Бахрушин. — Даже слухов никаких. Какого рожна надо было брать заложников, если столько времени — ничего?!

Придерживая плечом трубку, Ники вытащил сигарету и повернул под стрелкой направо.

Дождь все шел.

«Все, кто тоже в подводной лодке, слушайте нас!» —

шмыгая носом, сказала опечаленная Женя Глюкк, ведущая «Радио-рокс», которое Ники любил больше всего, и Шевчук грянул про «последнюю осень». Наверное, дождь его тоже достал.

Поставить машину было негде, как обычно вечером в центре, и Ники долго крутился, заезжал с разных сторон и в конце концов приткнул «Лендровер» на свободный пятачок, но идти было далеко, и он весь вымок, пока дошел.

— Ты чего, на велосипеде ехал? — удивился Бахрушин, увидев его.

— Полотенце есть?

Короткие волосы были мокрыми, и кожа на голове казалась холодной, как лягушачья.

Бахрушин кинул ему полотенце.

— Штаны тоже будешь снимать?

Штаны снимать Ники отказался.

В этом доме всегда ощущалось Ольгино присутствие, и сейчас, когда ее не было, казалось, что это не семейный дом, а пустыня. Непонятно, почему так получалось.

Все на месте — книги, фотографии, любимые чашки, пузатый и довольно замусоленный медведь размером с ладонь на компьютере. Все как всегда.

И именно эта привычность вещей ужасала. Ники предпочел бы, чтобы все лежало в руинах, чтобы дымящиеся развалины остались от спокойствия и уюта, но только не эта «всегдашность» — словно ничего не изменилось, словно не произошло того, что даже не перевернуло, а *остановило* жизнь.

— Что ты смотришь? — спросил Бахрушин и остановил себя. И так было понятно, *что*.

Дома, когда он оставался наедине с собой, дела шли совсем худо.

— Ты выпьешь чего-нибудь?

— Я за рулем не пью, Леш. Принципиально.

У Бахрушина что-то уже было налито в стакане, он допил одним глотком и налил еще.

Ники сел на диван, наклонился вперед и потер лицо. Неожиданно оказалось, что он очень устал.

— Я завтра улетаю, — сказал Бахрушин. — Мне нужно найти этого, которого она записала на кассете.

— Готье?

— Гийома. По-моему, это единственный шанс.

Он пристроился рядом с Ники, поставил свой стакан на ковер, наклонился и тоже потер лицо.

Ники сбоку осторожно посмотрел на него.

— А этот твой МИД? Добрынин вроде что-то говорил про МИД?

Бахрушин скривился, как будто Беляев спросил у него что-то неприличное.

— Никто ничем не занимается, Ники. По крайней мере, мне так кажется. Никому, черт побери, дела нет, а мне только два часа назад звонил отец Вадика Грохотова и плакал, а я даже не знаю, что ему сказать! Живы, в плену, в могиле, где они?! Кто захватил, зачем?!

— Да, — почему-то согласился Ники. — А кассета из диктофона где? Ты ее давал слушать кому-нибудь?

— Добрынину. Он сразу же ее забрал. Сказал, что отвезет в ФСБ.

— И что они?

Бахрушин быстро ответил, что именно. Ники опять глупо кивнул.

— Жена Юры Смирнова, парня с Перового канала, написала какую-то петицию депутатам, а старик Грохотов на прием в МВД ходил и в ФСБ, кажется, и ничего. Хочешь кофе?

Это слово напомнило Ники позор, с которым он удалился из дома Алины Храбровой, и он решительно отказался.

— А я себе сварю.

Бахрушин тяжело поднялся с дивана и ушел на кухню, но дверь не закрыл.

— Есть одна история, Ники, — сказал он оттуда. — Я тебе расскажу, а ты послушай. Черт его знает... Короче, у нас в Париже работает корреспондент. Сергей Столетов.

— Знаю Столетова. — Ники тоже выбрался из диванных облаков, дошел до кухни и встал, привалившись плечом к притолоке. — Он там давно, по-моему.

— Семь лет. Несколько дней назад он пропал. — Бахрушин мельком глянул на Ники и снова уставился в кофейник. — А незадолго до этого он звонил Владлену Никитовичу, который помощником президента подвизается, и рассказывал ему, что у него есть кассета с настоящим видео Аль Акбара.

— Брехня, — быстро сказал Ники. — Быть не может. Никто не снимал Акбара.

— После чего Столетов пропал, и так его до сих пор и нет. А вы, черт бы вас побрал, в это же время в Кабуле получили из Парижа какую-то посылку!

Ники уставился на Бахрушина.

— Ну и что?

— Посылка была неизвестно от кого, так?

— От какой-то Вали Сержовой, — раздумывая, сказал Ники. — Ольга сказала, что она такой не знает.

— Нет никакой Вали Сержовой. У нее никогда не было таких подруг и до сих пор нет! Я точно знаю, Ники! В посылке были записка, колбаса...

— Кофе, — подсказал Ники.

— И видеокассета, — закончил Бахрушин. — С последним днем в Довиле. В Довиле Ольга тоже никогда не была.

Ники шагнул к столу, взял стакан и залпом допил виски. Бахрушин на него покосился.

— Ты же за рулем не пьешь! Принципиально.

— При чем здесь та посылка?!

— При том, что в Пхеньяне моя жена тоже никогда не была, зато Столетов там корреспондентом просидел несколько лет! До того, как его в Европу назначили!..

— Что, правда? — тупо спросил Ники.

Бахрушин бросил свой кофейник, проворно подвинул стул, сел и достал из кармана сложенный вчетверо листок бумаги.

— Смотри! Это ваша записка.

— Ты ее не сдал в ФСБ?! — удивился Ники.

— Ники, я тебя опять ударю, если ты...

— Я понял уже, Леша.

— Я читал ее раз триста, — сказал Бахрушин с отвращением. — Я ее наизусть знаю! И это чушь от первого до последнего слова! Мы не знаем никакого Рене Дижо, с которым она якобы летала в Пхеньян. А Робер Буле, я посмотрел по спискам, просто журналист TF1. Причем он работает уже сто пятьдесят лет, специализируется по горячим точкам!

— А кто такой Робер Буле?

— Черт возьми, Ники! Это тот, кто привез вам посылку. Он сейчас в Афганистане, и мне тоже надо сго найти. Обязательно.

Ники посмотрел в бумагу. Набранный на компьютере шрифт вытерся и поблек. Наверное, Бахрушин и вправду читал его триста раз.

Ники еще посмотрел и отвернулся.

Они с Ольгой приехали в ACTED за этой дурацкой посылкой, и он дурашливо охотился там за какими-то французскими девицами, а потом, сталкиваясь с ней лбами, они читали записку, и недоумевали, и радовались, что в коробке оказались колбаса и кофе!..

— Смотри, — сказал Бахрушин и ногтем постучал по бумаге. — Вот тут что написано?

Ники послушно прочитал:

— Валя Сержова. Сто лет не виделись!

— Я думаю, что он специально выбрал имя, которого у нас в окружении нет. Нет человека, которого бы мы близко знали и которого бы звали Валей. Я, например, знаю только одну Валю. По фамилии Матвиенко. А дальше что?

— Что?

— Дальше фамилия, совершенно дурацкая, и — сто лет не виделись. Я думаю, что Сержова — это Серж. Сергей. Сто лет не виделись — Столетов. Чтобы кто-то из нас догадался.

Бахрушину показалось, что Ники едва удержался от того, чтобы покрутить пальцем у виска. Остановился в самый последний момент и этой самой, поднятой уже рукой почесал нос. Потом подвинул бумагу к самым глазам, как будто страдал близорукостью, и стал читать, от усердия шевеля губами.

На плите произошло шипение, всплеск, и остро завоняло горелым.

— Черт, — сказал Бахрушин вяло. — Опять забыл.

Вытянув шею, Ники посмотрел. Вся плита была в коричневых кофейных разводах.

— А вдруг ты прав? — неожиданно спросил Беляев и поднялся. Черные глаза заблестели, и весь вид от этого у него стал очень пиратским. — Вдруг ты прав, Леша?! А что там за кассета, на которой Аль Акбар?

— Говорят, что это единственная подлинная его съемка. — Бахрушин кое-как стер с плиты мелкую крошку и начал все сначала — кофейник, кофе, вода, плита. Ники казалось, что он возится с этим просто для того, чтобы чем-нибудь занять себя, хоть на время. — Вернее, так сказал Столетов, когда звонил Никитовичу. Если это правда, значит...

Бахрушин замолчал и стал мешать ложкой в кофейнике.

— Ты бы газ зажег, — посоветовал Ники негромко.

— Что? А, газ!..

Бахрушин зажег газ и снова стал мешать.

— Если это подлинная съемка Акбара, значит...

Непонятно, что это может значить. Все, что угодно.

— Значит, мы попали в центр международного террористического движения, — договорил Ники, опять вспомнив Храброву и ее подводки. — Только такого быть не может. Акбара никто и никогда не снимал. Говорят, он людей с камерами первыми расстреливает, если они ему попадаются, или глотки им перерезает, в зависимости от настроения.

— Если у Столетова в самом деле была подлинная запись Акбара, хотя непонятно, как она к нему попала, — задумчиво проговорил Бахрушин, не слушая Ники, — почему он отправил ее в Афганистан? Ольге?! Почему не в Москву мне?!

— Да потому, что у него на это ума хватило! Как бы он ее отправил? По дипломатическим каналам? Или быстрой почтой DHL? Если за ним следили, значит, отправлять в Москву было опасно!

— Ники, Столетов не Джеймс Бонд, а простой российский корреспондент в Париже!

— Леша, по-моему, это твоя идея, что «Валя Сержова, сто лет не виделись» — замаскированный Сергей Столетов! А это еще покруче Джеймса Бонда! Ну, представь себе, что твой Столетов откуда-то получает кассету, за которую все спецслужбы мира заплатят ему столько, что хватит не только внукам, но еще и внучатым праправнукам! Что ему с ней делать?! Куда ее девать? В наше посольство нести, чтобы ему вообще ни шиша не дали, кроме почетной грамоты и ордена имени Феликса Дзержинского?! Вряд ли он ненормальный, этот твой Столетов! Он же понимал, чем рискует! Арабы найдут — замочат. Наши найдут — отзовут в лучшем случае. Будет до пенсии в «Останкино» редактором. Логично?

— Да я сто раз себе все это говорил, — сказал Бахрушин с непонятной яростью. — Сто раз! Но я не понимаю, откуда у Столетова могла взяться такая кассета!

— Да какая тебе сейчас разница?! — заорал Ники.

Кофе поднялся над краем кофейника, перевалил, потек, зашипел. Газ немедленно погас. Ники схватил кофейник, обжегся, хрюкнул и с мстительным стуком сунул его в раковину. После чего выключил конфорку, вылил кофе, с силой отвернул кран, так что во все стороны полетела вода, и принялся свирепо оттирать блестящий бок в засохших потеках.

— Ну какая теперь разница, откуда он взял да кто ему дал! — Ники говорил и яростно тер, брызги летели веером, заливали пол. — Все равно никаких других версий нету! Может, ФСБ все известно, а у нас только эта, последняя осталась! Вот я, сколько думал, ничего путевого не мог придумать, а ты — раз и все выстроил, так надо дальше эту версию развивать, Леша! Теперь первый вопрос не откуда она взялась, видеокассета эта, а куда она потом делась!

— Ники, на полу лужа.

Тот посмотрел себе под ноги. Действительно лужа.

— Кто мог знать, что она у Ольги? Я? Я знал, это точно. Но я Ольгу Фахиму не сдавал! — Тут он вдруг остановился, аккуратно поставил кофейник на полку, аккуратно закрыл дверцу и вытер здоровенные ручищи полотенчиком.

Полотенчико было в розовых фестонах и лебедях — подарок бахрушинской матери, — а ручищи огромные, с коричневой, как будто сожженной кожей.

За стол он садиться не стал, подошел к окну и осторожно положил на подоконник ладони.

— Леша, — сказал он, не поворачиваясь, — я понятия не имел, что на этой кассете. Я думал, дурь какая-то. Я даже не помню, куда Ольга ее кинула после того, как мы посылку разобрали. И не приходил к нам никто.

Бахрушин из всего монолога выделил только словосочетание «к нам», и оно ему не слишком понравилось.

— И не говорил никому?

— О чем, Леша?!

— О том, что посылка пришла. Из Парижа.

— Никому не говорил, — сказал Ники скучным голосом, покрутил головой, словно у него болела шея, и посмотрел в окно, за которым был только дождь. — Да там никому дела нет до чужих посылок. Там лишь бы не прикончили где-нибудь, вот и весь интерес.

Воцарилось молчание.

В голове у Ники неотступно вертелась привязавшаяся в машине «последняя осень, ни строчки, ни вздоха». На душе было скверно.

Никто и никогда раньше не подозревал его... в предательстве. Он не представлял, что это может быть так реально — как будто грудную клетку придавили камнем. Даже тошнило слегка.

Последняя осень!..

Бахрушин курил, и от дыма Ники тоже слегка подташнивало.

Алексей Владимирович не знал, стоит ли доверять Беляеву, но больше доверять было решительно некому.

До Афганистана они хорошо и очень «по-мужски» относились друг к другу.

Ники уважал Бахрушина «как начальника», а тот его — «как профессионала».

Кроме того, с Беляевым никогда не было никаких проблем. Он не ссорился с подчиненными, не затевал интриг, на общих собраниях не требовал чего-то невозможного и невыполнимого, как это делают многие. Он хорошо управлялся со своей операторской командой, не слишком многочисленной, но довольно разношерстной, и не нуждался в начальстве, когда приходилось решать внутренние дела, — обходился собственными силами. Он подчеркнуто трепетно относился к деньгам и всегда говорил, что работает только ради них, но Бахрушин знал — лукавит. Ники Беляев любил свою работу, и ему удавалось зарабатывать именно любимым делом, а это мало кому удается!

Но Бахрушин понятия не имел, как далеко простирается любовь Беляева к деньгам и что он готов за них отдать!

А если все, что угодно?

А если он уже отдал — Ольгу?!

А если все это было спланировано, включая задержку на блокпосте?

Но без него Бахрушин ничего не мог! Он не справится один, ему нужна помощь, и некого попросить о ней, кроме Ники, который разбирался в ситуации и всегда имел на редкость трезвую голову!

Бахрушин все решил до того, как позвонил Беляеву, и теперь ему до смерти хотелось отменить это решение, и никак было нельзя. Он же не справится один!

— Ники, — сказал он довольно фальшиво, — я ни в чем тебя не обвиняю.

Беляев неторопливо повернул голову и посмотрел на него. У него были странные глаза, как будто предназначенные другому и случайно оказавшиеся на неподходящем лице.

Ошибся ваятель. Из нестандартного пластилина вылепил.

— Подозреваешь меня, Леша, — протянул он, — я же вижу. Только деваться тебе все равно некуда, так? Или не так?

— Примерно, — согласился Бахрушин.

— Мне проще, — объявил Ники. — *Я-то* ведь точно знаю, что ни в чем не виноват! Только в том, что меня вместо нее... не взяли.

— Лучше бы взяли.

— Лучше, — согласился Ники.

Из форточки несло сырым ветром, штора шевелилась на сквозняке, и хотелось, чтобы все это скорее кончилось.

— Значит, так, — начал Бахрушин. — Есть видеокассета, на которую кто-то как-то зачем-то снял Акбара. Настоящего, живого Акбара. Эта кассета через кого-то каким-то волшебным образом попала к Столетову, и тот зафутболил ее в Афганистан.

— Он зафутболил ее не просто в Афганистан, а Ольге, потому что она твоя жена, а ты шеф информации Российского канала, если я все правильно понимаю, — поправил Ники. — Никитовичу он для подстраховки звонил. Он знал, что кассета в конце концов окажется у тебя и, если Никитович о ней узнает, ты не сможешь ее прикарманить и... продать в одиночку. В любом случае тебе придется делиться с ним и с Никитовичем.

Бахрушин потер глаза под очками.

— Откуда он мог знать, что Ольга догадается, что это не просто кассета? Он ведь ее никак не предупредил! Или предупредил?

Ники покачал головой. Он чувствовал себя виноватым — об Ольге в Афганистане он знал все, а Бахрушин ничего, но при этом именно Бахрушин был ее мужем!

— Никто ее ни о чем не предупреждал, Леша. Я бы... я бы знал. Она бы мне сказала. А предупредить он ее никак не мог. У нас десять дней телефон не работал, ты же в курсе. Только в тот день заработал, когда... ее забрали.

— Но ведь вы могли эту кассету затереть, спустить в унитаз, выбросить к черту!

— Не могли мы ее в унитаз спустить. Кассеты в поле дефицит, ты же понимаешь. Затереть могли, ясное дело, но вряд ли там морда Акбара вот прямо открыто записана! Скорее всего там какое-то... двойное дно, в этой кассете. Как в чемодане.

— В чемодане, — повторил Бахрушин, морщась.

Ему отчаянно не нравилось все, что говорит Ники, и никак невозможно было отделаться от мысли, что для того это просто игра. В Джеймса Бонда. В Пирса Броснана. В черта с дьяволом. Но Ники был ему очень нужен, и поэтому он с ним согласился.

— Да. Пожалуй. Кто-то где-то от кого-то узнал, что кассету отправили в Афганистан. Фахим объявил розыск. Черт, выходит, он знал, что отправили именно по журналистским каналам, раз Гийом сказал Ольге, что в горах ищут каких-то журналистов!

— Выходит, знал. Только с чего он взял, что она именно у Ольги?! Журналюг в Афгане до черта и больше! В том числе французских, а кассета из Парижа пришла!

Почему они ее взяли?! Вот чего я понять не могу! Ну никак не могу!

— И я тоже, — сказал Бахрушин.

У него сильно болело сердце, так сильно, что каждый вздох давался с некоторым трудом и задержкой, и он все время контролировал руку, чтобы не браться поминутно с той стороны, где больно.

Только одно объяснение было более или менее реальным — про кассету знал Ники, да, да! И он подчас снимал свои сюжеты в таких местах, в которые никак не мог попасть обычный человек! Никому не приходило в голову выяснять у него, как именно он получал свои разрешения и доступы — а мог ведь получать как угодно!

Бахрушин вдруг подумал, что, если выяснится, что это Ники сдал его жену полевому командиру Фахиму, он его убьет.

Сам. Без ФСБ, МИДа России и ноты протеста.

Вот оно как. Когда доходит до вывернутого наружу нутра, налет цивилизации на поверку оказывается очень тонким или вообще перестает иметь значение.

Это Бахрушин знал точно.

Однажды по телевизору показывали сюжет про какого-то несчастного борца за правду, который все пытался разоблачить большого человека, борец искренне считал его негодяем. Большой человек долго и вяло отбивался от него, а потом борец начал реально мешать его большому бизнесу. Большой человек стал отбиваться более энергично, а борец тем временем чем-то пригрозил его жене.

После чего пропал и до сих пор не нашелся.

У борца осталась семья — молодая печальная жена и мальчишка-первоклассник.

— Все это ужасно, — сказала тогда Ольга, досмотрев этот сюжет до конца. — Почему люди такие свиньи?

— Ты знаешь, — неожиданно признался Бахрушин, — если бы кто-нибудь угрожал моей семье или работе всерьез и я был бы уверен, что не попадусь, я бы убил, не задумываясь.

У Ольги сделалось растерянное лицо.

— Ты-ы?! — протянула она. — Ты убил бы человека?!

Бахрушин уже понял, что говорит все это зря, что Ольга никогда не поймет и, может быть, даже станет как-то по-другому к нему относиться, но остановиться не мог.

— Убил бы, — сказал он упрямо. — Мы так устроены. Мы защищаем то, что принадлежит нам.

— Убивая себе подобных?!

— Как угодно.

— Алеша, это очень жестоко.

— Ольга, это закон природы. Сколько лет существует человечество?

— Много. Миллион или два.

— А моральные законы? Что такое хорошо и что такое плохо!

— У него мальчишка остался. Один. Без отца.

— Никто не заставлял его лезть на рожон. Он атаковал, а тот, второй, защищался. У того ведь тоже дети и жена. И он не мог допустить, чтобы с ними что-то случилось. Когда доходит дело до жизни и смерти — все так, как было миллион лет назад. Или два.

Какая там цивилизация с ее налетом!

И если во всем виноват Ники, он просто убьет его, хотя это уже ничего не изменит.

— Леша, — сказал Беляев спокойно, — ты бы вискарь допил, расслабился, а то я тебя боюсь! И остановись. Не думай пока, что это я, ты еще успеешь. Кто, кроме меня?

Иногда его проницательность казалась страшной и необъяснимой.

— Кроме меня, об этой посылке знал француз, который ее привез. Как его?

— Робер Буле.

— Значит, этот самый Буле. Кто еще?

— Ты у меня спрашиваешь? — обозлился Бахрушин. Ники как будто все время переигрывал его, опережал на шаг, и это еще дополнительно раздражало и злило его.

— Толик Борейко знал. Он в тот день приперся, долго канифолил нам мозги, все хотел выведать, с кем мы на север едем... И про посылку сказал.

— Откуда он узнал?

— Что?..

— Про посылку.

Ники почесал за ухом.

— Сказал, что был в ACTED и ему там сообщили.

— Кто?

— Я не знаю, — взмолился Ники. — Откуда?!

— Надо узнать.

— Узнаю, если он в Москве.

— В Москве, — сказал Бахрушин. — Только вчера на какой-то пресс-конференции я его видел. Все вернулись, черт вас побери!..

— Побери, — согласился Ники.

— Еще нужно справиться у Никитовича, нет ли каких-то сведений о Столетове. И ты это сделаешь, пока я буду в Афгане. Если что-то есть, придется в Париж лететь. У тебя все в порядке с паспортом?

Ники промолчал.

Он сотрудник иностранной телекомпании — многоголового новостного монстра, — конечно, у него все в порядке с паспортом!

— А ты?..

— Я попробую их найти, — тяжело сказал Бахрушин. — Найти и выяснить условия. Кто и что за них хочет.

— Если мы думаем правильно, значит, за них могут хотеть только видеокассету. Мы должны найти ее, Леша. Раньше, чем ее найдут арабы. Это и есть цена вопроса.

Бахрушин промолчал.

Он опять варил свой кофе.

В середине дня неожиданно получился перерыв, и Алина побежала в буфет — очень хотелось есть, и неизвестно было, удастся ли поужинать. Надо на всякий случай пообедать.

В буфете оказалось много народу, все столики заняты. Она решила, что, пока очередь дойдет, какой-нибудь да освободится, но ошиблась и с подносом в руках долго оглядывалась.

— Алина!

Она прищурилась и поискала глазами. Без очков Алина плохо видела, а они имели постоянную гадкую привычку куда-то пропадать.

— Алина, иди сюда!

За дальним столиком сидела Лена Малышева, любимая подруга и по совместительству ведущая программы «Здоровье».

— Ленка, как я рада, что ты здесь! И вообще очень рада тебя видеть! Почему ты не в «Останкино»?

— Встречалась с вашим Добрыниным, — энергично сказала Малышева, — у него какая-то идея относительно медицинской программы, и он хотел со мной поговорить.

— Поговорили?

— Лучше бы не разговаривали, — она махнула рукой, — он так переживает из-за пропавших в Афгане журналистов, но все же старается держать себя в руках. На это просто больно смотреть. Можно, я выпью твой чай?

Алина уже сунула в рот огурец, жевала и жмурилась от наслаждения, но с энтузиазмом промычала, что Малышева может выпить ее чай, съесть ее салат и заесть ее рыбой. От рыбы с салатом Лена отказалась, налила себе чаю и поболтала ложечкой в чашке.

Они много лет дружили, и всегда встреча с Малышевой приводила Алину в состояние душевного равновесия, как будто возвращала разум, — такая особенность была у ведущей программы «Здоровье»!

Пока Малышева болтала ложкой, Алина прикидывала, рассказать или нет о посланиях в верстке и прочих трудностях ее сегодняшнего существования, и решила рассказать.

Вряд ли Лена немедленно объяснит ей, как поймать преступника, но зато, возможно, скажет что-нибудь утешительное и ободряющее — то, чего так не хватало Алине.

И она рассказала.

Шаг за шагом.

О гадких записках. О том, что новая команда приняла ее в штыки. О том, что программы плохие. О том, что она чувствует себя очень неуютно и все время тоскует по четвертому каналу, где все так хорошо к ней относились. О том, что все до одного подозревают ее в связи с Башировым.

На этом месте Малышева, до этого слушавшая совершенно спокойно, вдруг вскипела:

— Да тебе-то какое дело до того, кто и в связи с кем тебя подозревает!

— Ленка, я никогда с ним не спала, ты же знаешь!

— Я знаю, ну и что?! Да хоть бы ты с ним всю жизнь спала, почему тебя касается всякая ерунда, которую про тебя говорят?! Если бы я слушала, что про меня говорят...

— Но это же неправда! — Алина вдруг пятнами покраснела, и слезы зазвенели в голосе, обычно низком, «сексуальном», как называли его журналисты, и Малышева посмотрела с изумлением.

Они давно привыкли ни на что и ни кого не обижаться «до слез». Только трепетные и ничем не занятые барышни могли позволить себе подобное. Они — нет. Они слишком давно и много работали и слишком хорошо знали себе цену, чтобы их могли расстраивать подобные пустяки.

Подумаешь, кто-то что-то сказал! Или написал, или показал!

Мы сильнее, умнее, взрослее. Мы профессиональны, каждая в своей области, энергичны и очень хорошо образованы. Мы любим нашу работу и некоторым образом осведомлены о том, что на наши места претендует целая армия красавцев и красавиц, готовых отдать все, что угодно, включая свою бессмертную душу, за эти вершины.

Мы слишком уважаем себя, чтобы ни с того ни с сего рыдать в телевизионном буфете из-за каких-то глупых слухов!

— Алина, — сказала Малышева насмешливо, — держи себя в руках! Главное, из-за этого маньяка, который пишет записки, ты не плачешь! А из-за Баширова готова!

— Ленка, я больше не могу.

— Чего ты не можешь?!

— Ничего. Я раньше ходила на работу, как на праздник, честно. А теперь иду, как на виселицу. Я стала всех бояться из-за этого придурка, понимаешь?! Я на стоянку боюсь ночью идти, мне кажется, что он на меня нападет.

— Найми охранника. Временно.

— С ума сошла?!

— Не сошла. Он неделю за тобой походит, надоест до смерти, зато ты успокоишься.

— Я боюсь верстку открывать. Вот я сейчас ушла из комнаты и все время думаю, что там будет, когда я вернусь! Что же мне — убираться прочь, а то меня убьют?!

— Скорее всего, никто тебя не убьет, — хладнокровно сказала Малышева. — Люди, склонные к публичной истерии, как правило, не представляют серьезной опасности.

— Спасибо, — поблагодарила Алина язвительно. — Ты меня утешила.

— Да что мне тебя утешать! Ты сама все понимаешь. Ты блестящая ведущая, умница и красавица. Конечно, ты всех раздражаешь! А тот, кто тебе записки пишет, просто ненормальный. И как раз это так оставлять нельзя. Его нужно найти, потому что, во-первых, у него может быть маниакально-депрессивный психоз, а во-вторых, он так и будет действовать тебе на нервы, пока его не остановишь.

— Ну, — сказала Алина, — ты меня еще больше утешила. Я и так боюсь ужасно. Была Храброва, а стала Трусова! И Бахрушин ничем мне не помогает. Не до меня ему.

— Если бы ему в такой ситуации было до тебя, я бы сказала, что у него психоз! Но ведь есть же этот, который на твоей стороне! Как его?

— Ники Беляев, — подсказала Алина. Неизвестно почему, его имя, попробованное на вкус, вдруг понравилось ей. — Но он просто оператор.

— Он мужчина, — возразила Малышева, — а этого уже достаточно. Я на той неделе разговаривала с академиком Серегиным, это такой великий специалист в области человеческого мозга, и он сказал мне совершенно удивительную вещь. Я врач, но об этом не знала.

— Малышева, — удивилась Алина, — неужели есть вещи, о которых ты не знаешь?!

— Есть, — призналась Малышева. — Вот, например, про мужские мозги.

— Всем известно, что ничего такого не существует в природе.

— Как раз наоборот, — серьезно сказала Лена. — Оказывается, мозг мужчины на пятьдесят граммов тяжелее женского. В масштабах мозга это огромная разница, Алин. Гигантская. Космическая. Кроме того, мужские нервные клетки имеют гораздо больше отростков, чем женские, а это означает наличие дополнительных ассоциативных связей. Мужчина мыслит гораздо шире и глубже, он так устроен физиологически, представляешь?

— Нет, — пробормотала Алина, уязвленная против собственной воли.

Выходит, они и вправду умнее?! Ни при чем тут мужской шовинизм?!

И она спросила:

— А равноправие?

— С этим беда, — весело ответила Малышева. — Причем именно на уровне конструкции, устройства. Пока мы не поправим конструкцию в целом, они все равно будут умнее нас. Все гении — мужчины. Главное, про это и так было известно, а сейчас просто нашлось научное объяснение. Так что твой оператор все равно умнее тебя, по крайней мере, потому, что он мужчина.

Алина категорически не желала признавать, что Ники Беляев умнее ее.

— А вдруг я Мария Кюри и мой мозг тяжелее всех мужских мозгов, вместе взятых?

— Ну, это вряд ли, — безмятежно сказала Лена. — Судя по тому, как ты разошлась из-за Баширова и из-за этих посланий, ты как раз и есть типичная женщина. Тобой управляет твой гормональный статус.

— Тьфу на тебя, Малышева.

— Но это научный факт. Мужчины гораздо более пригодны для творческой и всякой такой работы, чем женщины. Женщины пригодны для каких-то простых и объяснимых действий. Академик Серегин мне сказал, что для женщины самая подходящая работа — это, например, надзиратель в тюрьме. Всех построил, всем раздал задания, потом проверил их выполнение и выдал обед. Все.

Тут Алина заподозрила, что Малышева над ней смеется, но та не смеялась.

— Так что поговори с этим Беловым...

— Беляевым.

— Поговори с ним еще раз. Скорее всего, это правильно — вряд ли в программе сидят все сорок человек как раз в тот момент, когда ты получаешь эти гнусные послания. А из остальных вполне можно выбрать подходящего. Только ты обязательно с ним посоветуйся. Из-за его лишних пятидесяти граммов.

— Ленка!

— И найми охранника.

— Не буду.

— Тогда попроси Ахмета. Пусть он тебе даст своего.

— Лен, я никогда и ни о чем не стану просить Баши-рова. Он просто мой друг и больше ничего. Он и его жена. Они прекрасная пара, и вообще все эти слухи...

— Наплевать на слухи, — перебила Малышева, — он просто тебе поможет, и все. И потом, он-то как раз в курсе, что ты с ним не спишь! В этом его преимущество перед всеми остальными людьми, если не считать лишних пятидесяти граммов.

Телефон, висевший на шее у Алины, издал пронзительный писк и осветился фиолетовым светом. Сообщение.

Алина нажала кнопку и прочитала. Послание было от редакторши.

«Срочно возвращайся в «новости», у нас беда с подводками».

Она вздохнула и одним глотком допила остывший чай.

— Опять что-то случилось с какими-то подводками. Надо идти.

— Я тоже сейчас поеду, — озабоченно сказала Малышева. — Младший сын уже три раза звонил, я обещала, что сегодня пораньше приеду.

— Пораньше — это во сколько?

— Это значит раньше трех часов ночи. В два, к примеру.

И они улыбнулись друг другу.

Два часа ночи значительно раньше, чем три. Даже лишних пятидесяти граммов не надо, чтобы понять это!

Алина возвращалась на место и рассеянно думала, что такое могло приключиться с подводками. Или система опять висит? Такое иногда бывало — система висла, и приходилось всю программу собирать «вручную», на бумаге. Никто «из молодых» не умел как следует обращаться с бумагой и ручкой и не понимал, для чего они вообще нужны. Все приходили в ужас и застывали перед зависшими компьютерами с ужасом кроликов, ожидающих, что вот-вот удав подползет и проглотит их целиком, не жуя.

Это называлось форс-мажор, и только Бахрушин умел как-то ловко свести потери к минимуму. Он улетел в Душанбе, а оттуда в Кабул, и Алине придется «разруливать» ситуацию самой.

Даже если так, ничего страшного, она вполне может читать и по бумаге, и никто об этом не догадается!

Ключ от комнаты был у нее на общем кольце, и, только достав связку, она с досадой вспомнила, что не заперла дверь. Украсть у нее было решительно нечего, но зато днем по зданию прогуливался вредный пожарник, заглядывал во все комнаты и нещадно штрафовал всех, кто дымил «в помещении, не оснащенном для курения». Напрасны были стенания и мольбы, напрасно было убеждать его, что все давно уже оснастили помещения пепельницами, а больше для курения никакого специального оборудования не требовалось, он все равно штрафовал.

Однажды оштрафовал председателя, хотя его секретаршам строго-настрого было запрещено пускать пожарника в кабинет. Все равно он прорвался.

«Закон на всех один», — заявил он секретаршам, когда те вбежали, чтобы его гнать. Председатель сидел в кресле, смотрел волком, а пожарник выписывал штраф.

Говорили, что он персодстый фээсбэшник и за всеми таким образом шпионит.

Алина забыла запереть дверь, а на столе у нее пепельница с окурками, а пожарник наверняка уже в засаде!

Она влетела в свою каморку, зажгла свет и первым делом кинулась к пепельнице — чтобы поскорее замести следы преступления, повернулась с ней в руке, и сильнейший удар в лицо сбил ее с ног.

Пепельница выпала, окурки посыпались медленно, как в кино.

Она еще успела подумать, что ковер светлый и теперь останутся пятна.

Жалко.

Ники проснулся мгновенно, как всегда — просто открыл глаза и осознал себя вне сна.

Только в этот раз с осознанием вышли сложности. Несколько секунд он не мог понять, где он и что с ним.

Белый потолок. Унылые стены. Подушка, измятая, как лицо алкоголика. Тощее одеяльце, сползшее почти до пола. Рука затекла так, что он почти ее не чувствует.

Больница?.. Гостиница города Апатиты?.. Военный госпиталь под Кабулом?.. Приют для бездомных в Ольстере?..

Он стремительно сел, охнул от боли в руке и все понял.

Он дома. Все в порядке, он жив и здоров, никакого приюта или госпиталя.

За тонкой хрущевской стеночкой неаппетитно стучала посуда и пахло как-то не по-утреннему тяжко — то ли горелым маслом, то ли луком. Ники не выносил эти утренние запахи, с самого детства терпеть не мог, а они повторялись изо дня в день.

Он потер свою руку, которую все кололо, — сто лет назад в Грозном не слишком меткий снайпер прострелил ему кисть. Целился в голову, но промахнулся. Камера закрыла Ники голову, а кисть была раздроблена, и полевой хирург в госпитале в Ханкале по одной складывал мелкие косточки в новую кисть. Складывал и матерился. Ники все слышал, потому что наркоза на всех не хватало. Ранение в руку считалось легким, и наркоз Беляеву не полагался.

Хирург ругался, а Ники выл сквозь сцепленные зубы.

Теперь рука время от времени становится как будто

чужой, искусственной, и сложенные вместе раздробленные кости начинают цеплять друг за друга, выворачиваться наружу.

Он с отвращением посмотрел на свою кисть, немного сплюснутую как раз там, куда угодила пуля.

Значит, так.

Ванна. Очень много очень горячей воды.

Кофе. Очень большая белая кружка с синими буквами «Би-би-си» на боку. И много сахара.

Две сигареты — с первым глотком и с последним.

И в машину, и на работу, по утренней, задыхающейся от автомобилей и утопающей в дожде Москве, под «Радио-рокс» и бодрую Женю Глюкк, которая непременно скажет что-нибудь занятное или остроумное, а он непременно подпоет Шевчуку, если тот вновь грянет про «последнюю осень».

И «дворники» мотаются по стеклу, и в мокром асфальте дрожат огоньки машин, и разноцветные зонты на пешеходном переходе, и троллейбус впереди, похожий на мокрого голубого слона, и мысли ни о чем, как всегда бывает по утрам.

И впереди самое лучшее, самое приятное, что только есть в жизни, — длинный и складный рабочий день.

Надо только дотянуть до работы. Ни с кем не разговаривать, ни на кого не смотреть, не раздражаться, не... Была еще тысяча всяких «не», которые всегда одолевали его дома и о которых он постоянно себе напоминал.

Потерпи, чего там!.. Нежный стал, твою мать, все тебя раздражает. Ничего, не растаешь, потерпи. Скоро в командировку, слава богу.

Он натянул джинсы, вытащил из гардероба полотенце, которое всегда носил с собой, в ванной не оставлял, как в коммунальной квартире на полтора десятка «коечников», и открыл дверь.

Тяжелый запах хлопнул его по носу. Ники взялся за нос.

В коридоре ему попался пузатенький и плешивый

мужичонка в выцветших трусах и шерстяной спортивной кофте на «молнии» — отец. Ники, не говоря ни слова, посторонился и пропустил его.

Ники перестал его замечать приблизительно лет с восемнадцати.

Отец же в подпитии непременно начинал испытывать отцовские чувства и лезть к нему с вопросами, и учить его жизни, и напоминать о том, кому он, Никита, собственно, и обязан всем.

В данный момент по утреннему времени отец был мрачен и трезв, и поэтому все обошлось.

Но только до двери в кухню, которую нужно было миновать, чтобы попасть в ванную.

— И ты тут! — сказали из кухни громко. — Да когда ж это кончится-то! Когда тебя пристрелят наконец-то, а?

— Не дождетесь, — пробормотал Ники и протиснулся мимо тщедушной женщины в цветастом халате. Ему нужно было включить чайник, чтобы сварить кофе.

Придерживая на плече полотенце, одной рукой он налил из канистры воды — и не слишком ловко. Вода плеснула на стол.

— Да кто тебе разрешил на моей кухне свинячить?! — закричала из-за его плеча тщедушная, словно выжидала, когда же наконец он зальет стол. — За что мне наказание такое?! И ведь не убьют нигде, прости господи! Скольких там уж поубивало, а этот все обратно прется!

Ники вздохнул тяжело, как слон.

Ну что делать? Как быть?

Заорать, надавать по физиономии, затопать ногами, пригрозить? Было время, когда от гнева, который заливал голову, от одного взгляда на отца и его новую жену темнело в глазах и становилось трудно дышать. Пару раз по молодости он дрался и колотил посуду, а потом перестал, осознав, что все это полная бессмыслица.

242

Жизнь такова, какова она есть, — вот она, житейская мудрость-то!

В конце концов, он сам во всем виноват. Давно можно было найти квартиру, снимать ее и жить припеваючи, но ему вечно оказывалось некогда. Он бывал в Москве так помалу, что подчас даже сумка оставалась нераспакованной. Какую еще квартиру искать!..

Сюда он приезжал только спать — упасть до утра, ни о чем не думать и не вспоминать, а утром опять на работу, где он был нужен, важен и где никто не ждал, когда же наконец его убьют!..

— Галя, где мои штаны?!

— И этот туда же! Один решил меня доконать, и второй тоже, алкоголик проклятущий! Откуда мне знать, где твои штаны, где их вчера бросил, там они и валяются!

— Заткнись, зараза! Выгоню, поедешь обратно в свой колхоз дерьмо месить!

— Да это еще кто кого выгонит-то! Я такие же права имею, мне в домоуправлении сказали, что право у нас как есть равное, и мы еще поглядим, кто кого выгонит!

— Где мои штаны, я тебя спрашиваю?!

Ники захлопнул за собой дверь в ванную, открыл воду посильнее, и утренний супружеский разговор отдалился, стал почти неслышным.

А ну их к черту.

Надо было позвонить Лене, очередной «девушке его жизни», и остаться ночевать у нее — все лучше, чем в «отчем доме»!

Звонить Лене ему не хотелось.

Во-первых, потому, что и без нее у него было очень много трудных и важных дел, а любая Лена требовала неких усилий, на которые в данный момент у него не хватало времени.

Во-вторых, потому, что все Лены, сколько их у него ни было, немедленно начинали выходить за него замуж, как только он оставался ночевать больше, чем два раза подряд.

Лет пять назад сгоряча на одной из них он женился и протянул почти год — гигантский срок, если учесть, во что тогда превратилась его жизнь. Самое главное, что та Лена, которая стала его женой, мешала ему работать, а без дела он жить решительно не мог.

Без Лены — сколько угодно, а вот без работы пропал бы.

Родительская жизнь, а потом и собственный брак выработали у него устойчивую аллергию к созданию семьи, чему он был даже рад — забот меньше, свободы больше.

И еще — он не умел чувствовать себя «должником» и тяготился этим чувством. Он искренне не понимал, почему, как собачка в цирке, то и дело выполняет всякие супружеские трюки только потому, что он «муж» и «должен».

Почему он должен ехать на шесть соток тещи с тестем, когда ему надо на работу?

Почему он не может встречать Новый год с Бахрушиным и Ольгой, а должен тащиться к подруге Мане и ее мужу Вове только потому, что Маня с Вовой понятней и ближе его жене, чем Бахрушины?!

Почему он должен прятать записные книжки, диски, кассеты, чтобы никому не взбрело в голову в них рыться, чего он терпеть не мог?!

Почему он не может работать по выходным, если у него срочные съемки, командировки и форс-мажор, а вся его жизнь состоит как раз из форс-мажора, командировок и срочных съемок?!

Почему он должен долго и нудно объясняться с женой, куда он в очередной раз дел деньги, выданные ему «на бензин», если он сам их и зарабатывает, он один?!

Он честно пытался все наладить, а потом плюнул. Он и разводиться бы не стал — некогда ему было тратить время на чепуху, но жена сама с ним развелась, спасибо ей большое!

Зато теперь никакие Лены ему почти не страшны — он все про них знает. Про них и счастливую жизнь с ними.

Ольга смеялась над ним и говорила, что он трус и эгоист, и он соглашался с ней — ну, так получилось, ну, он такой и есть, что же тут поделаешь?! Ей и ее мужу просто повезло, так бывает редко, мало кому везет.

Ему не повезло, и он не слишком из-за этого печалился. В конце концов, найти следующую Лену — это вопрос даже не двух часов, а двадцати минут!

Ники выбрался из ванной, когда супруги уже мирно пили чай на кухне, позабыв, что десять минут назад собирались всерьез подраться. Иногда они и дрались, особенно если отец приходил «на бровях», а он приходил на них всегда.

Ники швырнул в шкаф мокрое полотенце, натянул водолазку, обулся, чтобы после кофе не задерживаться ни на минуту, и вышел на кухню.

— Где ж ты шляешься по ночам, зараза такая?! — немедленно начала отцовская жена, обрадованная тем, что Ники наконец пришел и есть прекрасная возможность поругаться. — Спать мне не даешь! У меня сон-то чуткий, я каждый раз просыпаюсь, когда ты прешься в ночь-полночь!

Ники достал с полки кофе, насыпал в турку, налил воды и поставил на огонь. Почему-то все четыре конфорки горели синим пламенем, и из-за этого дышать в кухне было нечем.

И еще ему казалось, что водолазка непременно пропитается тем гадким, чем отвратительно воняло с самого утра. Он посмотрел в турку, потом повернул голову, ткнулся носом в тонкую черную шерсть и понюхал.

Ничем не пахло, кроме «Фаренгейта». Ники очень любил «Фаренгейт».

— Да чего ты там нюхаешь-то?! Воняит тебе?! Ишь

какой принц англиский! Кого ты вырастил-то, Петька?! Все ему не так, все ему не эдак!

— А ты молчи, курица. Мой сын, а не твой!

Ники усмехнулся.

Это точно. Он сын своего отца.

Ему было лет десять, когда он придумал, что его украли. Конечно, украли.

Ну, не может так быть, что вот этот человек, пьяный, отвратительный, вечно хамящий матери и таскающий ее деньги, — его отец.

Не может быть, чтобы вот эта женщина, замученная, угнетенная, с вечно несчастным лицом и набором каких-то трудноопределимых болезней, которая только и делала, что страдала, — его мать.

Где-то есть они, его настоящие отец и мать, просто недосмотрели, и сына украли. В десять лет он еще не знал, что игру в то, что его «украли», придумал вовсе не он. Потом он видел какой-то фильм про детдом, там все они, обритые наголо, тощие, злобные звереныши, по ночам сочиняли истории про то, что их «украли» и вот-вот найдут — мужественный и сильный отец с добрыми руками и нежная, веселая мать, измучившаяся без своих детей!

Конечно, никто никого не найдет. Никогда.

Мать развелась с отцом, промаявшись лет двадцать, и переехала к бабушке, и успокоилась, и повеселела, и завела подруг, и даже однажды съездила в санаторий, где «принимала процедуры», о чем с гордостью сообщила сыну.

Ники остался именно в этой квартире — больше ему некуда было деваться, — с отцом и его новой женой.

Ужас.

— Нет, ты посмотри, посмотри на него, на сыночка-то! Какой он тебе сын?! Он тебе, че, денег дает или жалеет тебя?! Да он вон рыло отворотил и не глядит даже, не нравимся мы ему!

— Никитка! Глянь на отца-то! Глянь! Слышь, что зараза болтает?!

Ники помешал в турке чайной ложкой и одну за другой погасил все четыре конфорки.

— Да чего это ты делаешь-то?! Ты их зажигал, что ли? Спички тоже денег стоят, а я женщина экономическая!

— Никитка, поговори с отцом! Или брезгуешь?!.

Из кружки оглушительно пахло кофе, и все прочие запахи, которые так раздражали его в это утро, как будто нехотя подвинулись, освободили место.

— Никита!!

Он прихватил кружку с надписью «Би-би-си» на боку — свидетельство его «настоящей жизни», турку с остатками кофе и большими шагами ушел в свою комнату, с силой захлопнув за собой дверь.

Рука немного тряслась, и он быстро пристроил турку на стол, рядом с компьютерной клавиатурой.

Все это совсем не так легко, как ему бы хотелось. Нелегко. Нелегко.

Он пил кофе, курил и думал о работе — приятное занятие. Только потом почему-то оказалось, что он думает об Алине Храбровой.

Он улыбнулся, вспомнив, как она искала зажигалку, а та была в чашке. Он не знал больше ни одной женщины, которая по рассеянности сунула бы зажигалку в чашку!

И негритосов он вспомнил, и японские циновки, и сухие цветы, и все это так же отличалось от его собственного быта, как дворец султана в Измире от чукотской яранги.

Еще он подумал, как неудобно получилось, что он отпрыгнул от нее, когда она на него налетела. Главное, все таращился исподтишка, а когда она оказалась так близко, стал акробатические номера выкидывать!

Щекам стало горячо, и он начал с преувеличенным вниманием пить кофе, помешивать его ложкой, дуть, опять помешивать — в общем, проделывать массу ненужных и ничем не оправданных движений, все от неловкости.

Алина Храброва не может иметь к нему никакого отношения. Он не должен думать о ней... так.

Как?

Так, как он думает.

Он должен думать о ней как о коллеге и начальнице. Ну, на худой конец, звезде и фее. Кто там еще есть из этой категории?..

Он не должен думать о ней как об обычной женщине и еще о том, что у нее античная шея и изумительная грудь, и его не может забавлять, что она сунула зажигалку в чашку, а потом долго ее искала!

Кажется, только что он вспоминал, как его всегда раздражало это самое «должен»!

Ники допил кофе, потушил в пепельнице сигарету и снова распахнул шкаф. На голову ему немедленно вывалилось мокрое полотенце, и он с силой зашвырнул его обратно.

Надел куртку, прихватил рюкзак и вышел в коридор.

Домочадцы вовсю ссорились на кухне, выясняли, кто из них больше «пострадал на производстве».

Подерутся, решил Ники, закрывая за собой дверь. Соседи вызовут милицию. Разборок хватит на весь день. Вечером все будут пьяные.

Позвоню Лене, шут с ней!

У него было много дел в этот день — ему непременно нужно заехать на Би-би-си и некоторое время изображать там служебное рвение. Потом он обязательно должен разыскать Толю Борейко и допросить его с пристрастием. Позвонить Бахрушину. Записаться на прием к Никитовичу или пробиться к Добрынину, чтобы тот его записал, если уж просто так у него не выйдет.

И эфир вечером. Это значит, что он увидит Храброву.

Черт, да отстань ты от нее! Зачем она тебе нужна! Думай о том, как позвонишь Лене, и она станет мурлыкать в телефон, и ты замурлычешь в ответ, и будешь говорить глупости — потому что ей хочется, чтобы ты говорил глупости! — и задавать дурацкие вопросы, и получать дурацкие ответы, и пригласишь ее вечером в ресторанчик, но не «просто так», а «с дальним прицелом»!

Не пригласишь же ее сразу в постель после трехмесячного отсутствия, хотя только постель его и интересовала, и они оба это знали, но «мурлыкали», соблюдали правила игры!

Почти всегда это взаимное похрюкивание доставляло ему некоторое незамысловатое удовольствие, но сегодня от этих мыслей вдруг стало противно, как будто вместо кофе он наглотался микстуры.

Что там у Бахрушина? Нашел ли он Гийома? Удалось ли выяснить хоть что-нибудь?!

Об Ольге он старался не думать. Просто запрещал себе.

Ольга как-то рассказывала ему, что у Храбровой в эфире выключился звук и она осталась в полной тишине, без наушника — катастрофа! Связь с аппаратной — главная составляющая прямого эфира. Без нее решительно непонятно, что происходит с программой, вышел ли на связь корреспондент, не перебирают ли они время, не поменялись ли местами сюжеты! Она довела программу до конца и ни разу не сбилась и не ошиблась.

Режиссера с сердечным приступом отвезли в Институт Склифосовского. Вся бригада в стельку напилась. Храброва уехала домой, как всегда, спокойная, веселая, абсолютно уверенная в себе.

Звезда.

Она стажировалась у Теда Тернера, единственная из всех русскоязычных ведущих, и Ники испытывал странную гордость, как будто это он сам стажировался!

Нет, надо остановиться. Надо думать о Лене и том,

какие именно «лютики» он купит ей у метро. Все цветы в жизни Ники Беляева именовались «лютиками».

Он съездил на Би-би-си, позвонил в «Интерфакс», узнал, что Толя будет, но позже, намного позже, переделал кучу каких-то мелких дел и к пяти часам оказался на 5-й улице Ямского Поля, откуда выходили «Новости» Российского канала.

В эфирной зоне была странная суета и даже как будто паника.

— Что случилось? Канал закрывают?

Дима Степанов, один из операторов, сделал круглые глаза:

— Ты чего, Беляев, не знаешь?!

— Нет. А что такое? Дефолт?

— Да Храбровой кто-то по башке дал! Представляешь, кино какое?!

Ники ничего не понял. И повесил куртку мимо крючка.

— Где дал?! Кто?!

— Да прямо здесь! Она из буфета пришла, в кабинет свой дверь открыла, и тут — раз!

Ники опять ничего не понял.

— Прямо здесь?! В эфирной зоне?!

— Беляев, ты чего, не слышишь?! Говорю же, в кабинете у нее! Доской прямо в лоб! «Скорую» вызывали! — похвастался Дима. — А на вечер замены нету! Масленников-то в отпуск ушел, а Танечка Делегатская, которая до Храбровой была, ни за что не соглашается. Говорит, разбирайтесь теперь сами, а я вам не помощник. И Бахрушина нету! Чего теперь будет, никто не знает! Цирк, да?

— Цирк, — согласился Ники. Сердце сильно стучало, так сильно, что больно было лопатке, в которую оно былось. — А где она? В больнице?

— Да нет, здесь. Она молодец вообще-то. Сказала, что в больницу ни за что не поедет, но...

Ники выскочил в коридор, добежал до ее комнаты и распахнул дверь.

Почему-то он был уверен, что в комнате полно народу и все суетятся вокруг нее, прикладывают лед, подносят лекарство, подпихивают подушки. Он не ожидал, что увидит ее одну — и за компьютером!

— Здрасти... — пробормотал он глупо.

Она подняла голову и посмотрела на него так, что он чуть было не отступил за дверь. Ее очки съехали на кончик носа.

— Здравствуйте. Вы что-то хотите мне сказать?

Лоб у нее был сильно разбит. Красно-фиолетовый синяк светился на бледной коже и казался неприлично ярким. Губа распухла, словно прикушенная.

— Что случилось?

— Я не поняла, — она пожала плечами. — Кто-то меня ударил.

— Вы не видели, кто?!

Она смотрела прямо на него. Он не знал, куда деваться от ее взгляда.

— Я так ненаблюдательна, знаете ли. Особенно по четвергам.

Ты обещал мне помочь и ничем не помог — вот как Ники понимал ее прямой и пристальный взгляд. Ты здоровый, сильный мужик, который только и делает, что воюет, — и ничем не помог мне! Я надеялась на тебя, особенно после того, как ты притащился в мой дом и сидел рядом со мной, пил кофе и говорил что-то правильное и умное!

А ты?! Что ты сделал?!

— Алина, как это получилось?!

— Я уже сто раз всем рассказала. Спросите у кого-нибудь, а теперь прошу меня простить. Мне нужно работать.

— Вам нужно поговорить со мной, — сказал он грубо, — бросьте вы к черту этот ваш компьютер!

— Я не могу, у меня программа. И я должна найти себе замену на вечер. Я не выйду в кадр с такой физиономией!

— Стоп, — сказал Ники, повернулся и закрыл за собой дверь в коридор. За дверью толпилось несколько умеренно любопытных сотрудников, которые, как только он повернулся, моментально сделали нарочито равнодушные лица и бросились в разные стороны.

— Ники, выйдите, пожалуйста! Я не могу сейчас с вами ссориться, у меня нет на это сил. И разговаривать не могу.

Выйдет он, как же!

В два шага он подошел к столу, взял ее за затылок — от удивления она откинула голову, — свободной рукой придержал подбородок, чтобы не вырвалась, и стал рассматривать синяк.

— Прекратите! — прошипела она прямо у его лица. — Что вы себе позволяете?!

— Лед прикладывали?

— Прикладывали. Отпустите меня! — И она дернула головой, задев волосами его руку. Рука моментально покрылась мурашками, и Алина, кажется, заметила это, потому что скосила глаза и притихла.

— А свинцовую примочку?

— Какую еще примочку?!

— Свинцовую.

— Ники, отпусти меня! Немедленно.

— И в холоде надо было не пять минут держать, а все время! А врач? Смотрел?

— Нет!

— Почему?

— Да отпусти ты меня!..

Она мотнула головой и освободилась от его пальцев. Отодвинулась и потерла подбородок — то место, которое он трогал.

— Почему не было врача?

— Как ты это себе представляешь?! Приезжает врач на «Скорой», а тут я с синяком на лбу! Ты знаешь, с какими заголовками завтра выйдут газеты?!

Он усмехнулся.

— А тебе не все равно?

— У меня есть имидж и ответственность перед зрителями, и я не хочу... Почему ты называешь меня на «ты»?

— А ты меня почему?

На этот вопрос никто из них не мог внятно ответить.

— Расскажи мне.

— Нечего рассказывать. Я зашла, зажгла свет, и больше ничего не помню. Но, по-моему, я в обморок так и не упала. Просто свет погас.

Ники посмотрел по сторонам.

— Он и вправду погас? Или горел?

Алина удивилась.

— Не знаю. Первым прибежал Зданович, он, наверное, лучше помнит.

— А почему он прибежал? Ты что, звала на помощь?

Алина решительно покачала головой — на помощь она точно не звала. Она умерла бы от стыда, если бы позвала на помощь!

— Тогда почему он прибежал?

Ники подошел к двери, зачем-то открыл и закрыл ее.

— А дверь? Была открыта или заперта?

— Я не знаю. Когда Зданович прибежал, вроде бы была открыта. Я правда не знаю, спроси у него, если тебе надо.

Ники промолчал. Он внимательно смотрел по сторонам, сам толком не понимая, что именно выискивает.

Кто-то напал на нее, в ее собственном кабинете, среди бела дня — вот до чего дошло!

А если в следующий раз он и вправду ее убьет, этот придурок?!

Здесь все только свои. Эфирная зона. Чужие здесь не ходят.

Светлый ковер был в каких-то серых пятнах. Ники присел и стал рассматривать, а потом стал на колени.

— Ты что, пепел стряхиваешь на ковер?

Алина разглядывала в маленькое зеркальце свой синяк и торопливо спрятала пудреницу, когда он спросил. Ей не хотелось, чтобы Ники это видел!

— Почему на полу окурки? — настаивал он.

— Я рассыпала пепельницу, — сказала она терпеливо. — Я пришла, дверь была открыта, и мне показалось, что тут где-то поблизости пожарник. Он такой вредный! Я думала: он зашел, понял, что я здесь курила, и...

— Ты не заперла дверь, когда уходила?

— Нет. Забыла.

— А куда ты ходила? Или уезжала?

— Я была в буфете, — выговорила она отчетливо. — Я не понимаю, что это за вопросы!

— Потом ты вернулась, дверь была открыта. Ты вошла, зажгла свет, взяла свою пепельницу. Так?

— Да.

— И в это время...

— Меня ударили. По физиономии. Ники, мне нужно написать подводки, а потом согласовать с Костей, кто сегодня вместо меня в эфире. Я прошу прощения.

Ники секунду подумал.

Что-то непонятное было в этой истории, и из-за этого концы с концами никак не сходились — по крайней мере, ему так казалось.

Дверь распахнулась, сильно стукнув Ники по спине.

— Алин, я хотел тебе сказать, что Грозный мы сегодня даем, а Багдад, наоборот... Здравствуй, Беляев.

— Привет, Кость.

У Здановича сделалось странное лицо, едва он завидел Ники. Он почесал за ухом, взмахнул бумагами у него перед носом, так что Беляеву пришлось отшатнуться, и хлопнул их на стол перед Алиной. И веером разбросал.

— Вот я хотел тебе показать. Значит, после Кремля сразу встык Грозный, потом день рождения этого... как его...

— Григорянца.

— Григорянца. Кстати, в титрах даем, что он лауреат Нобелевской премии и больше ничего, у него титулов слишком много, чтобы перечислять, а ведущая у нас неопытная, запутается в них.

— А кого ты поставил на замену? — встрял Ники.

Зданович повел плечом, словно там вилась муха и гудела назойливо.

— Да какая тебе-то разница! Твое дело снимать!

— И все-таки?

Зданович положил ладони на стол, оперся и свесил голову, всем своим видом давая понять, как Ники ему надоел. Просто до смерти.

— Мы решили, что Раечка проведет. Она раньше «Утро» вела. Ничего, справится.

Ники опешил:

— Какая Раечка?

— Наш редактор, — пояснила Алина нетерпеливо. — Ники, мне нужно с Костей поговорить.

— Подождите, ребята, — начал Беляев, — что вы выдумали? Какая Раечка?! Разве какая-то Раечка справится с вечерним выпуском?!

— Она работала в эфире, — сказал Зданович упрямо, — а подводки мы ей попроще напишем. И вообще, что тебе до этого, Беляев?! Твое дело камеры поставить и снять хорошо, а с ведущей мы и без тебя разберемся. Так вот, Алин, значит, после синхрона Григорянца мы ставим...

Неожиданно даже для себя Ники Беляев сгреб с Алининого стола листочки, сложил аккуратной стопочкой и подал Здановичу.

— Кость, дай мне пять минут с Алиной поговорить, а?

— Беляев, что ты себе позволяешь?!

— Ничего такого я себе не позволяю, — Ники сунул листочки ему под мышку и даже прижал его же локтем, — еще только середина дня, вы все успеете, а мне с ней надо поговорить. Пять минут.

— Ники... — начала Алина.

— Три! — вдруг заорал он. — Три минуты! Костя, ну!..

Здановичу очень не хотелось выходить. Выйти — значило признать себя проигравшим, а Беляева победителем. И вообще слишком похоже на то, что тот его выгнал!

И Храброва?!.. Она-то как допускает подобное обращение?! Да и с Беляевым она едва знакома, и его репутация всем известна — с бахрушинской женой он спал практически у всех на глазах!

— Три минуты, — повторил Ники и почти вытолкал Здановича за дверь, и захлопнул ее, и повернулся к Алине, которая таращилась на него.

Потом вдруг сняла очки.

— Какая Раечка?! — спросил он, наклонился и заглянул ей в лицо. — Ты что? С ума сошла?!

— Ники, а какое тебе дело до того, кто будет вести программу?!

— Ты хочешь, чтобы эта сволочь решила, что перепугала тебя до смерти?! Ты хочешь своими руками отдать кому-то эфир из-за... из-за... — он пошевелил губами, словно не сразу нашел замену слову, которое хотел сказать, — из-за какой-то скотины?! Да он только и ждет этого! Он все для этого делает, а ты пляшешь под его дудку!

— Ники, я не могу выходить в эфир с синяками!

— Нет у тебя никаких синяков! На тебя такой слой штукатурки кладут, что никаких синяков не будет видно!

— Да у меня весь лоб сплошной синяк!

— Приделаешь волосы как-нибудь! Так, чтобы было не видно!

Алина моргнула.

— Что значит... приделаешь?!

— Не знаю! Как-нибудь так сделаешь, чтобы они закрывали твой лоб! Чья это идея, чтобы какая-то редакторша вела твой выпуск?!

— Костина. И моя. Ники, ты не понимаешь, о чем говоришь!

— Это ты не понимаешь. Он хочет тебя запугать, растоптать, и ты... Ты потакаешь ему!

— Меня ударили в лицо! — тоже заорала она. В дверь кто-то сунулся было, и Ники опять захлопнул ее и закрыл на ключ. — Прямо здесь, прямо в моей комнате! А у меня вечером программа! Ты что, ничего не соображаешь?! И это... после всего, после записок, в которых меня обещали убить!..

— Ты сделаешь то, что он тебя заставляет! Особенно если отдашь эфир!

— А если он меня убьет?!

— Не убьет.

— Откуда ты знаешь?!

— Я не позволю, — неожиданно для себя сказал Ники, и они уставились друг на друга.

Откуда это взялось — что он не позволит?

Он едва ее знал, и защищать ее вовсе не входило в его планы, и уже через секунду он пожалел, что сказал это, — она рассмеется ему в лицо и будет права.

Она не смеялась. Некоторое время смотрела на него, а потом спросила совершенно спокойно:

— Ты не видел моих очков?

— На. — Он вытащил очки из-под кучи бумаг на столе и сунул ей. Она быстро нацепила их на нос.

— Алина. Послушай. Ты должна сама вести программу.

Она придвинула к себе клавиатуру и стала быстро печатать. Хотелось бы Ники знать, что она там печатает!..

— Я боюсь, — сказала Алина. — Я была Храброва, а теперь я Трусова.

Она перестала печатать и опять уставилась на него своими яркими карими глазами, известными миллионам людей в этой стране.

— Ты проведешь программу, а я постараюсь выяснить, что здесь случилось.

— Меня здесь побили, — сообщила она язвительно. — Ударили. А ты мне говорил, что я должна стремглав мчаться и смотреть, кто сидит за компьютером!

Некоторое время они молчали. Дверь все время дергалась, словно с той стороны собирались ворваться.

— Ты прав, — вдруг сказала Алина. — Я не подумала. Мне непременно нужно самой. И открой дверь, пожалуйста. Пока ее не сломали.

Ники пришел в восхищение. Он и сам не знал хорошенько, зачем так уж ее уговаривает — почему-то это казалось ему страшно важным.

Враг не должен знать, что она боится. Враг, который все время где-то поблизости, и наблюдает за ней, и выжидает, и радуется, что опять выбил Храброву из колеи. Сегодня он «выбил» ее в прямом смысле этого слова.

И неизвестно, что будет завтра!..

— Мне нужно вызвать Дашу, гримершу, — вмиг став озабоченной и деловитой, сказала Алина. — И с Костей поговорить! Жаль, что Алеши нет, с ним бы тоже хорошо...

— Ты ездишь домой одна? — вдруг спросил Ники Беляев.

— Всенепременно! В коллективе мы только работаем, а живем все отдельно друг от друга, ты об этом меня спрашиваешь?

— У тебя есть охрана?

— Ну конечно! Вооруженная до зубов личная королевская охрана смело бросилась наутек!

Какая охрана, о чем он?! Малышева говорила — охрана, и теперь этот тоже толкует ей про охрану! Никто и никогда ее не охранял, только на больших стадионных концертах, которые она вела и на которых всем хотелось непременно взять у нее автограф. Она боялась толпы и всегда просила кого-то из знакомых ребят-охранников сопровождать ее. Они сопровождали, и их профессионализм и уверенность всегда успокаивали и прикрывали ее, а так, в обычной жизни, зачем ей охрана?!

То есть до недавнего времени ей это было не нужно. А сейчас что?

— Я тебя провожу, — очень решительно сказал Ники, и Алине опять стало смешно от его решительности — как будто предложение делал! — Одна не уезжай.

— Мне нужно Даше позвонить.

— Алина, ты меня слышишь?

— Слышу.

— Что ты слышишь?

— Ничего, — буркнула она. — Открой дверь, пожалуйста!

Ники еще раз напоследок оглядел комнату и повернул ключ. В дверь сунулась голова режиссера, словно тот стоял с той стороны и ждал, когда откроют.

— Алина, Зданович просил передать, что ждет твоего звонка, как только ты освободишься!

И телефон тут же грянул, будто Зданович сидел непосредственно в нем и ждал. И мобильный зазвонил под бумагами.

— Алин, перезвонишь Здановичу?

— Да, я поняла.

Она раскопала на столе мобильный, приложила его к уху, сунула в рот сигарету и стала искать зажигалку, которая — ясное дело! — пропала.

В мобильном кто-то что-то длинно ей говорил, она прижимала трубку плечом, кивала, поддакивала и все искала.

Ники думал — найдет или нет? Зажигалка лежала на подставке настольной лампы.

— Нет, я думаю, что все и так сложится нормально.

Нет, не надо! — Она вытащила сигарету изо рта и сердито сунула ее в пепельницу — что от нее толку, когда зажигалки все равно нет!

Ники взял зажигалку с подставки и подал ей. Она рассеянно кивнула и опять сунула в рот сигарету.

Ники улыбнулся.

Он должен был задать еще только один вопрос, поэтому дождался, когда она закончит.

— Ники, простите меня, я очень занята.

— Мы опять на «вы»?

Она в упор на него посмотрела.

— Алина, ты кому-нибудь говорила, во сколько придешь из буфета?

— Что я говорила?!

— Или записку на двери написала — «Буду в три пятнадцать!»?

— Не вешала я записку!

Это и был тот самый, главный вопрос, который так его занимал.

Выходит, человек, собиравшийся на нее напасть, караулил в комнате. Сколько он мог караулить? Час? Два? А если бы она из буфета домой поехала? Или к Добрынину пошла — председатель славился тем, что любил вызывать к себе ведущих, чтобы «поговорить по душам»?! Дверь была открыта, в кабинет мог зайти любой и обнаружить его вместе с доской, если только правда, что ударили ее именно доской!

— То есть ничего не происходило, да? — продолжал допытываться Ники. — Ты выпила свой кофе, съела свою булку и...

— Я не ем булок. Я ела салат.

— Ты съела салат, поднялась и пошла. Кто-нибудь из наших был в это время в буфете? Может, тебя на лестнице кто обогнал? Или в лифте с тобой ехал?

Она задумалась, вспоминая.

— Никто не обгонял и не ехал, а народу было полно!

Только я не очень смотрела. Мы с Леной Малышевой там повстречались и разговаривали, а потом, когда сообщение пришло, я вернулась сюда.

— Какое сообщение?

— Да обыкновенное! Что тут с подводками проблемы и чтобы я возвращалась.

— Кто его прислал?

Она пожала плечами.

— Кто-то из редакторов.

— Кто именно, Алина?

— Да можно посмотреть. Где мой телефон?

Мобильник висел у нее на шее. Неизвестно зачем во время разговора она повесила его на себя. Ники пальцем показал куда-то в середину ее груди — жест вышел на редкость неприличным.

Сейчас же. Немедленно. Как только за мной закроется дверь кабинета...

Что?.. Он позабыл, что именно должен сделать так срочно.

Ах да. Позвонить Свете и договориться о романтическом свидании. То есть не Свете, а Лене. Да, точно Лене.

Сообщения в памяти телефона не было.

Бахрушин долго получал и согласовывал какие-то разрешения и тихо бесился от того, что это происходит так медленно. Все согласования укладывались в рамки «нормального рабочего процесса», потому что в Кабуле он — обычный журналист, один из многих, и местным начальникам наплевать на него, как и на всех остальных.

Было холодно, и низкие рваные тучи цеплялись за серые горы и оставались на них, как пришпиленные. Вниз, на город стекали только облака, но этого было достаточно, чтобы все вокруг выглядело мрачным, словно черно-белым.

Ему нечем было заняться, пока не получил разрешений и бумаг, он не мог не то что выехать из города, но даже выйти за переделы гостиничного двора. Колеса многочисленных машин превратили его территорию в непролазное топкое болото, посреди которого всегда горел костер. Бородатые люди в длинных халатах и камуфляже сидели вокруг огня в кружок, говорили так громко и агрессивно, что казалось — вот-вот подерутся!

Сердце сильно болело, и нитроглицерин почти не помогал, особенно по ночам.

Ольга будет очень сердиться, если узнает, что у него болит сердце. Она всегда на него сердилась, когда он болел, — так волновалась, что не могла с собой справиться.

Ольга будет сердиться, а он отшучиваться, и все встанет наконец на свои места.

Если только она жива.

Если бородатые люди со злыми глазами пока сохранили ей жизнь. Временно.

На той самой военной базе, где его жена и Ники Беляев были в последний раз, он оказался только под вечер третьего дня — замученный, усталый и мокрый с головы до ног. Кокча разлилась, и переправа оказалась трудной и продолжительной. Журналисты, приехавшие вместе с ним, моментально растворились в подступающих со стороны гор сумерках. Им надо было успеть хоть что-то снять до наступления темноты, а Бахрушин отправился искать командира.

Никто долго не понимал, кто именно ему нужен, или делал вид, что не понимает, — здесь все так обращались с иностранцами, словно те и не люди вовсе, а некое подобие говорящих животных!

Охранник возле камышовой будки долго и пристально рассматривал его документы, а потом так же долго объяснялся с напарником — размахивал руками, говорил возбужденно и громко. Бахрушин курил и разглядывал жемчужные горы, которые стремительно пожирала темнота. Потом в перепалку ввязался переводчик, а может, они и не ссорились, а вели дружеский и конструктивный разговор?

От близости этих самых гор ломило затылок. А может, от ненависти — совсем недавно он вспоминал про налет цивилизованности и про то, как он тонок! Где-то в середине гор его жена. Жена и три парня-журналиста, ни за что ни про что попавшие в ад.

Всякие глупые детские мысли лезли ему в голову — вроде той, например, что, если бы у него был гигантский бульдозер, а лучше инопланетная космическая установка, он срыл бы горы до основания, и нашел бы Ольгу, и забрал домой, и поил бы ее чаем, и делал бы еще что-нибудь сентиментальное и немыслимое, и больше никогда и никуда не пустил бы ее!

— Хей! — сказал кто-то из бородатых и ткнул его в плечо. Бахрушин оглянулся.

Бородатый показывал автоматом куда-то за камышовую будку, и переводчик кивал как заведенный, но ничего не говорил, и Бахрушин понял, что должен идти туда.

Тропинка пропадала за ближайшим поворотом, как будто в пропасть сваливалась, а может, и сваливалась, потому что в темноте тихо шуршало, камушки сыпались, стекали куда-то. Свет единственного фонаря на будке сюда не доставал, и дальше начиналась непроглядная темень. Именно про такую говорят, наверное, — хоть глаз выколи.

Серое глиняное строение возникло совершенно неожиданно и прямо посреди тропинки. Ни огонька, ни проблеска.

Бородатый, шедший за ним почти вплотную, слегка подтолкнул его в спину, и Бахрушин шагнул наугад, в черноту. Под ногами чавкало — дождь, что ли, здесь шел?!

Они повернули, и жидкий свет лампочки над деревянной дверцей показался Бахрушину ослепительным и нереальным. На пороге стоял еще один бородатый, точная копия всех предыдущих. Он кивнул и посторонился, пропуская Бахрушина внутрь, в тесное помещеньице с голыми стенами и земляным полом. В противоположной стене — еще одна дверь и почему-то окно. Зачем окно в другую комнату?! Или здесь так принято?

Бахрушина обыскали.

Делали это равнодушно, бесстрастно и профессионально. Очень быстро.

Телефон. Сигареты. Диктофон. Записная книжка, ручка, бумажник. Пачка жвачки. Все, больше ничего.

Потом опять тычок в спину, впрочем, довольно аккуратный, и Бахрушин оказался в следующей комнате. Здесь тоже горела единственная лампочка, лежали матрасы вдоль стен и — никакой мебели.

Еще один бородатый сидел у стены, по-птичьи поджав ноги.

— Вы хотели меня видеть?

Английский язык, грянувший как гром среди ясного неба, даже испугал Алексея Владимировича. Никто из давешних бородачей не говорил по-английски.

Он оглянулся на дверь и понял, что следом никто не зашел. В комнате с матрасами они были вдвоем — он и бородатый.

— Да, если вас зовут Гийом.

— Это мое имя.

— Хотел.

— Зачем?

— Мою жену взяли в заложники, — медленно сказал Бахрушин, не сразу вспомнив, как будет по-английски «заложник». — В тот день, когда она была у вас на базе.

— Я хорошо ее помню. Садитесь.

Алексей Владимирович неловко сел на ближайший матрас и так же неловко скрестил ноги. Посередине стоял китайский термос с чаем и несколько пиал. Две пустые, а в двух других миндальные орехи и изюм.

— Хотите чаю?

Бахрушин не хотел никакого чаю, но не знал, что

правильнее, отказаться от угощения или поблагодарить за него, и решил, что лучше будет поблагодарить.

— Да, спасибо.

Гийом налил чай в одну из пиал, но в руки не взял и Бахрушину не протянул. Тот поднялся и взял пиалу сам. От темной жидкости пахло почему-то распаренным веником — может, потому, что чай заваривали в термосе?

Нужно было спрашивать дальше, а он боялся. Так боялся, что не мог себя заставить.

Ведь наверняка бородатый знает — жива она или мертва?

— Она пропала вечером того же дня. Она и еще трое русских.

— Я знаю. В горах всегда все знают.

— Они... живы?

Гийом отхлебнул из своей пиалы. Конечно, он не ответил сразу — еще бы!

Бахрушин ждал.

Цикады звенели за глиняной стеной.

— Да.

Алексей Владимирович еще немного подержал свою пиалу, а потом поставил ее на пол. Из нее выплеснулось немного темной жидкости.

Сердце болело почти невыносимо, и он подумал, что сейчас непременно умрет.

Прямо здесь. В этой хижине, на глазах у странного бородатого афганца с французским именем.

Афганец пристально и неотрывно наблюдал за ним, и Бахрушину показалось, что он не умер именно из-за этого. Из-за того, что тот смотрел так внимательно. Умирать под таким взглядом было бы глупо и... недостойно.

— Вы знаете, где они?

— Нет.

Врет, понял Бахрушин.

— Мы ищем их и не можем найти уже много дней. Требований никто никаких не выдвигает, и наш МИД...

Тут Гийом улыбнулся как человек, который внезапно услышал что-то очень смешное и изо всех сил сдерживается, чтобы не захохотать.

— Что вы хотите от меня?

— Помогите нам найти их. Мы... не останемся в долгу. — Это Бахрушин тоже сказал не сразу, некоторое время соображал, как будет «не остаться в долгу».

Гийом поболтал чай в своей пиале.

— Это очень трудно. И дорого.

— Насколько дорого?

— Очень дорого.

— Мы заплатим.

Опять молчание. Продолжительное и густое, как варенье, капающее с ложки.

— Вы богатый человек?

— Нет.

— Значит, заплатит ваша страна?

Стране нет до нас никакого дела, подумал Бахрушин стремительно.

...На днях, после исторического визита Олега Добрынина к помощнику президента Владлену Никитовичу, по «вертушке» звонил министр внутренних дел и матерился, и орал, и обещал всех посадить, если только они не перестанут «лезть не в свое дело»!

— Это мои люди, — упрямо говорил Добрынин, и пот блестел у него над верхней губой, хотя в кабинете было промозгло и холодно, — я не могу их бросить, Виктор Петрович!

— Да ты хоть понимаешь, что делаешь, твою мать! Там такие силы задействованы, а ты лезешь!.. И этому своему скажи, чтоб не лез, без вас разберутся, сопляки, мальчишки!

— Да ведь никто не разбирается, Виктор Петрович!

— Мне лучше знать, кто и в чем разбирается! Я тебя, сосунка, не с работы сниму, я тебя в изолятор посажу, если вы еще будете ходить и канючить!

— Там же люди! Журналисты. Они ни в чем не виноваты!

— Ты, твою мать, совсем охренел, Добрынин?! Я тебе русскими словами говорю — прекрати воду мутить, не смей! Без тебя разберутся, кто там прав, а кто виноват! Смотри, следующего тебя искать станут, если ты не остановишься и этого своего не окоротишь!

Бахрушин стоял у окна, смотрел вниз, на блестящие от дождя крыши машин на тесной стоянке, на лужи, на стайку водителей, куривших под металлическим козырьком, на зажженные фонари — какой-то нерадивый электрик так и не погасил их, несмотря на то что день был в разгаре.

Впрочем, какой день? Мрак с утра до ночи!

За спиной раздался грохот, и Бахрушин оглянулся. Добрынин швырнул трубку на аппарат, и она не удержалась, ударилась в пол и закачалась на толстом витом шнуре.

— Езжай в Кабул, Леша, — сказал Добрынин и рукавом пиджака вытер лицо. — Прямо сейчас. Х... их знает, может, через три дня тебя уже не выпустят!

У государства свои «государственные» интересы — что ему до пропавших в горах журналистов!

Ничего. Совсем ничего.

— Я, по крайней мере, хотел бы знать их требования, — отчетливо выговорил Бахрушин. — Ваши услуги, разумеется, мы оплатим в любом случае.

— Разумеется, — согласился Гийом. — Еще чаю?

Бахрушин покосился на свою нетронутую пиалу.

— Благодарю вас.

Молчание, похожее на вязкое варенье, и треск цикад.

— Я знаю, что в горах искали журналистов. Они нужны были Фахиму.

— Зачем?

— Говорят, кто-то из них предал Акбара.

Бахрушин изобразил изумление.

— С каких пор Али Аль Акбар стал общаться с журналистами?!

— Один из его ближайших помощников оказался шпионом. Он сделал запись его лица, чтобы то, что вы называете цивилизованным миром, уничтожило его. Он до сих пор жив и не скрывается только потому, что никто не знает его в лицо. Акбар ищет запись и знает, что она в Афганистане.

— Моя жена никак не связана с Акбаром, я это точно знаю!

— Должно быть, Акбар знает это точнее, раз поручил все дело Фахиму. Фахим никогда не ошибается.

— Может быть, на этот раз все же ошибся?

— Вы хотите объяснить это Фахиму?

— Да, — сказал Бахрушин твердо. — Если потребуется.

— Проще будет вернуть ему запись.

— У нас нет никакой записи!

— Придется ее найти, — сказал Гийом бесстрастно, и Бахрушин посмотрел на него внимательно. — Возвращайтесь в Кабул и ждите. Я сам выйду на вас.

— Когда?

Гийом ничего не ответил, зато в дверях неожиданно возник тот самый, что провожал сго сюда по горной тропинке, — как будто подслушивал. И Бахрушин понял, что аудиенция окончена.

Он неловко поднялся — ноги затекли от долгого сидения на полу — и вышел, не оглянувшись.

Задача показалась Ники чрезвычайно простой, особенно если сделать все толково и быстро.

Он всегда все так и делал.

Зданович смотрел на него волком, особенно после того, как Храброва объявила, что вечерний эфир будет вести все-таки она сама, и, кроме Даши, был вызван еще целый штат гримеров.

Началась суета, и Ники это было только на руку.

Он поднялся на этаж и забежал в приемную Бахрушина.

— Марин, дай мне список всех телефонов нашей бригады.

— Какой бригады, Ники?

У Марины все было хорошо — чайник кипел, в телевизоре Настя Каменская помирилась наконец с мужем, и они даже поехали на дачу, впрочем, кажется, все-таки по делам поехали, дверь в пустой кабинет шефа была распахнута настежь, телефон звонил редко, и ей не хотелось искать никакие списки.

— Нашей, Мариночка! Вечерней.

— Редакционные, что ли?

— Зачем мне редакционные! Я их и так знаю. Всякие личные. Мобильные. Домашние. Какие там еще бывают?

Марина вздохнула, отставила кружку с чаем и полезла в стол.

— Зачем тебе домашние телефоны, Ники? Или ты влюбился? Будешь по ночам девушке звонить?

— Конечно, буду.

— Держи. Только верни, а то все пропадет, а мне потом заново со всех собирать. Чаю хочешь?

— Нет. — Ники уже просматривал список.

— Зря. Хороший чай. Видишь, там цветы плавают? Это настоящий китайский для похудания! Малышева к шефу приходила и меня угостила. Может, похудеешь!

— Я не хочу худеть.

— А зря. Это сейчас модно.

Ники кивнул, промычал что-то невразумительное и пошел к двери.

— Беляев! — крикнула вслед Марина. — Ты теперь мне должен!

— Все, что угодно.

— Слушай, сделай мне компьютер, а? Программисты приходили, что-то тут крутили, а он все виснет и виснет. Главное, пишет все время: «Проверьте соединения». Какие соединения, а, Ники?

— М-м? — Он почти не слушал, все шарил глазами по списку. — А, там у тебя кабели, наверное, где-то отходят. Я взгляну потом.

— Точно?

— Угу.

Всем в информационной дирекции было известно, что у Ники золотые руки.

Из всего списка номеров он выбрал шесть, на его взгляд, наиболее подходящих, и даже выписал их на бумажку.

Все шестеро «абонентов» были в наличии — чем ближе к вечеру, тем больше народу собиралось в «новостях», и Ники торопился. До эфира ему непременно нужно съездить в «Интерфакс» и найти там Борейко, потом вернуться, успеть к программе, проводить Храброву, да и Лене он собирался звонить!

Из кармана рюкзака он выудил телефон. У него было два мобильника — один его собственный и второй, выданный в Би-би-си вместе с машиной. Этот самый английский мобильный номер состоял из огромного числа цифр и имел неоспоримое преимущество перед другим — никто в редакции его не знал.

Ники выбрал объект номер один — худосочного парня в джинсах и свитере «с махрами», так это называла когда-то бабушка. Тот сидел за своим компьютером и что-то яростно печатал. Клавиатура подскакивала на столе.

Ники, стоя в углу аппаратной, как бы *над* комнатой «новостей», набрал его телефон.

Внизу тоненько зазвонило, парень неслышно выругался и проворно раскопал на столе аппаратик.

— Але! Але!

Ники нажал «отбой», не сводя с парня глаз.

— Але! Але, чтоб вам пусто было!..

После чего тоже нажал кнопку и кинул телефон на стол.

Отлично. Номер один есть. По крайней мере, теперь Ники знал, где у него мобильник, а проверить номера, по которым именно с этого телефона отправляли сообщения, было делом техники. Наверняка парень пойдет курить или к кофейному автомату или еще куда, и Ники все быстро проверит. Хорошо, что он не положил аппарат в карман.

Впрочем, мало кто на работе носил в кармане мобильный — сидеть на нем неудобно, да и сразу не достанешь, если вдруг зазвонит.

Жалко, что их шесть, а не этот один! Хотя хорошо, что не сорок! На все эти пируэты и заходы уйдет масса времени!

Перемещаясь вдоль стеклянных стен аппаратной, он по очереди установил, где находятся остальные пять телефонов. С двумя ему не повезло — они были в дамских сумочках, да так там и остались после его «ложных вызовов».

Ну что ж. Четыре шанса из шести, это неплохо, сказал бы Остап Бендер.

Впрочем, если четыре выстрела окажутся холостыми, он все-таки найдет способ сделать остальные два. Попросит разрешения позвонить. Набрешет, что должен непременно отправить сообщение любимой о том, как он ее любит и жить без нее не может. Женщинам нравятся такие штуки, и вряд ли кто-то ему откажет.

Он выбрался из засады, спустился вниз и сел за первый попавшийся компьютер. Теперь осталось только ждать и наблюдать.

Часа через полтора он проверил все четыре телефона — ни с одного из них на номер Алины Храбровой не отправляли никаких сообщений.

Черт, черт, черт.

Оставались еще два, те самые, что в дамских сумочках.

Впрочем, вполне возможно, что все его теории яйца выеденного не стоят! Сообщение могли так же затереть, как затерли в телефоне у самой Алины после того, как ударили ее по голове!

Он долго слонялся возле одного из столов, так и эдак примериваясь вытащить из сумочки телефон, и все никак не получалось.

— Что тебе здесь надо, Беляев? — в конце концов спросил пролетавший мимо очень озабоченный Зданович.

— Я здесь работаю, Костя.

Тот притормозил и поднял брови.

— Ты уверен?

Вопрос мог означать только одно — главный сменный редактор каким-то образом пронюхал о его подпольной связи с Би-би-си, а это уж было совсем некстати!

— Я работаю именно здесь, — с нажимом сказал Ники, — это совершенно точно.

— Еще предстоит разобраться, где ты работаешь! — пробормотал Зданович. — До эфира времени уйма, займись чем-нибудь полезным, Беляев. Хватит... голову людям морочить!

Очевидно, подразумевалась голова Алины Храбровой.

Как только Зданович отвернулся, Ники цапнул из сумочки телефон, нагнулся, как будто завязывая шнурок, и быстро просмотрел меню.

Когда он увидел сообщение, то даже не обрадовался. Выходит, он прав?! Выходит, все так просто?!

Он вздохнул, подергал себя за шнурки и посмотрел еще раз.

Ну да. Все правильно. Алинин номер и текст: «Алина, мы тебя заждались, у нас беда с подводками!»

Беда — это точно. Только не с подводками.

Утром следующего дня позвонил Добрынин.

— Ну что, Леш?

— Пока ничего.

— Ты с ним встречался?

— Вчера. Но он ничего толком мне не сказал.

— Это понятно.

— Сказал, что его посреднические услуги очень дорого стоят.

Добрынин помолчал.

— Дорого — это сколько?

— Я не знаю, Олег. Он сказал мне про видеокассету. Что ищут именно кассету, и почему-то у моей жены.

— Да все понятно, почему!

— Еще сказал, что все живы, и я ему верю.

— Скорее всего, живы, — быстро ответил Добрынин. — Не имеет никакого смысла их убивать. За трупы совсем ничего не дадут. Прости, Леша.

— За трупы не дадут, — согласился Бахрушин и опять схватился за сердце. — Но до последней минуты мы можем не знать, что они уже... трупы. Мы найдем кассету и деньги, хоть я и не представляю как, и взамен получим именно...

— Ты где? — перебил его Добрынин. — В Кабуле?

— Да.

— Ну и как там у вас погода?

— Что?..

— Погода как там у вас? У нас все льет.

— Ветер, — проскрипел Бахрушин. — Холодно. И не надо меня отвлекать, Олег! Я же не мальчик. Я все равно не отвлекаюсь. Злюсь только.

— Это хорошо, — сказал далекий Добрынин. — Хорошо, что злишься, Леша.

— Ты лучше скажи, где мы будем искать деньги. А?

— А кассету?

— И кассету.

— Я не знаю, — признался Добрынин. — Сначала

хорошо бы условия выслушать. И потом, я боюсь, что как только станет известно о том, что мы с тобой деньги ищем, нам одна дорога.

— В «Матросскую Тишину», — подсказал Бахрушин.

— Вот именно. Всем хорошо известна непримиримая позиция государства по отношению к террористам, берущим в заложники людей. Американцы нас научили.

— Американцы за своих с лица земли полмира сметут. А мы?..

— И мы тоже, — пробормотал Добрынин, — мы же ничуть не хуже! Держись, Леша. Если что, сразу звони. Я с телефоном теперь сплю. Не с женой, а с трубкой.

Бахрушин пообещал звонить и нажал кнопку.

Бездействие было хуже всего.

Пока он летел, пока дожидался бумаг, будто в очередь за холодильником в семидесятые годы, отправляясь каждое утро в местный МИД, еще можно было как-то существовать. Как только дела кончались, существование тоже кончалось. В Москве была работа, без которой он ни дня не мог прожить, а здесь нет ничего, кроме тоски, поглотившей город за пыльными стеклами, ветра, громыхавшего по крыше, близких гор, от которых душно становилось на сердце и как-то черно и пусто в голове.

Вчерашний день он почти не помнил — так сильно ждал встречи с Гийомом, а потом дорога, встреча, ночь, цикады. Вчера ему показалось, что на один шаг он приблизился к Ольге, хоть узнал, что она жива, и в первый раз за все это ужасное время *поверил* в то, что это правда.

Вряд ли *тот* обманывал его, хотя вполне мог.

Или не мог?

Весь день Бахрушин провел в гостинице, потому что боялся, что явится Гийом, а его не будет на месте! Это было очень глупо, потому что здесь все про всех знали всё и вряд ли бы афганец явился в его отсутствие, — и все-таки сидел в номере.

Читать он не мог. Компьютера с собой у него не было. Да если бы и был, это ничего бы не изменило!

Он лежал на продавленной кровати, проваливаясь почти до самого пола, по которому немилосердный сквозняк гонял оброненную кем-то бумажку, смотрел в окно на стоящий во дворе БТР и все время заставлял себя *не думать*.

Он вспоминал дачу, отца, детство — будто перед смертью — и вяло удивлялся тому, как с разгону, словно ударившись лбом в стену, остановилась жизнь, и он, Алексей Бахрушин, тоже остановился, и неизвестно теперь, сможет ли когда-нибудь двинуться дальше!

Гийом явился под вечер.

В дверь постучали, и Бахрушин, ожидавший этого стука целый день, сильно струсил, когда услышал его. Пришлось даже несколько секунд посидеть на продавленной сетке, прийти в себя, прежде чем подняться и открыть.

Гийом был один — по крайней мере, в коридоре никто за ним не маячил.

Он кивнул Бахрушину, и тот кивнул в ответ, пропуская его в комнату. Афганец огляделся, остановил взгляд на его рюкзаке, потом на папке со всеми добытыми здесь документами и опять посмотрел на Алексея Владимировича.

— Я нашел тех, о которых мы говорили вчера, — сказал Гийом по-английски. У него был какой-то такой английский, который Бахрушин почти не понимал. Афганский, наверное. — Их трое. Женщины среди них нет.

— Так, — сказал Бахрушин.

Ладони стали мокрыми, а сердце маленьким-маленьким, похожим на грецкий орех с искривленной серединой и каменной скорлупой.

— Женщина жива?

Гийом помолчал.

— Все живы. Я сказал вчера. Ничего не изменилось.

Он двинулся в середину комнаты, и бородатая тень проползла по противоположной стене и замерла возле самого окна.

— За тех троих хотят пять миллионов долларов. За женщину только видеокассету. Гарантией того, что кассету никто не видел, станет отсутствие информации.

— Какой информации?

— Если пленку получит хоть одна разведывательная организация, Акбар тотчас же узнает об этом. В этом случае женщину немедленно убьют. И тех троих тоже.

— У меня нет кассеты, — сказал Бахрушин, прислушиваясь к мерному подрагиванию грецкого ореха с левой стороны груди.

Если он разорвется, скорлупа не выдержит, значит, все, конец. Ольге больше никто не поможет.

— Если вы найдете кассету и перед тем, как вернуть ее Акбару, поставите в известность свою разведку, ваша жена умрет. Я бы не советовал вам это делать. Мы умеем убивать.

Может, он сказал что-то другое, но Бахрушин понял его именно так.

— Я не собираюсь информировать никакую разведку! Но у меня нет кассеты!

— Найдите деньги, найдите кассету, и вы получите обратно вашу жену и тех троих. Это разумные условия.

— Ну да, — согласился Бахрушин. — Конечно.

Ники приехал в «Интерфакс» уже под вечер. Украденный из сумочки телефон лежал у него в рюкзаке, и он против воли все время думал — зачем?!

Ну зачем?!

Конкуренция? Честолюбие? Извращенное представление о собственном величии?!

Он, Ники Беляев, никогда не понимал ничего подобного, и ему было противно, как будто случайно он наступил на лягушку и раздавил ее, а теперь не знает, что ему делать — с лягушкой, с ботинком, с собой!

В «Интерфаксе» ему сказали, что Толя Борейко простудился и слег с температурой и теперь объявится не раньше чем через неделю.

— Как — через неделю?! — заревел Ники. — Он мне сейчас нужен!

Но Толины коллеги такого его энтузиазма не разделяли и продолжали уверять его, что раньше тот никак не поправится, и Ники опять выдумывал черт-те что, чтобы раздобыть Толин домашний адрес.

Когда он в конце концов его получил, времени почти не оставалось. Он должен непременно вернуться к эфиру, чтобы с Алиной больше ничего не стряслось — никто ведь не знает, что он разгадал загадку!

Большинство не подозревает даже, что загадка была.

Слава богу, жил Толя в самом центре Москвы, на тихой и спокойной улице Чаянова, от которой до 5-й улицы Ямского Поля рукой подать.

Темнело, и дождь все шел, и Женя Глюкк на «Радиороксе» говорила о том, что в Петербурге сегодня очень ветрено и ветер даже унес в море какую-то баржу. Ники позавидовал барже. Ему очень хотелось в море, и чтобы было холодно, и брызги летели, и ветер рвал кожу на лице, задувал в глаза, и стальная вода ходуном ходила под днищем, так что на ногах удержаться было непросто! Это вполне соответствовало его теперешнему состоянию.

Ники оставил включенными фары — специально, чтобы машина заранее ждала его, — зашел в подъезд. Сетчатый старинный лифт не работал, и он побежал пешком, перепрыгивая через три ступеньки и думая только о том, как бы ему не опоздать на эфир.

Дверь была чем-то похожа на Толю — гладкая, малиновая, и ручка в завитушках.

Ники позвонил и прислушался. Долго ничего не было слышно, а потом раздались шаги и страдающий голос:

— Кто там?

— Толь, это Ники Беляев. У меня к тебе дело.

— Хто? — изумился из-за двери простуженный голос. — Хто это?

Ники вздохнул и легонько стукнул в притолоку кулаком. С потолка посыпалась штукатурка.

— Это я, Ники. Ты чего, забыл меня, что ли?! Открывай давай, у меня к тебе дело!

— Беляев, это ты, что ли?!

— Я, я, открывай!

За дверью возникла некоторая пауза.

— А какое дело? Я болею.

— Важное! — рявкнул Ники.

— Да я ничем сейчас не занимаюсь. У меня температура. На больничном я!

Этот диалог из-за двери начал Ники раздражать, но Толя, видимо, решил ни за что не пускать его в дом.

— Я тебе деньги привез, — быстро сказал Беляев, — из Кабула передали. Чего-то они там тебе недоплатили!

— Деньги? — усомнился Толя. — Ну, ладно, я открою, только ты мне их в щелку просунь, а сам не входи. Говорю же, болею я!

— Открывай, придурок! — пробормотал Ники и опять легонько стукнул в притолоку. — Что еще за базар тут у нас!

Загремели замки, дверь чуть-чуть приоткрылась, и высунулась Толина рука.

— Давай.

И рука покрутилась в воздухе.

Но в вопросе прохождения сквозь стены с Ники трудно было сладить. Он чуть откинулся назад, приналег плечом, ударил, за дверью послышался какой-то неправдоподобно тонкий визг, и она наотмашь распахнулась.

Ники с грохотом ввалился в полутемную прихожую, что-то упало, покатилось и, кажется, разбилось.

— Черт, черт, черт!..

В темноте кто-то стонал, завывал и даже хрюкал, по полу катались какие-то вазы, громыхали и звенели, что-то рушилось, и Ники нашел наконец выключатель.

При ярком свете все разъяснилось.

Стонал, завывал и хрюкал Толя Борейко. Два металлических индийских кувшина сказочной красоты раскатились в дальние углы просторной прихожей. Никелированная вешалка валялась на полу, а рядом с ней консервативный серый плащ и шляпа. По всей видимости, Толина.

— Привет, — сказал Ники, тяжело дыша. — Ты чего не открываешь?

Толя застонал еще пуще и приложил к носу платок.

— Ты совсем с ума сошел, Беляев?! Что ты себе позволяешь?! Придурок! Ты мне нос разбил!

Но Ники не мог оторвать взгляд от его платка.

Платок был белоснежный, сложенный треугольником, как солдатское письмо в войну.

Точно такой же Ники подобрал на полу в разгромленной Ольгиной комнате. Он нашел его и точно знал, чей это платок, а потом забыл о нем, идиот!

Он обо всем позабыл в Москве!

Очевидно, что-то изменилось в его лице, потому что Толя вдруг попятился, побледнел, отнял от носа руку, поскользнулся, и даже шарф упал с упитанной шейки.

— Ты... ты что, Беляев? Тебе чего? Что тебе надо-то?!

Ники улыбнулся.

От его улыбки с Толей сделалось нечто вроде истерического припадка. Он вскрикнул и куда-то побежал, но Ники схватил его за шиворот.

— Где видеокассета, Толя?!

— Ка... какая кассета?

— За которой ты приходил в Ольгин номер. Там, в Кабуле. Где, Толя?

— Я не знаю! Я никуда не приходил! Зачем мне ваши кассеты, когда я только на диктофон!..

— Толя, — нежно попросил его Ники. — Ты мне не ври. Сам видишь, я себя не контролирую, а веса во мне сто килограмм! Я ведь придавлю и не замечу, Толя! Что ты делал в ее номере? Отвечай, быстро!

— Не был я в ее номере! — закричал Борейко жалобно и сглотнул. По упитанной шейке прошел комок. — Не был! С чего ты это взял?!

— С того, что там был точно такой же платочек, — Ники вырвал у него белоснежный треугольник и сунул к самым его глазам. Толя отшатнулся и стал косить. — Я нашел. Показать тебе?

— Не надо.

— Я могу. Откуда он там взялся, а?!

— Я... я утром забыл, когда заходил. Я... у меня насморк, аллергия, и я... с платком... я забыл просто!

— Ты не ври мне, Толя, — посоветовал Ники все так же нежно. — Ты тем утром куда заходил?

— К... к вам. Я к вам заходил, ты не помнишь, что ли!

— Ты заходил в *мой* номер. Мы были в моем номере, а не в Ольгином! Откуда в Ольгином взялся твой платок, твою мать?!

Ники Беляев никогда не матерился. По крайней мере, никто никогда не слышал, чтобы он матерился, и Толя Борейко неожиданно для себя вдруг осознал, что все... всерьез.

Настолько всерьез, что еще чуть-чуть и этот бледный до зелени, смуглый огромный мужик его убьет.

Ничего не поможет — ни стенания, ни мольбы, ни уговоры, ни упоминания слабого здоровья и хронических недомоганий. Разве всем этим проймешь такого!

— Ты приходил за кассетой, да? Ты и забрал ее. Там

двери, в этой гостинице, пальцем можно открыть! Ты знал про посылку и про кассету. Откуда ты узнал?

— От Масуда.

— От кого?!

— От Масуда, — прохныкал Толя. — Пусти меня, Ники, я дышать не могу!

— Я тебя сейчас пущу, — пообещал тот. — Говори быстро, ну!.. Масуд — корреспондент «Аль Джазиры», да?

— Он такой же корреспондент, как я китайский летчик!

— Ты не похож на китайского летчика, Толя.

— Он знал, что из Парижа должна прийти видеокассета с каким-то компроматом. Он мне не говорил, правда, Ники! Я подслушал! Он сказал кому-то из своих, а я понимаю... пушту. А в ACTED меня попросили Шелестовой передать, что для нее посылка. Из Парижа. Я и подумал, что там эта кассета! Шелестова у нас тоже дама... непростая, вот я и решил... Я не хотел, решил только посмотреть, что на этой кассете! А там какая-то ерунда, Ники, ничего стоящего, правда! Ну, клянусь тебе! Здоровьем своим клянусь! Я не хотел! Когда вы уехали на позиции, я вошел в номер — кассета лежала прямо в открытой коробке, то есть в посылке.

— Ты знал, что Масуд ищет кассету, и нам не сказал ни слова! — с отвращением выговорил Ники. — Ты знал, что им она нужна, спер ее и был таков — тебя они и не искали! Кто бы на тебя подумал, твою мать! Да никто! И после того как Ольгу взяли, ты тоже не сказал никому ни слова?

— Так разве ее из-за кассеты взяли? — искренне удивился Толя и шмыгнул носом. — Я только хотел... посмотреть, может, на ней что интересное, а? Ники! А там ничего...

— Ты собирался ее продать?

Толя опять скосил глаза и горестно шмыгнул носом.

— Где она?

— Ольга?

— Кассета, придурок!

— А, так у меня, — сказал Борейко. — Я принесу. Принести, Ники?

Беляев со всего размаха шмякнул о стену Толю Борейко, так что тот медленно сполз на пол, таращя бессмысленные глаза. Сверху ему на голову спланировал белоснежный треугольник.

— Спасибо, не надо, — пробормотал Ники и перешагнул через вытянутые, как будто в судороге, Толины ноги. — Я сам найду.

Искал он недолго, и когда нашел и вышел в прихожую, Толя шарахнулся от него и пополз, перебирая руками по стене, как таракан.

— Ты жди, — сказал ему Ники. — Там ведь не мою жену взяли. Жди, Бахрушин вернется и все тебе объяснит. Про ум, честь и совесть нашей эпохи.

Он с силой хлопнул дверью и побежал по лестнице. Кассета была у него в куртке, животом он все время чувствовал ее.

На бегу он достал телефон и набрал очень длинный номер.

В этот раз соединилось сразу, может быть, потому, что он звонил с мобильника, выданного ему в Би-би-си.

— Да, — отрывисто сказал Бахрушин.

— Леша, это я.

— Ники, по-моему, я нашел Ольгу.

— А я нашел кассету, — буркнул Беляев, — и это совершенно точно.

Конечно, он опоздал на эфир и приехал, когда Храброва уже встала из-за стола, а атлетического вида молодой мужчина, наоборот, пристально и сурово смотрел на себя в монитор — начинались новости спорта.

Ники влетел в аппаратную и закрутил головой,

отыскивая кого-то, и, когда нашел, быстро отвел глаза, вспомнив про лягушку, раздавленную ботинком.

Давить лягушек он не привык.

Зданович содрал с себя наушники, покосился на Ники и сказал громко:

— Господин шеф операторов, вы на работу теперь вовсе не будете приходить?

— Прошу прощения, — пробормотал Ники. — У меня были неотложные дела.

— Больная бабушка? — спросил кто-то из ассистентов.

— Дедушка, — поправил Ники. — Довольно молодой и очень больной. По фамилии Борейко. А где Храброва?

— Я здесь. Костя, как все было?

— Нормально. Только я бы предпочел, чтобы ты сегодня в эфир не выходила. Хотя ты молодец. Настоящая Храброва!

Ники посмотрел на нее. Она была так загримирована, что лицо в обычном свете казалось неестественной маской. Волосы спущены на лоб нелепой челочкой, очень ей не шедшей.

Все равно, неожиданно подумал Ники, все равно она самая красивая женщина на свете. Странно, что такая красивая. Таких не бывает.

— Мне надо с вами поговорить, — объявил Ники. — Костя, с тобой и с Алиной. И еще... с редакторским составом.

— У тебя опять предложения по программе? — осведомился Зданович. — Такие же дельные, как и все предыдущие?

— Не-ет, — протянул Ники. — Гораздо более дельные. Поговорим?

— Беляев, ты мне надоел. Я вообще должен поставить перед Бахрушиным вопрос об этом твоем странном совместительстве! Ты у нас, оказывается, многостаночник. На англичан работаешь?!

Ники некогда было сейчас оправдываться.

Он во всем оправдается, но потом, когда у него будет время... и силы.

— Бахрушин знает про англичан, Костя. Так что ты особенно не утруждайся. Мне надо про другое поговорить. Пойдемте?

Зданович никуда не хотел с ним идти. Беляев раздражал его, давно и сильно. Раздражал тем, что умел дружить с начальством, тем, что не боялся ездить на войну, профессионализмом, за который ему все прощалось. Он решил, что не пойдет ни за что.

Хоть пусть у Беляева истерика случится!

— Если тебе надо говорить, говори здесь. Мы все свои, и в коллективе у нас тайн друг от друга нет.

Ники понял, что Зданович зол, что он никуда с ним не пойдет и публичного четвертования лягушки не избежать.

Он вздохнул, как слон-тяжеловоз, и покорился.

Все собирались домой, и никто особенно не обращал на них внимания.

Храброва подошла, села в кресло и сложила на коленях руки.

— Значит, так, — начал Ники. — Кость, ты знаешь, что кто-то писал Алине записки с угрозами? Да еще в New Star? И прямо перед эфиром?

Зданович вытаращил глаза:

— Алина?!

Храброва кивнула и выпрямилась еще больше, хотя больше некуда.

— Я узнал случайно, — Ники как будто извинялся. — Бахрушин тоже в курсе, но ему сейчас... не до того.

Кассета теперь была у него под водолазкой, мешала, оттопыривалась, но оставить ее в рюкзаке он не решился.

— Два раза ей угрожали, а сегодня произошло то, что произошло.

Новостной народ бросил собираться по домам, и теперь все толпились возле Костиного стола. Было очень тихо.

— Алина обедала, а когда вернулась, ее ударили. Я нашел телефон, с которого ей отправили сообщение, чтобы она возвращалась в редакцию. Его мог отправить только редактор. Про подводки и про то, что с ними беда. Именно редактор отвечает за это.

Ники аккуратно выложил мобильник на стол перед Костей.

— Чей это телефон? Ваш, Рая? По крайней мере, я достал его из вашей сумки.

— Раечка, — пробормотал Зданович, а Храброва не сказала ни слова.

Журналисты, как будто по ним прошла волна, шевельнулись, расступились, и редакторша осталась одна перед столом Кости Здановича.

— Это мой телефон, — сказала она громко. — Отдайте. Зачем вы его украли? Я его полдня ищу! Надо в службу безопасности позвонить.

— Звоните, — разрешил Ники. — Вперед. Только зачем вы все это устроили?! Славы, что ли, хотелось? Как у Алины?

— Когда уходила Таня Делегатская, — отчеканила Рая, — Паша Песцов сказал, что место ведущей предложат мне. Я же вела «Утро»! А пришла эта ваша... звезда, и все! Никакого места! Я хотела, чтобы она убралась отсюда! И Паша мне обещал!

— При чем тут Паша? — пробормотал совершенно ошарашенный Зданович. — Песцов ведущими новостей не распоряжается!

— Он обещал поговорить с Добрыниным и с Бахрушиным! Он обещал это место мне, а она все испортила, все! Проститутка! Всем известно, с кем она спит, чтобы получать свои эфиры! Я хотела, чтобы она убралась. Я не делала ничего такого. И Паша говорит, что я самая лучшая ведущая!

— Давай, Костя, — сказал Ники устало, — звони в службу безопасности. Алина, я отвезу тебя домой.

— Я и сама могу.

— Мы все знаем, что ты все можешь сама. Но я отвезу. Пошли.

На лестнице он не выдержал и похвастался:

— Я нашел кассету, на которую можно обменять Ольгину жизнь. Осталось найти еще пять миллионов долларов, но это только Бахрушин может. Я не могу.

Храброва секунду молчала.

— Я могу.

— Что?!

— Найти пять миллионов долларов. Я попрошу у Баширова, и он даст. А на пять миллионов что можно обменять?

— Еще три жизни, — буркнул Ники.

Никто не знал, сколько это — пять миллионов долларов и как они выглядят, так сказать, «в натуре». И откуда они возьмутся, тоже оставалось до конца не ясно.

Был выработан некий план, казавшийся тем более диким, чем ближе подходил срок его осуществления. В подробности «плана», кроме Бахрушина и Беляева, еще была посвящена Храброва, потому что миллионы «добывала» именно она, и еще Олег Добрынин, на которого возложили миссию в случае чего «принять меры».

Какие именно «меры» сможет принять Добрынин и в случае «чего» он станет их принимать, никто до конца не знал.

В последнее время он занимался только переговорами с министром внутренних дел, который звонил ежедневно, как будто Добрынин был его замом, и ежедневно объяснял, что именно он сделает с ними обоими —

Бахрушиным и Добрыниным, — если те не перестанут «баламутить воду».

— Зачем Бахрушин в Кабул полетел? А?! Нет, ты мне ответь, ответь! Кто давал санкции такие?! Кто там за ним ответственность несет?! Я тебе говорил, что я тебя посажу, Олег Петрович?! Говорил или не говорил?!

Добрынин, тоскуя, соглашался со всем, о чем гремел в трубке министр МВД.

В данном случае смысл поговорки — «пан или пропал» — был как-то особенно и отчетливо ясен. Можно сказать, величествен в своей простоте.

Или все получится — но нет никаких гарантий, что получится хоть что-нибудь!

Или ничего не получится — и тогда они не отмоются никогда, и просто отставками не обойдется, это уж точно. Вот, например, «Матросская Тишина» стала в последнее время как-то по-новому близка и понятна многим проштрафившимся бизнесменам и политикам. Отчасти и журналистам тоже.

Анна Австрийская во времена Фронды сожалела, что потеряла Париж, а вместе с ним и Бастилию, где человек мог заживо сгнить и никто никогда не вспомнил бы о нем.

Москва в последнее время как будто только обрела свою собственную «новую» Бастилию, научилась ею пользоваться — после долгого перерыва — и потихоньку проверяла свои силы.

Некие медиамагнаты. Журналисты. Бизнесмены, сделавшие деньги «нечестным путем» и давно позабывшие об этом, ибо эти самые деньги они делали полтора десятилетия назад, когда не было никаких законов и никто толком не знал, что именно честно, а что нечестно.

Смотреть на них, ввергнутых в узилище, было жалко и страшно — щеки у них моментально обвисали, без пиджаков и галстуков они выглядели как сдувшиеся воздушные шары — обвислые щеки, бледная, вялая кожа, одышка и затравленный взгляд.

Добрынин старался в последнее время никаких таких сюжетов не смотреть — все ему представлялось, как он сам будет выглядеть в пахнущем потом спортивном костюме, со сдувшимися щеками и потухшим взглядом.

Ахмет Баширов принял его неожиданно быстро.

Позвонила Храброва и сказала, что тот готов встречаться, и Добрынин поехал, проклиная все на свете, абсолютно уверенный, что Баширов его не примет никогда и ни за что, и как бы заранее готовый к унижению этого самого «непринятия» — долгому сидению в кресле, разглядыванию дорогого фикуса в приемной, сдержанным зевкам и нагретому мобильному телефону в ладони.

Баширов принял его в ту же секунду, что он приехал.

— Проходите, — сказала пожилая секретарша, и дюжий охранник распахнул перед Добрыниным тяжелую дверь, сверкнувшую в лицо полировкой.

За дверью была еще одна дверь, кажется, еще более тяжелая, бронированная, что ли?..

Добрынин так трусил, что ему было стыдно. Кажется, в последний раз он трусил так же в седьмом классе, когда его — его одного! — вызвал к себе директор школы, прознавший, что они курили на заднем дворе.

Вызвал одного, а курили полкласса, и Олег шел один — как на Голгофу. И дверь тогда также блеснула ему в лицо полировкой. Учились они в здании бывшей гимназии на Чистых прудах, где все было как следует — двери, стены, столетние липы во дворе.

И оттого, что офис Баширова был так похож на его школу, Добрынину стало совсем не по себе.

Он зашел, и ему показалось, что в кабинете никого нет, и он вдруг на секунду обрадовался — никого нет, значит, можно расслабиться, передохнуть и вернуться в приемную.

Пронесло. Слава богу.

Баширов стоял у окна, в нише его не было видно. Он курил, и рукава белой рубахи были засучены, смуглые волосатые руки показались Добрынину почему-то непристойными.

— Ахмет Салманович?..

— Можете называть меня Ахмет, — выговорил тот медленно, но почти без акцента. — По имени как-то проще. А?

— Что? — глупо спросил генеральный директор Российского канала.

Баширов помолчал.

— Садись, Олег. Чаю? Или виски сразу выпьем?

Добрынин молчал.

Баширов налил виски в два круглых стакана и поставил оба на раритетный стол красного дерева, маячивший в отдалении возле камина. Кабинет был каких-то необыкновенных размеров, как будто занимал целый этаж.

— Храброва мне звонила, — сказал Баширов, когда они уселись. — Просила помочь. Я Алину очень уважаю. Я помогу, если она просила.

Тут Добрынин вдруг сообразил, что он вполне может не знать, в чем именно должна состоять его «помощь». Может, он думает, что надо министру внутренних дел позвонить?.. Или вице-премьеру?.. Или еще кому-нибудь? Вряд ли Храброва сказала ему про пять миллионов! Или сказала?

— Ахмет Салманович...

— Ахмет.

— Ахмет, — повторил Добрынин, маясь. — У меня людей в Афгане забрали. Мы долго найти не могли, потому что ни требований никаких не было, ни заявлений. Бахрушин... Алексей Бахрушин, начальник информации нашего канала, сейчас в Кабуле. Там его жена.

— Ольга, — кивнул Баширов. — Я знаю. Я все знаю, Олег. Ты мне не объясняй. Ты, если хочешь, спроси, может, я тебе объясню.

— Что?..

— Что знаю, то и объясню. Ты спрашивай.

Добрынин решительно не знал, о чем он должен спрашивать.

— Мы знаем, что была кассета, на которой снят Аль Акбар. Она как-то оказалась у нашего корреспондента в Париже. То есть мы думаем, что она у него оказалась.

— Столетов, — кивнул Баширов и отхлебнул из своего стакана. Желтый лимон колыхнулся в янтарной тягучей жидкости. Добрынин не мог оторвать от лимона глаз. — Только кассета не «как-то» оказалась, Олег. Вполне понятно, как она оказалась. Столетов твой с чеченцами валандался. Они ему анашу по дешевке возили, а он им за это всякую мелочовку сливал. Ну, информационную. Кого привезли, кого увезли. Кому дали визу, кому не дали. Ну, в посольстве помогал, как мог. А они еще приплачивали ему, не все марафетом давали. Ты не знал?

— Не знал, — признался Добрынин.

— А в последнее время их там прижали. Когда наш президент с французским побратался и решил с международным терроризмом бороться. Ну, они и оставили ему кассету. Думали, у него надежней будет, а он не догадается ни о чем. Только он не дурак был, Столетов твой. Хоть и наркоман.

Добрынин помолчал, обдумывая слово «был».

— Я все правильно понял, Ахмет?..

— Все ты правильно понял, Олег. Нет его больше. Да разве люди Акбара предателя упустят!..

— А ту кассету чеченцы снимали?

— Ну да. Кто-то из ближних. Еще говорят, на англичан работал. Говорят, Акбар его в лоскуты порезал, а куски четырьмя лошадьми по сторонам света растянул.

Добрынин тоже отпил из своего бокала и поморщился. Он не любил виски.

— А Столетов?..

— А Столетов кассету припрятал. Он думал, что умнее всех. Чеченцев выслали, и никто не знал, что кассета у него. Но что чеченцы!.. Как будто в Париже у Акбара мало своих людей! Столетов понял, что кассету ему не продать, в Париже, по крайней мере. И он отправил ее Ольге, жене твоего Бахрушина. Просто так отправил, посылкой. Самый лучший способ спрятать вещь — положить ее на самом видном месте. А?

— Да, — согласился Добрынин. — Только почему Ольге?!

Баширов пожал плечами.

— Тебе видней, Олег. Я в ваших делах не очень разбираюсь. Я знаю, что они вместе работали. Долго работали. А моя аналитическая служба доложила, что ее как раз накануне по телевизору показали, в новостях Би-би-си. Она интервью у кого-то брала.

— Почему Би-би-си? — не понял Добрынин.

— Так ее оператор на Би-би-си работает, — удивился Баширов. — Вполне легально.

Генеральный директор усмехнулся. Этого он тоже не знал.

Ее показали по Би-би-си, Столетов ее увидел и понял, что это его последний шанс избавиться от кассеты, но не упустить ее. Конечно, он мог выбросить ее в Сену, но ему очень хотелось денег, как я понимаю. В Кабул улетал Буле, старый приятель. Столетов приготовил посылку и передал Ольге. Даже если бы она не догадалась, что это за кассета, все равно она не пропала бы. Кассеты — большая ценность. Особенно в Афганистане.

— Это точно.

— Она просто привезла бы кассету в Москву, так ни о чем и не догадавшись, а Столетов бы ее забрал. Не сразу. Потом. А Никитовичу он для подстраховки звонил. И зря, между прочим. Никитович перепугался до смерти. Он слабак.

Баширов допил виски и со стуком поставил стакан

на стол. Посмотрел на него и зачем-то крутанул. Стакан завертелся по темной полировке, клубок солнца попался ему по дороге, стекло отразило его, и свет брызнул в глаза.

Добрынин зажмурился.

— Откуда люди Акбара узнали, что кассета вернулась в Афганистан?

Баширов пожал плечами — совершенно равнодушно.

— Скорее всего, он сам сказал. Вряд ли его просто так убили, Олег. Скорее всего, его пытали — сильно. Он и сказал. Когда отправил, куда и кому. А там уже стали искать. И нашли.

Они помолчали.

Ничего не слышно было в кабинете — ни голосов, ни шорохов, ни звуков. Как будто весь мир за его стенами притаился и подслушивает. По крайней мере, у Добрынина было именно такое ощущение.

— Говори, чем помочь, — раздробил тишину голос Баширова. — Я помогу.

— За ребят денег хотят, — быстро сказал Добрынин. Нужно было сказать это именно быстро, потому что он очень боялся, что передумает и вообще ничего не скажет.

Поднимется, поблагодарит и выйдет.

— За Ольгу кассету хотели, и мы кассету нашли.

— Даже так?

— Так, Ахмет... — Он даже губы сложил, чтобы добавить «Салманович», и удержал себя в последнюю секунду. — Нашли. А денег мы не найдем. Если только вы не поможете.

— Велики ли деньги?

— Пять миллионов долларов.

Выраженная в словах, в тишине этого сказочного кабинета, сумма вдруг показалась не такой уж и огромной. Все-таки всего пять. Пять. Не пятьдесят. Не пятьсот.

Тут Олег Добрынин почувствовал себя Глафирой Фирсовной из Островского, для которой «что больше тыщи, все мильон!».

Ему действительно было все равно — пять миллионов, пятьдесят или пятьсот.

Какая разница!

— Пять миллионов, — повторил Баширов, и непонятно было, зачем он повторяет. Даст или не даст. В «положительном» смысле повторяет или в «отрицательном». — Мелкими и старыми, да, Олег?

Добрынин кивнул.

— Не так много, как неудобно, — себе под нос пробормотал Баширов и поднялся. Добрынин поднялся следом. — Я дам тебе денег, Олег. Скажи своему Бахрушину, пусть встречает. Прямо в Кабул привезут, чтобы здесь лишний раз не светиться. Сумма немаленькая, дело темное, а я честный налогоплательщик!

Тут он позволил себе сдержанно улыбнуться.

— А... условия? — спросил Добрынин, забыв, что должен благодарить.

— Что за условия?

— Как мы будем тебе их возвращать? Или ты временем телевизионным возьмешь? Или...

Баширов уже вернулся за свой стол, сел и теперь смотрел на Добрынина из гораздо более удобного и выгодного положения хозяина кабинета.

— Отдавать не нужно, — выговорил он медленно. — Временем я тоже не возьму. Одалживаться не хочу, Олег! Когда понадобится, я куплю лучше.

— А за пять миллионов не хочешь?!

— Нет. Не хочу. Тебе нужны деньги. Ты не в казино идешь, ты людей спасаешь. Я тебе даю деньги, потому что знаю, что ты людей спасаешь. И Храброву я очень уважаю.

Добрынин так ничего и не понимал.

— А взамен? Взамен что ты хочешь?

— Ничего.

— Как?!

— Ничего не хочу.

— Так не бывает.

— Ты мне объяснить хочешь, — спросил Баширов, — как бывает, а как не бывает?!

Оказалось, что пять миллионов долларов — это две спортивные сумки, килограммов семь денег, не меньше.

Пришел самолет, Бахрушин так толком и не понял, что это за самолет, откуда. Самолет был небольшой, «бизнес-класса», как нынче говорят, и без всяких опознавательных знаков. Он приземлился на военном аэродроме Кабула, что само по себе было невозможно и странно — гражданские самолеты здесь никогда не садились, и журналистов всегда пускали только в строго отведенный «отстойник».

Бахрушина провели на поле и бросили там, и он долго слонялся среди бочек, ящиков, каких-то деревянных складов, в реве и вое реактивных двигателей, совсем один, не зная, что ему делать дальше.

Потом сел этот самолетик. Бахрушин пошел к нему просто так, потому что все остальные взлетавшие и садившиеся рулили в отдалении и в отдалении же и замирали, а этот почти к решетке подкатил.

Когда Бахрушин подошел, почти оглохнув от грохота, потому что двигатель самолетик не глушил, распахнулась дверь, и в высоте показался какой-то человек а костюме. Он сверху посмотрел на Алексея, скрылся на секунду, а потом выбросил к его ногам одну за другой две спортивные сумки.

Сумки тяжело плюхнулись на бетон.

После чего дверь закрылась, самолет заревел и поехал.

Бахрушин присел и расстегнул «молнию».

Деньги. Полная сумка денег.

Черт побери.

Что за самолет? Что за человек?! Чьи это деньги?!

С ними нужно было еще добраться до гостиницы и — самое главное! — дожить до утра, до приезда Гийома, который был главным связующим звеном между Бахрушиным и непонятно кем.

Кем?! Кем?..

Он добрался до гостиницы и дожил до утра, хоть и просидел всю ночь в кресле с глупым пистолетом на коленях и в глупом бронежилете на плечах!

Разве помогли бы ему пистолет с жилетом!

Гийом забрал кассету, которую накануне доставили с дипломатической почтой, и обе сумки, и когда за ним закрылась дверь, Бахрушин понял, что решительно не знает, что будет дальше.

А что, если Гийом решит отправиться, к примеру, в кругосветное путешествие? Или на Луну? Или на остров Маврикий? Денег у него было достаточно, чтобы прожить на них жизнь как раз на Мартинике, а кассету он мог просто подарить Акбару. С наилучшими пожеланиями.

Не было никаких гарантий, и Бахрушин отлично понимал, что их быть и не может — какие еще гарантии!

Честное слово этого бородатого бандита?! Но он честного слова не давал и по-английски все время говорил как-то так, что его вполне можно было понять по-одному, истолковать по-другому и сделать из сказанного совершенно иной вывод!

Обшарпанная дверь, которая захлопнулась за Гийомом, вдруг показалась выходом в другое измерение! Когда она открылась во второй раз, за ней была Ольга, и Бахрушин ничего не понял.

То есть совсем ничего. То есть решительно ничего.

Он как сидел на кровати, так и остался сидеть, только руки от лица отнял.

— Привет, — сказала его жена. Голос был хриплый, чужой.

Простыла, что ли?..

Бахрушин растерянно поднялся.

— Привет, — повторила она настойчиво. Свитер болтался на ней, как пустой. — Меня Гийом привез. Я думала, что меня расстреливать повезли. А меня к тебе. Привет.

Бахрушин в один шаг подошел, обнял, прижал к себе. От нее пахло сыростью и плесенью, как будто она и впрямь выбралась из могилы.

Ее сильно трясло, и он стискивал ее изо всех сил.

— Больше никуда и никогда, — сказала она очень сурово, как будто на митинге выступала. — Никогда, никуда! И я так люблю тебя, Алеша!

Он все молчал.

— Слышишь?

Он кивнул:

— Конечно.

Она сидела и улыбалась стеклянной улыбкой прямо в камеру.

Ники знал, что сейчас она ничего и никого не видит и слышит только свой наушник, в котором шум аппаратной, последние указания, обморочные голоса — каждый раз как перед прыжком в пропасть.

Каждый раз останавливается сердце, и по-другому быть не может.

По монитору прошла волна, и разноцветные полосы на экране переключились на часы. Секундная стрелка дрогнула и двинулась, и еще раз, и еще, с каждым ударом сердца.

Время пошло.

Обратный отсчет.

Она прижала наушник и улыбнулась сверкающему столу — видимо, режиссер сказал ей что-то ободряющее.

Подбежала гримерша с пудреницей, салфеткой и кисточкой, заложенной за ухо. Выхватила кисточку и обмахнула совершенное, молодое лицо. У Ники почему-то так сжалось сердце, когда он увидел, как кисточка прошлась по гладкой коже, что он даже взялся за какую-то железку, торчавшую из операторского крана.

— Даша, из кадра!

— Уже все, мне только поправить!

— Некогда поправлять! Минута до эфира!

Беготня и паника, нарастающая с каждой секундой.

— Ребята, контровой свет проверьте, у нас тень какая-то вылезла. Быстро!

— Тридцать секунд. На кране готовы?!

— Беляев, а ты чего, не улетел разве?!

Дима Степанов на кране, сдвинув одно ухо монументальных наушников, смотрел на него сверху. Ники отмахнулся.

— Через полчаса.

— Ну, я тебе желаю!..

— Спасибо.

— Да не переживай ты за нее, все нормально будет!

— Я не переживаю, — сквозь зубы пробормотал Ники.

— Десять секунд, тишина в студии!

Упала тишина — совершенно мертвая. В мониторе без звука пошла заставка. Алина сурово и отстраненно взглянула в него и медленно перекрестилась. Гримерша замерла за штативом столбиком, как суслик, даже свою кисточку за ухо не сунула. Оператор шевельнулся за камерой.

Ники знал, что в аппаратной тоже секунда тишины, как перед смертью.

Момент истины, и так каждый день.

Работа такая.

Осветилась студия, пошел кран с Димой Степановым. Алина подняла голову от бумаг и улыбнулась уверенной улыбкой, предназначенной для нескольких миллионов людей на этой планете.

— Добрый вечер. В эфире программа «Новости» и

Алина Храброва. Мы познакомим вас с событиями этого понедельника.

Ники стоял и смотрел — просто так. Он все это видел тысячу раз и все равно смотрел.

Они попрощались утром, и он не хотел, чтобы сейчас она его заметила. Он приехал, сильно рискуя опоздать на свой самолет, но не приехать не мог — вот как все получилось.

Три месяца назад он понятия не имел, что такое может быть с ним.

На мониторе она была сказочно хороша, даже лучше, чем на самом деле, и у него правда что-то болело внутри, когда он долго на нее смотрел.

Сейчас он не смог бы ее снимать, ни за что.

Хорошо, что он сегодня уезжает.

Ужасно, что он уезжает.

Он видел ее губы — как они шевелятся, отчетливо и правильно выговаривая слова, ее ухоженные руки, сложенные на бумагах, горло, двигавшееся в вороте строгой блузки... Потом стал выбираться из студии.

Сейчас она ему не принадлежала, и вдруг очень остро он почувствовал, что никогда не будет принадлежать так, как ему бы хотелось, то есть до конца. У нее всегда будет ее работа — самое главное в жизни, и у него всегда будет его работа, и придется идти как по минному полю: дела постоянно и безнадежно станут уводить их друг от друга, и единственное, что им остается, — только возвращаться и все начинать сначала.

Он пробирался за световыми приборами, так чтобы она его не заметила — хотя она ничего вокруг не видела, занятая только своей работой.

Утром они попрощались.

Она вдруг заплакала крупными глупыми девчоночьими слезами, и он перепугался:

— Ты что? Алин? Ты что?!

Он даже предположить не мог, что она плачет *из-за него.*

Она закрылась руками, но он все бестолково и растерянно хлопотал возле нее, как перепуганная курица, и она в конце концов натянула на голову одеяло и оттуда зарыдала уже вовсю.

Он опять ничего не понял.

Он решил, что у нее неприятности на работе, или она устала, или... может, он только что больно ей сделал?!

От последней мысли ему стало как-то совсем хреново.

— Алина, поговори со мной.

Всхлипывания из-под одеяла, и больше ничего.

Ники чувствовал себя дураком, может быть, еще и потому, что сидел совершенно голый, но натянуть джинсы ему почему-то не приходило в голову.

— Да что ты ревешь?!

— Я не реву.

— Ревешь.

— Не реву.

Ники подергал одеяло, но она свои края не отпустила, только зарылась еще глубже.

— Алина!

— Не хочу, чтобы ты сейчас на меня смотрел.

— Я не буду на тебя смотреть. Вылезай.

Никакого эффекта. Он вдруг рассердился.

— Алина, у меня сегодня самолет. Вылезай, хватит дурака валять!

Она молчала еще несколько секунд, а потом решительно откинула одеяло — ему пришлось моментально отвести глаза, как революционному матросу от Венеры на лестнице в Эрмитаже.

У нее были мокрые веки и влажные волосы на висках — там, куда скатывались слезы.

— Я... — он быстро взглянул и опять отвел глаза.

Черт побери, ну не может он спокойно на нее смотреть! — Ты... тебе... неприятно из-за меня, или на работе... проблемы?

— Это у тебя проблемы с головой, — отчеканила она.

— Тогда почему ты... плачешь?

— Я не хочу, чтобы ты уезжал. Я боюсь за тебя. Я думала, что смогу, а я... не могу.

— Чего... не можешь?

— Я даже думать не могу о том, куда ты уезжаешь! — крикнула она и стукнула кулачками по постели. Звука никакого не получилось, и Ники посмотрел на ее кулачки — сжатые крепко-крепко, так что выступили костяшки. — Я боюсь за тебя. Ужасно. Я боюсь с тех пор, как ты сказал про Багдад!

— Да все в порядке будет, — глупо пробормотал он, потому что понятия не имел, что нужно говорить, как утешать, что объяснять.

Работа всегда была исключительно его личным делом. Никто и никогда раньше не спрашивал, куда и зачем он едет, никто не ждал его возвращения, *никто и никогда за него не боялся*.

Поэтому он чувствовал... удивление.

Где он только ни был — в Грозном, в Косове, в Кабуле, в Иерусалиме, в Ольстере, — отовсюду всегда возвращался, и жизнь как будто начиналась сначала.

Он беспечно заводил подружек, беспечно занимался с ними любовью, потом уезжал, возвращался и заводил следующих — старые до его возвращения, как правило, «не доживали», он избавлялся от них заранее, чтобы не оставлять никому никаких надежд, не путаться в именах, и вообще «не усугублять».

Алина Храброва оказалась первой женщиной в его жизни, с которой он спал и разговаривал, и к которой хотел вернуться. А *с теми* он почти не разговаривал. Как-то не о чем было и незачем. Все они предназначались только для определенных действий, а некоторые и с действиями справлялись как-то... не очень.

Конечно, он разговаривал еще, к примеру, с Ольгой, но зато с ней он никогда не спал! Беляев вспомнил измученное лицо Ольги. Он видел ее только однажды, когда встречал их с Бахрушиным из Афганистана. Ольга взяла отпуск за свой счет и, как понял Ники, решила поменять работу! Бахрушин теперь после эфира не засиживался, мчался домой. Он делал все, чтобы его жена пережила весь этот ужас, не сломалась...

— Я не хочу, чтобы ты уезжал.

— Я вернусь.

— Надеюсь. Но там... война.

— Да не будет ничего! Я сто раз уже...

— Ники, — попросила она, — замолчи. Я не хочу ничего слушать. Ты должен ехать и уезжай, но мне... трудно это пережить. Я никогда не провожала на войну... близкого человека.

— У меня такая работа, — неизвестно зачем пробормотал он.

— Пошел ты к черту со своей работой, — устало сказала она. — Я же не прошу тебя ее бросить! Я просто... боюсь за тебя.

— Не бойся.

— Господи, — вдруг сказала она в потолок и улыбнулась. — Я влюбилась в идиота. Ну почему?! Я столько лет ни в кого не влюблялась, а теперь влюбилась, и в идиота!

Он молчал и рассматривал ее. Она была сказочно хороша, и ее знали миллионы, и она принадлежала — и не принадлежала! — ему, ибо он ценил личную свободу больше всего на свете, и еще он боялся оков, цепей, рабства — как будто книгу про революцию все время цитировал.

...Или это был не он, который боялся и цитировал?!.

— Я вернусь, — повторил Ники. — Первым же весенним днем я вернусь к тебе, и мы будем вместе строить запруду.

Она изумленно посмотрела на него, стремительно села и обняла его голову. Он потерся заросшей щекой об атласную, а может, шелковую, а может, бархатную кожу. Текстильные сравнения никогда ему не давались.

— Ты читал, да?

— Что?

— Ну, «Муми-тролля», откуда про запруду?

— А-а... — Он еще потерся, чувствуя ее тепло, и у него заломило виски. — Да, читал. Конечно.

— Конечно! — повторила она с какой-то странной тоской, взяла его за щеки и заставила откинуть голову.

Так много нужно сказать, и понятно было, что сказать ничего не удастся, и времени все меньше, и то, что только еще должно случиться с ними, все ближе и ближе, и она никогда не привыкнет к этому, даже после всего, что они пережили вместе!

Я *должна* тебя отпустить, и отпущу, потому что ты *должен* быть спокоен и уверен, и за спиной у тебя первый раз в жизни все будет легко и надежно устроено, но, господи, если бы ты только знал, как это трудно!

Я боюсь за тебя и, кажется, люблю тебя — именно так, как надо, как пишут в книжках и показывают в кино.

Откуда ты взялся на мою голову?! И почему именно сейчас?! И почему так получилось, что у тебя странная трудная работа, очень похожая на мою собственную?!

И почему так получилось, что ты читал про Муми-тролля — ведь про него, кажется, не читал никто, кроме меня?!

— Я прошу тебя, — сказала она прямо в его глаза, — пожалуйста. Очень прошу.

— Что?..

— Будь осторожен. Не лезь просто так на рожон.

— Я никогда просто так не лезу на рожон.

— Лезешь. Я же знаю. Вы все уверены, что, если у вас камера, значит, вам ничего не страшно! Но она еще... никого не спасла.

— Со мной ничего не будет.

— Пообещай мне, — вдруг велела она.

— Что пообещать?

Он *никогда никому и ничего не обещал.*

— Пообещай мне, что с тобой все будет в порядке.

И он сказал:

— Со мной все будет в порядке. Ты слетаешь на свою «восьмерку», вернешься, и я... тоже вернусь.

«Восьмеркой» называлась предстоящая встреча лидеров мировых держав в Париже.

— И позвони мне, если сможешь.

— Я буду звонить тебе каждый день.

— Ники!

— Правда. Или три раза в день. Или каждые полчаса. Ты с ума сойдешь от моих звонков.

— Не сойду. Ты, главное, звони.

— А ты смотри, не подцепи там никого... в Париже.

— Кого?

— Тони Блэра. Джека Строба. Кто у них там еще более или менее?..

— Ники!

— И не швыряй нигде кошелек. Украдут, будешь торчать в Париже без денег до моего возвращения.

— Ники.

— И не сядь на очки. И под ноги смотри. И дорогу переходи только на зеленый. И обратный билет положи в сейф в отеле.

— Ники.

— И не забудь зарядник для телефона. — Ему вдруг сильно стиснуло горло, но он справился с собой. — И не гуляй одна по вечерам. И таблетки от аллергии сразу сунь в чемодан. Я люблю тебя.

— И я люблю тебя.

Он перевел дух.

— В самом деле?

— Ну да. Конечно.

Говорить больше было невозможно и не о чем, и они

стали целоваться, и целовались долго и отчаянно, и тискали друг друга, и хватали, и катались по кровати, и свалили на пол одеяло и еще что-то, сильно загрохотавшее по полу, и краем сознания Ники удивился, что это такое может быть.

Времени совсем не оставалось, и он все помнил, что у него мало времени, а потом забыл. Он обо всем забывал в постели с ней — а раньше такого не было, и это тоже как-то отличало теперешнее от всего другого.

Он все зачем-то выискивал отличия, и их было так много, что казалось, все это происходит не с ним.

И как тогда, в первый раз, глядя в запрокинутое к нему очень красивое, неправдоподобно красивое лицо, он вдруг весь сжался.

Она знаменитость и признанная красавица. Секс-символ этой страны. Недостижимая мечта любого мужчины. Кроме того, она еще «большой телевизионный босс», умница, спортсменка, комсомолка и все на свете.

А он?! Он кто?! «Пегий пес, бегущий краем моря» — и больше ничего. Совсем ничего? Нет, он всегда знал себе цену или убедил себя, что знает, но что он может значить в ее жизни?! И как долго сможет значить?!

Невозможно было думать об этом в постели с ней, но он все-таки думал, потому что у него вдруг тяжко закружилась голова, и он так и не понял — от нее или от мыслей.

В эту самую секунду, здесь и сейчас, она была с ним, и на несколько мгновений ему показалось, что этого достаточно.

Должно быть достаточно!

Все было нормально, пока они не стали прощаться. С этой минуты все пошло наперекосяк.

В просторном холле, так поразившем его воображение в первый приход, они стали друг против друга — Алина в холщовых домашних брючках и короткой черной майке и Ники в куртке и джинсах, с перчатками, зажатыми в кулаке. Перчаток он не любил.

Пауза затягивалась. Пауз Ники тоже не любил.

— Ну... я пошел?

— Давай. Будь осторожен за рулем.

Он кивнул, усмехнувшись. Ничего на этот раз не зависело от его осторожности за рулем!

Он потянул с пола рюкзак и неловко пристроил его на плече. Теперь они занимали ровно половину холла — громоздкий Ники и его громоздкий рюкзак, — и он моментально и остро почувствовал свою неуместность в этом аристократическом холле с сухими цветами в высокой вазе, с парой бронзовых негритосов, слившихся в объятиях, с японской циновкой, высоким зеркалом и непонятной картиной, которая Ники не нравилась.

Уютное гнездышко, убежище звезды — черт побери все на свете!.. Он-то как сюда попал?!

Он еще потоптался, покосился на нее. Она улыбалась глянцевой телевизионной улыбкой, как будто в камеру, и эта улыбка сильно его задела.

— Пока.

— Пока.

Она поцеловала его в щеку глянцевым телевизионным поцелуем — лучше бы не целовала! — и одним движением открыла оба замка.

Ники протиснулся мимо, выбрался на площадку и глупо помахал рукой, в которой были зажаты перчатки. Она кивнула и закрыла дверь.

Попрощались.

На лифте он не поехал. Он бы умер от клаустрофобии, хотя ничем таким никогда не страдал.

Он сбежал восемь этажей вниз, сильно грохоча ботинками по ступеням, и бабулька-вахтерша высунулась на грохот из своей каморки — очки сдвинуты на кончик носа, а в руке газета.

Интересно, что она читает в семь часов утра?!

— До свидания, — пробормотал Ники, посмотрел на газету и усмехнулся.

Называлась она «Эротика и жизнь» — дает бабулька-вахтерша!

...«Лендровер» встретил его привычным холодным и острым запахом. Пахло кожей, сложной автомобильной парфюмерией, которую он любил, и Алиниными духами.

Он повернул ключ и посидел, прислушиваясь к ровному урчанию двигателя.

Духи.

Он хмуро оглядел салон и увидел. Ее вчерашний шарфик, который она сорвала с шеи, когда они начали безудержно целоваться, потому что вдруг оказалось, что нет никакой возможности дотерпеть до дома, был засунут в карман на двери. Перегнувшись, Ники потянул за тонкую ткань и вытащил его весь.

Черт возьми. Ужас.

Шарфик перетекал у него по ладони, а он сидел и смотрел, как перетекает.

Он не пойдет назад — ни за что. Они уже попрощались — кончено. Он «держит себя в руках и отдает себе отчет» — как всегда.

Вот вернется из Багдада, и они... они...

Что?..

Поженятся? Будут жить долго и счастливо? Состарятся вместе? Родят красивых и здоровых детей и умрут в один день??

Он сжал кулак с шарфиком — показалось, что в там ничего нет, — потом решительно сунул его в карман, дернул рычаг и нажал на газ. «Лендровер» прыгнул, приземлился, слегка дрогнул тяжелым и сильным телом, похожим на его собственное, — Ники всегда считал, что они похожи, он и его машина.

У него еще были дела. Он должен поставить на стоянку машину, съездить на Би-би-си и успеть на самолет.

С Алиной Храбровой он уже попрощался.

Пошел сюжет, студия на две минуты и сорок семь секунд вылетела из эфира, и Храброва сказала громко:

— Ребята, у меня в «ухе» звук плавает. Что там у вас, Костя?

Операторы зашевелились за камерами, все сразу, как большие рыбы в стоячей воде, и опять замерли.

— Алин, — громыхнуло сверху, — чуть влево сдвинься. Ну, на пять миллиметров. Да-да, все, стоп! Отлично.

— И с суфлером сегодня что-то, — рассеянно сказала она. В суфлер она даже не смотрела.

Это традиция такая, Ники знал. Когда все слишком гладко, что-нибудь непременно случается. Хоть что-то должно быть «не так». Иногда они сами выдумывали проблемы, чтобы «не сглазить».

— Алина, следующим идет Афганистан.

— Я знаю, Кость.

Ники стоял и смотрел, сунув руки в карманы.

Они уже попрощались. Зачем он здесь?..

Тут она вдруг подняла голову, моргнула от изумления и уставилась на него. Прямо ему в лицо своими карими глазищами, известными миллионам зрителей в этой стране.

— Ники?!

Он очнулся и понял, что давно уже вышел из-под света, который делал его невидимым, и теперь торчит почти посередине студии, прямо под операторским краном.

— Что ты здесь делаешь?!

Он засуетился, оглянулся, стал отступать, вся студия, казалось, пялится на него, и громоподобный «голос с небес» вдруг грянул:

— Минута до эфира, что там у вас, черт возьми?!

— Ники, почему ты не улетел?!

— Я... сейчас улечу.

Секунду она смотрела ему в глаза — только одну секунду.

И вдруг вскочила.

По студии как будто промчался торнадо.

— Алина!..

— Вернись! Сядь!

— Твою мать!.. Что там происходит?! Юра!

— Сорок шесть секунд!

— До эфира сорок шесть секунд, вашу мать!..

Никто ничего не понимал.

Старательно балансируя на тоненьких и неправдоподобно высоких каблуках, которые она надевала только в эфир, Алина Храброва скатилась с подиума, пригнулась, перебежала под краном — студия и аппаратная ахнули десятком перепуганных голосов — и подбежала к Никите Беляеву.

— Алина!!! — заревело и завыло из всех динамиков. — Тридцать секунд! Вернись!

Ники понял, что она намерена сделать, только в самый распоследний момент. Понял и едва успел раскинуть руки, и поймать ее, и прижать к себе.

Сердце на этот раз точно разорвалось.

— Алина! Вернись!

— Двадцать пять секунд!

— Ребята, что делать?!

— Костя! Останови ее!

Наверху распахнулась дверь, и кто-то побежал, громко топая, по металлической лестничке, чтобы вернуть на место впавшую в буйное помешательство звезду, решившую погубить не только программу, но и все Российское телевидение, так сказать, в целом.

Федеральный эфир смотрят все — не только рабочие и колхозники, не только шахтеры и вахтеры, бурильщики и курильщики, но еще и министры, вице-премьеры, отдыхающие от государственных забот, и парочка-троечка олигархов, и десятка два телевизионных боссов со всех каналов, да мало ли еще кто!..

Она прижалась накрашенной душистой щекой к его щеке, очень близко сияли темные глазищи, всегда приводившие его в трепет — ни у кого, кроме нее, не было таких ярких, таких страшных, таких веселых глаз!

— Алина, что случилось?!
— Алиночка, может, тебе валокордину?!
— Беляев, уходи уже!!
— Ребята, есть у кого-нибудь успокоительное?!
— Алина, умоляю тебя, вернись!
— Алина!!
— Беляев, твою мать, да отпусти ты ее!!
— Пятнадцать секунд!..

И мат до самых небес, до крыши мира, если только туда доходят слова и эфирные волны!..

— Ники, я люблю тебя, — сказала Алина Храброва, и ее голос, усиленный петличным микрофоном, эхом отдался по всей студии и аппаратной, перекрывая ругательства, стенания и мольбы. Давай. Езжай на свою работу. Только возвращайся.

И, оттолкнув его, дунула на свое место, пригнулась под краном, перебирая немыслимыми каблуками, понеслась по подиуму, чуть не упала — опять общий вздох, как будто стон!

И этот стон или вздох удержал ее на ногах, она не упала. Сметая со стола бумаги, которые разлетелись по сверкающему полу, она плюхнулась в кресло, отъехала, придвинулась, глядя на себя в монитор, прижала «ухо», и все замерло и остановилось, и в студии опять грянула тишина, и она сказала уверенно, как будто все в порядке, словно ничего и не было:

— Сегодня министр иностранных дел России Игорь Федотов обсудил со своим английским коллегой ситуацию в Афганистане. Примечательно, что встреча руководителей внешнеполитических ведомств проходит в преддверии встречи глав большой восьмерки, открывающейся завтра в Париже. Это свидетельствует о том, что речь на форуме пойдет в основном о проблемах Афганистана.

У нее за спиной с дальнего компьютерного стола медленно и изящно спланировал листок бумаги. Гримерша Даша прижала растопыренную ладонь ко рту.

Замерев, все ждали — сможет или нет?.. Спасет эфир или не спасет?! И только Ники знал — все будет хорошо. Теперь-то уж точно.

Алина Храброва в кадре излучала уверенность и профессионализм, а знаменитая улыбка была уже не такой глянцевой и телевизионной, и несколько миллионов мужчин в этой стране немного опечалились и затосковали, глядя на эту улыбку.

— Ты, блин, даешь, Беляев!

Ники отмахнулся и выбрался из эфирной зоны. В голове шумело, словно он сильно выпил.

Он глупо и смущенно улыбался, и телевизионный народ на лестницах смотрел на него как-то странно. Он все поддергивал рюкзак на плече, хотя тот никуда не падал и не сползал. Ему казалось, что все на свете должны знать, что именно минуту назад сделала Алина Храброва!

Господи, она чуть не сорвала эфир, только чтобы сказать ему, что его любит!

— Беляев! Ники, ты как здесь?.. Ты же вроде того?.. На войну уехал?

— Уезжаю, — ответил Ники и захохотал. — Прямо сейчас.

— Беляев, ты что? Пьяный?

— Да ладно!

— Беляев, ты рано начал, в самолете пить надо, а ты чего? Давай уезжай, еще нарвешься на Бахрушина, он тебя в два счета... того. Обходной лист будешь подписывать!

Ники отмахнулся. Ему ничего было не страшно, ни Бахрушин, ни обходной, ни война.

Алина Храброва после унылого утреннего прощания возле слившихся в объятиях негритосов на всю эфирную студию, почти на весь мир, сказала ему — всем! — что любит его, и велела возвращаться — как он мог после этого чего-то там бояться? Или не вернуться!

Ровно через сутки, прижимая к груди камеру в синем кофре, как убаюканного младенца, он, прищурившись, смотрел на стрекозиную тень от вертолета, которая странно неслась впереди и сбоку, изгибалась на склонах, проваливалась в ущелья и снова возникала.

Потом он стал задремывать под мерное стрекотание вертолета и прорывавшийся через шум разноязычный говор военных корреспондентов, летевших с ним, и просыпался, только когда пот начинал щекотать за ухом. Тогда он вытирал лицо и шею свободным концом банданы и снова задремывал.

Он совсем не спал в самолете, все думал — как она смогла?!

Ему?! Почти на весь мир?!

Он улыбался и оглядывался по сторонам, не слышит ли кто его мыслей.

Алина Храброва иногда слышала его мысли, а он слышал ее — вот что это такое?! Разве так бывает?!

Во рту сохло, и Ники отлично знал, что будет дальше — пот, заливающий глаза, белые разводы на майке, таблетки от обезвоживания, гадкая вода и песок, песок везде — в волосах, в ушах, в носу, в глотке.

И единственная забота — чтобы только камера была цела, наплевать на остальное! И арабская речь, и злые глаза повсюду, и американцы, попирающие вечные пески подошвами рифленых ботинок, и «виртуальная война», когда снимают все, что угодно, — своего собрата-корреспондента на фоне развалин и выдают его за пленника или беженца, — и недовольство, что сюжет слишком длинный или что слишком короткий, и воды опять нет, и связи нет, а он должен, должен ей звонить, он же обещал!..

Он проснулся оттого, что кто-то, протискиваясь мимо, наступил ему на ногу. Вертолет, разметая желтую пыль, стоял на бетонной площадке. Люди выбирались наружу, тащили рюкзаки и прыгали на выжженную солнцем землю. Винт крутился, пыль лезла в горло, и на улице было так жарко, что казалось, будто ныряешь в струю раскаленного газа, и все время хотелось из нее выбраться. Ники знал, что выйти из нее удастся только в Москве.

Не скоро.

Он поудобнее перехватил камеру, закинул на плечо рюкзак и выпрыгнул самым последним. Жестокое солнце, как профессиональный боксер, ударило в лицо так, что потемнело в глазах. Ники выпростал дужку очков из ворота черной майки, нацепил их и махнул пилоту рукой — все, больше никого нет. Недалеко слева теснились какие-то низкие серые зданьица, за ними палатки, и еще один вертолет, а за ним верблюд, привязанный к какому-то шесту.

Мир, в котором предстоит жить и выжить.

В ту самую минуту, что Никита Беляев тащил рюкзак и камеру к серому глиняному сараю, поминутно моргая от слез, потому что песок и солнце скребли по глазам, как будто теркой, Алина Храброва вышла из раздвижных стеклянных дверей аэропорта имени Шарля де Голля. Ей нужно было найти стоянку такси, чтобы доехать до отеля, а она понятия не имела, где ее очки, без которых она ничего не видела.

Ники всегда знал совершенно точно, где они.

Флаги развевались на длинных стержнях, упирались в серое небо. Вечерело, и желтые фонари на шлагбаумах мигали сквозь тонированное стекло размытым светом. Мимо прокатили коляску с угольно-черным веселым младенцем, который сосал ухо белоснежного зайца. Какие-то молодые мужчины хохотали у стойки и посторонились, не глядя на Алину и давая ей пройти. Часы «Тиссо» крутились на высокой подставке, с разных сторон показывали разное время — реклама.

В динамиках прозвенели колокольца и ангельский голос что-то длинно и сложно сказал по-французски. Алина не знала французского языка. В джинсах и легкомысленной кофточке она сильно мерзла — в самолете было жарко, и она почему-то решила, что внизу тоже очень тепло, а оказалось сумрачно и странно холодно. Куртка осталась в чемодане, и ей не хотелось ее доставать.

Она долго и рассеянно рылась в сумочке, одна среди разноцветной, равнодушной, веселой и озабоченной толпы, внутри разнообразия чужих языков, запаха кофе и сигарет, блеска рекламы и огней витрин, думая только о том, что он вернется к ней, а когда нашла наконец очки и шагнула на тротуар, оказалось, что идет дождь.

В голове крутилась одна мысль — как он там?

Прямо вот этими, глупыми книжными или киношными словами.

Она никогда не была на войне и думала, что представляет себе, каково это, а на самом деле почти не представляла.

И еще она думала — как я смогла его отпустить? И как отпущу в следующий раз, который непременно будет?

Она знала, что мужчин нельзя держать привязанными к себе. Еще она знала, что даже лучшие из них боятся несвободы, рабства и еще какой-то ерунды, которая существует только в их мужских мозгах, а мозгов этих, как известно, у них на пятьдесят граммов больше, чем у остального человечества, именующегося женской половиной!..

Ни за что и никогда она не станет предлагать ему себя, как положено — с кольцом на пальце, с клятвой верности до гроба и со всеми обязательствами, которые так пугают его.

Никогда она не вынудит его сделать что-то только из-за того, что он «должен». Он ничего ей не должен.

Ничего. Ничего.

Она остановилась под козырьком громадного здания. Желтый автобус прозвенел теми же ангельскими колокольцами и бесшумно закрыл широкие двери.

Он меня не пустил, подумала Алина про автобус. Закрыл свои двери и не пустил.

Совсем как Ники.

Он никогда не сделает первый шаг именно потому, что до смерти напуган кем-то или чем-то, и ей еще только предстоит выяснить, кем или чем.

Он так устроен, что тут поделаешь!

Все его мужские комплексы и страхи и эта подчеркнутая любовь к свободе, как у парижского коммунара из кино пятидесятых годов, — просто обиды маленького мальчика, который мечтал только об одном. Чтобы его близкие дали друг другу возможность жить спокойно, а это так просто!

Он и сам не понимает, насколько это просто!..

Он сказал ей, что любит ее, и вряд ли соврал — он никогда ей не врал, это уж точно.

Значит, подумала она строго, вся надежда только на тебя. Потому что, кажется, первый раз в жизни тебе попался человек, без которого ты пропадешь, и глупо спрашивать себя, как это получилось.

Получилось, и все.

Двери за ее спиной разошлись, и она посторонилась, пропуская очередные коляски с очередными младенцами и чемоданами.

Интересно, а у нее когда-нибудь будет коляска с младенцем?

Она тоже сказала ему, что любит его, но этого мало, мало!.. Ей-то как раз и нужны обязательства — все до единого, сколько их ни придумал род человеческий с незапамятных времен!

Он никогда не сделает первый шаг, и она это знает. Для него она всегда будет чем-то «неправильным», нереальным, полученным случайно или украденным у другого.

Ну что ж.

Дождь шел, заливал ее светлые туфли, и она совсем замерзла, пока стояла возле раздвижных дверей аэропорта имени Шарля де Голля с задумчивым, почти мрачным лицом.

Потом она открыла дверь ближайшей телефонной будки и забралась внутрь. Шум гигантского аэропорта как-то сразу отдалился, как будто отрезанный от нее.

Она достала свой телефон и набрала номер.

Она никогда еще так не рисковала. Но в конце концов она же Храброва, а не Трусова!..

Ники уже почти добежал до серой глиняной стены, когда в кармане у него зазвонил мобильный.

Останавливаться на солнце, чтобы вытащить телефон, было невозможно, и он все-таки добрался до тени, бросил рюкзак, а камеру так и не отпустил, и долго тащил из камуфляжных штанов аппарат — пальцы оказались скользкими от пота, и трудно было удержать ими трубку.

— Да!

— Ники?

Он перепугался до смерти. Он еще в жизни ничего так не пугался.

— Алина, что случилось?! Где ты?!! Але!!

— Я в Париже, — сказал далекий голос, показавшийся ему очень холодным. — А ты? Где ты?

— Я на месте, — растерянно ответил он и снова закричал: — Почему ты звонишь?! Что случилось?!

— Я решила, что ты должен на мне жениться, — произнесла она отчетливо. — Слышишь, Ники?

Он вытер лоб о рукав майки, не отрывая от уха телефон, и скинул, почти швырнул на землю свою драгоценную камеру.

И переспросил:

— Что?

— Я решила, что ты должен на мне жениться, — повторила она, и он понял, что не ослышался. — Я делаю тебе предложение. Отвечай прямо сейчас. Или тебе нужно неделю на раздумье?..

— Постой, — сказал он. Пот заливал глаза, а спине почему-то стало холодно. — Я догадался. Ты заболела и бредишь. Да?

— Нет.

— Значит, у тебя уже украли все деньги и ты решила как-то заманить меня в Париж. Да?

— Нет.

— Это тебе Малышева велела устроить свою семейную жизнь, и ты ее таким образом устраиваешь. Да?

— Нет.

— Тогда что?

— Ники, я не могу без тебя жить, — пожаловалась она. — Я хочу, чтобы ты был мой муж и чтобы я просто отпускала тебя на работу, как нормальная жена. Чтобы я тебя ждала! Чтобы у нас была коляска, а в ней ребенок! Честное слово, я не стану тебе... мешать. И знаешь, я никому и никогда не делала предложения!

— Точно?

— Ну да, — горестно сказала она. — Ты первый.

Он улыбнулся, взялся свободной рукой за глиняную стену и потряс ее. Стена заходила ходуном.

— Слушай, Храброва. — Он еще потряс, и из сарайчика выглянул встревоженный усатый военный в желтой форме. Он подумал, что началось землетрясение. — Ты свою почту электронную смотрела?

Она помолчала, решила, что он ей отказывает.

— Нет.

— А зря. Я уже сделал тебе предложение. Вчера. В письменном виде, чтобы вернее. Ты опоздала.

— Ники! — вскрикнула она.

— Я тоже без тебя не могу, — сказал он тихо и повернулся спиной к усатому, — странно, что мог так долго.

На секунду он закрыл глаза, а когда открыл, перед ним была серая глиняная стена в пятнах жесткой бурой иракской дорожной пыли.

Алина Храброва в ту же самую секунду смотрела в чистое стекло своей парижской телефонной будки. По стеклу бежал дождевой поток.

В этот вторник в Париже в первый раз пошел дождь — после долгого весеннего тепла.

Литературно-художественное издание

Устинова Татьяна Витальевна

БОГИНЯ ПРАЙМ-ТАЙМА

Ответственный редактор *О. Рубис*
Редактор *Т. Семенова*
Художественный редактор *А. Марычев*
Технический редактор *Н. Носова*
Компьютерная верстка *Е. Мельникова*
Корректор *Г. Титова*

ООО «Издательство «Эксмо»
127299, Москва, ул. Клары Цеткин, д. 18/5. Тел. 411-68-86, 956-39-21.
Home page: **www.eksmo.ru**   E-mail: **info@eksmo.ru**

Подписано в печать 21.07.2008.
Формат 70x90 ^{1}/$_{32}$. Печать офсетная.
Бум. тип. Усл. печ. л. 11,7. Уч.-изд. л. 13,8.
Доп. тираж 7000 экз. Заказ 10535

Отпечатано по технологии CtP
в ОАО «Печатный двор» им. А. М. Горького.
197110, Санкт-Петербург, Чкаловский пр., 15.

Оптовая торговля книгами «Эксмо»:
ООО «ТД «Эксмо». 142702, Московская обл., Ленинский р-н, г. Видное,
Белокаменное ш., д. 1, многоканальный тел. 411-50-74.
E-mail: **reception@eksmo-sale.ru**

По вопросам приобретения книг «Эксмо»
зарубежными оптовыми покупателями
обращаться в ООО «Дип покет»
E-mail: **foreignseller@eksmo-sale.ru**

International Sales: International wholesale customers should contact
«Deep Pocket» Pvt. Ltd. for their orders. **foreignseller@eksmo-sale.ru**

По вопросам заказа книг корпоративным клиентам,
в том числе в специальном оформлении,
обращаться по тел. 411-68-59 доб. 2115, 2117, 2118.
E-mail: **vipzakaz@eksmo.ru**

Оптовая торговля бумажно-беловыми
и канцелярскими товарами для школы и офиса «Канц-Эксмо»:
Компания «Канц-Эксмо»: 142700, Московская обл., Ленинский р-н,
г. Видное-2, Белокаменное ш., д. 1, а/я 5.
Тел./факс +7 (495) 745-28-87 (многоканальный).
e-mail: **kanc@eksmo-sale.ru**, сайт: **www.kanc-eksmo.ru**

Полный ассортимент книг издательства «Эксмо» для оптовых покупателей:
В Санкт-Петербурге: ООО СЗКО, пр-т Обуховской Обороны, д. 84Е.
Тел. (812) 365-46-03/04.
В Нижнем Новгороде: ООО ТД «Эксмо НН», ул. Маршала Воронова, д. 3.
Тел. (8312) 72-36-70.
В Казани: ООО «НКП Казань», ул. Фрезерная, д. 5. Тел. (843) 570-40-45/46.
В Самаре: ООО «РДЦ-Самара», пр-т Кирова, д. 75/1, литера «Е».
Тел. (846) 269-66-70.
В Ростове-на-Дону: ООО «РДЦ-Ростов», пр. Стачки, 243А.
Тел. (863) 220-19-34.
В Екатеринбурге: ООО «РДЦ-Екатеринбург», ул. Прибалтийская, д. 24а.
Тел. (343) 378-49-45.
В Киеве: ООО ДЦ «Эксмо-Украина», ул. Луговая, д. 9.
Тел./факс: (044) 501-91-19.
Во Львове: ТП ООО ДЦ «Эксмо-Украина», ул. Бузкова, д. 2.
Тел./факс: (032) 245-00-19.
В Симферополе: ООО «Эксмо-Крым» ул. Киевская, д. 153.
Тел./факс (0652) 22-90-03, 54 32-99.
В Казахстане: ТОО «РДЦ-Алматы», ул. Домбровского, д. 3а.
Тел./факс (727) 251-59-90/91. gm.eksmo_almaty@arna.kz

Мелкооптовая торговля книгами «Эксмо» и канцтоварами «Канц-Эксмо»:
127254, Москва, ул. Добролюбова, д. 2. Тел.: (495) 780-58-34.

Полный ассортимент продукции издательства «Эксмо»:
В Москве в сети магазинов «Новый книжный»:
Центральный магазин — Москва, Сухаревская пл., 12.
Тел.: 937-85-81, 780-58-81.
Волгоградский пр-т, д. 78, тел. 177-22-11; ул. Братиславская, д. 12.
Тел. 346-99-95.
В Санкт-Петербурге в сети магазинов «Буквоед»:
«Магазин на Невском», д. 13. Тел. (812) 310-22-44.